M000301766

Dorothea Schlegel

Florentin

Ein Roman

Herausgegeben von
Wolfgang Nehring

Philipp Reclam jun. Stuttgart

Umschlagabbildung: Bildnis eines jungen Mannes.
Federzeichnung von Carl Philipp Fohr (1795–1818)

Universal-Bibliothek Nr. 8707
Alle Rechte vorbehalten
© 1993 Philipp Reclam jun. GmbH & Co., Stuttgart
Gesamtherstellung: Reclam, Ditzingen. Printed in Germany 1993
RECLAM und UNIVERSAL-BIBLIOTHEK sind eingetragene
Warenzeichen der Philipp Reclam jun. GmbH & Co., Stuttgart
ISBN 3-15-008707-4

Florentin

Ein Roman

herausgegeben

von

Friedrich Schlegel.

Erster Band.

Lübeck und Leipzig,
bey Friedrich Bohn
1801.

Vom Herausgeber

Gern flieht der Geist vom kleinlichen Gewühle
   Der Welt, wo Albernheiten ernsthaft thronen,
   Auf zu des Scherzes heitern Regionen,
   Verhüllt in sich die heiligsten Gefühle:

Umweht ihn einmal Äther leicht und kühle,
   So kann er nimmer wieder unten wohnen;
   Und schnell wird jenen Scherz der Ernst belohnen,
   Daß er sich neu im eignen Bilde fühle.

Die Wünsche die dich hin zur Dichtung ziehen,
   Der frohe Ernst in den du da versankest,
   Das sei dein eigen still verborgnes Leben;

Was du gedichtet, um ihr zu entfliehen,
   Das mußt du, weil du ihr allein es dankest,
   Der Welt zum Scheine scherzend wiedergeben.

〰〰〰〰〰

Laß edlen Mut den weißen Altar gründen,
  Hoch Phantasie in Purpurflammen wehen,
  Und Liebe wirst du bald im Zentrum sehen,
  Wo grün die Feuersäulen sich entzünden;

Durch braune Locken wird sich Myrte winden,
  Der Freund mit goldnen Früchten vor dir stehen,
  Die Kinder dann in Blumen zu dir gehen,
  Mit Ros' und Lorbeer dich die Schwester binden. –

Es war der alten Maler gute Sitte,
  Des Bildes Sinn mit einem Strich zu sagen,
  Der den Akkord der Farben drunter schriebe;

So mag auch dieses Lied es kühnlich wagen,
  Zu deuten auf der Dichtung innre Mitte,
  In Farben spielend um die süße Liebe.

Florentin

Erstes Kapitel

Es war an einem der ersten schönen Frühlingsmorgen. Allenthalben, auf Feldern, auf Wiesen und im Wald, waren noch Spuren des vergangnen Winters sichtbar, und der Härte, womit er lange gewütet: noch einmal hatte er mächtig im Sturm seine Schwingen geschüttelt, aber es war zum letztenmal. Die Wolken waren vertrieben vom Sturm, die Sonne durchgebrochen, und eine laue milde Wärme durchströmte die Luft. Junge Grasspitzen drängten sich hervor, Veilchen und süße Schlüsselblumen erhoben furchtsam ihre Köpfchen, die Erde war der Fesseln entledigt, und feierte ihren Vermählungstag.

Mutig trabte ein Reisender den Hügel herauf. Vertieft im Genuß der ihn umgebenden Herrlichkeit und in Phantasieen, die ihn bald vor- bald rückwärts rissen, hatte er den rechten Weg verfehlt, und nun sah er sich auf einmal vor einem Walde, den er durchreiten mußte, wenn er nicht gerade wieder umkehren und zurückreiten wollte; ein andrer Weg war nicht zu finden. Er war lange zweifelhaft.

»Jetzt wieder umkehren wäre ein unnützes Stück Arbeit. Wäre ich etwa umsonst hieher geraten? In diesen Wald kam ich ungefähr auf eben die Weise wie ins Leben ... wahrscheinlich habe ich im ganzen auch des Weges verfehlt. Und wie? wenn mir auch hier wie dort die Rückkehr unmöglich wäre? ... Sei meine Reise wie mein Leben, und wie die ganze Natur, unaufhaltsam vorwärts! ... Was mir nur begegnen wird auf dieser Lebensreise, oder diesem Reiseleben? ... Ich rühme mich ein freier Mensch zu sein, und dieser Sonnenschein, dieses laue Umfangen, die jungen Knospen, das Erwarten der Dinge, die mich umgeben, ist schuld, daß auch ich erwarte ... und was? ... War mir doch mit allem bunten Spielzeug schon längst Hoffnung und Erwartung entflohen! ... Närrisch genug wäre es, wenn mich dieser Weg auch endlich an den rechten Ort führte, wie alles Leben zum unvermeidlichen Ziel.« –

Unter diesen Betrachtungen, und Spott über sich selbst, ritt er rasch weiter, fühlte aber endlich sein Pferd ermüden, auch war er selbst durchnäßt vom nächtlichen Regen. Er wünschte jetzt, bald irgend ein Obdach zu finden, um einige Zeit ausruhen zu können. – »Hab guten Mut, Schimmel! wir müssen beide weiter; billig ist es aber, daß du es jetzt nicht schlimmer habest als ich.« – Hiemit sprang er ab, machte Riemen und Schnallen am Sattelzeuge weiter, und führte das Pferd hinter sich am Zaum. Der Schimmel wieherte und stampfte, als wollte er Zeichen seiner Zufriedenheit geben. Sein Führer drehte sich zu ihm herum, stand still, legte seine beiden Hände an den Kopf des Pferdes und blickte es ernsthaft an. – »Laß dich umarmen Schimmel«, sagte er, »du bist ein königliches Tier! ein Tier für Könige! Was fehlt uns beiden, um in der Geschichte verewigt zu werden, du als ein Muster der Treue und Unterwürfigkeit, ich als ein Beispiel von menschenfreundlicher Herablassung, als daß ich einen Thron besäße, und du wärest mein Untertan? Gewiß bist du ganz verwundert und froh, und ohne Zweifel fühlst du dich überaus glücklich, gerade von mir und von niemand anders bis ans Ende deines treuen Lebens geritten zu werden! Ahndest du etwa, daß ich deine Last bloß deswegen etwas leichter machte, damit du mir nicht völlig unterlägst, und darüber zu Grunde gingest, ehe ich dich missen kann? Ich weiß es freilich, aber du sollst es nie erfahren, denn du sollst glücklich sein; du sollst, verlaß dich auf meine Wachsamkeit, gewiß nie in dem klugen Glauben gestört werden, daß du in deiner Unvernunft und demütigen Genügsamkeit ein glückliches Tier bist.« –

Er ließ den Kopf des Schimmels, und stand gedankenvoll eine Weile an ihn gelehnt. Sein Auge schweifte umher, bald beschaute es die ihn noch umgebenden Gegenstände mit dem innigsten Vergnügen, bald drang es mit Sehnsucht in die Ferne. Es gab für ihn Momente, wo er sich keines drückenden und keines vergangnen Verhältnisses bewußt war. Ihm war, besonders in der Einsamkeit und im Freien, als hätte er alles, was ihm jemals weh getan, zurückgelassen, und ginge nun einer heitern Aussicht entgegen. Er konnte sich einbilden, vor einem Augenblicke gestorben, und mit dieser bessern Empfindung in ein schöneres Dasein übergegangen zu sein.

»Welche sehnende, ahndende Hoffnung treibt mich wieder zu euch Menschen? warum ergebe ich mich denn aufs neue euren unsinnigen Anstalten? Ist es mir denn nicht bekannt, daß ich dessen, was ich bei euch suche, schon längst überdrüssig bin? . . . Schön ist's hier im Wald! hier möchte ich bleiben, . . . o hier, hier sollte ich bleiben! . . . allein? . . . ach, nicht allein! . . . mit ihr! . . . noch hat mein Auge sie nicht gesehn, aber ich kenne sie, . . . o sie wird alles verlassen, was sie halten will, und hat sie mich gefunden, mir hieher folgen, und hier mit mir der Liebe leben. Laß dich in meine Arme fassen! komm, ruhe hier aus an diesem Herzen, das harte Schläge des Schicksals erlitten hat wie deines; laß mich deine Tränen trocknen, blick um dich! Was du verließest, war nicht die Welt: Fesseln, enge Mauern, nanntest du das die freie schöne Welt? . . . Schwer hast du geträumt, o erwache, erkenne hier was du suchtest! . . .«

Nicht weit von ihm fiel ein Schuß, und bald darauf hörte man ein Rufen nach Hülfe. Im Augenblicke hatte er Sattel und Bügel wieder in Ordnung gebracht, seine Träume, des Schimmels Müdigkeit, so wie seine eigne vergessen, sich aufs Pferd geschwungen und nach der Gegend hingespornt, von wo er die Stimme vernahm; er kam auf einen kleinen runden dicht umschloßnen Platz im dicksten Teil des Waldes; hier sprengte ihm hastig ein reichgekleideter Jockey entgegen, der ein gesatteltes Handpferd führte. »Retten Sie meinen gnädigen Herrn!« rief der Knabe. Unser Reisender sah nach der Gegend hin, wo der Knabe mit ängstlicher Gebärde hinzeigte, und erblickte einen ältlichen Mann, der eben im Begriff war, ein wildes Schwein abzufangen; er sah eben, wie der Mann noch einen Schritt zurücktrat, um sich mit dem Rücken an einen Baum lehnen zu können, sah ihn an eine

Baumwurzel stoßen, rücklings niederfallen, und in der größten Gefahr, von der gereizten Sau zerfleischt zu werden. Im Moment sprang er vom Pferde und feuerte sein Pistol auf das Tier, wodurch er, ohne es zu treffen seine ganze Wut auf sich zog: das war seine Absicht. Das erboste Tier kehrte um und rannte auf ihn los, er zog sein Jagdmesser und fing es mit Besonnenheit und Geistesgegenwart auf. Während dessen war der alte Herr aufgestanden, näherte sich dem Reisenden, und ergoß sich in Danksagungen und Lob wegen seines Mutes und seiner Geschicklichkeit. Dieser lehnte mit Anstand beides von sich ab, erkundigte sich freundlich, ob der Gefallne keinen Schaden genommen, und da dieser mit Nein antwortete, wandte er sich nach seinem Schimmel, der noch ruhig da stand, wo er ihn gelassen. Der Mann wunderte sich über die Demut eines sonst so mutig aussehenden Pferdes. – »So eifersüchtig ich sonst auch bin, nichts von meinem Gefährten sagen zu lassen, als was zu seinem Lobe gereicht«, erwiderte der Reisende, »so muß ich dennoch gestehen, daß er diesesmal gezwungen ist, tugendhaft zu sein; das gute Tier ist erschöpft von Müdigkeit. Führt der Weg, auf dem ich hier vorbeikam, ganz durch den Wald, und wo führt er hin?« – Er hatte sich während dem wieder aufgesetzt, begrüßte den alten Herrn, und wollte zurückreiten. –

»Ich hoffte, Sie würden mich nicht so schnell wieder verlassen«, sagte der alte Herr. »Sie haben sich das größte Recht auf meine Dankbarkeit erworben, es würde mich schmerzen, wenn Sie mir alle Gelegenheit rauben wollten, sie Ihnen zu bezeigen. Fügen Sie zu dem großen Dienst, den Sie mir leisteten, auch noch den hinzu, sich meiner Familie vorstellen zu lassen. Meine Gemahlin, meine Kinder würden untröstlich sein, dem Retter meines Lebens nicht ihre Freude bezeigen zu können. Komm, mein Sohn!« rief er einem jungen Manne zu, der auf einem Seitenwege zu ihnen heransprengte, vom Pferde sprang, und mit besorglicher Freude auf ihn zueilte; »hilf mir diesen Herrn erbitten, daß er sich nicht in so großer Eile von uns trennt, du verdankst ihm nichts weniger als das Leben deines Vaters.« – »O mein Vater«, rief der junge Mann, »daß ich mich gerade in diesem Moment entfernen mußte! mein Gott, Sie waren so nahe ... mein Herr«, indem er sich zu dem Reisenden wandte, »Sie haben ein kostbares Leben gerettet, verschmähen Sie nicht den Dank einer liebenden Familie anzunehmen, die durch Ihre Hülfe einem schrecklichen Unfall entging.« – »Es würde unbescheiden von mir sein«, antwortete er, »wenn ich mich länger widersetzte.« – Der alte Herr bezeigte seine Freude über diesen Entschluß in vielen höflichen und verbindlichen Worten, der junge Mann reichte ihm die Hand herüber, und sprach einiges, das den Ausdruck der höchsten Empfindung bezeichnete. Der Reisende brachte vollends alles an seinem Zeuge in Ordnung.

Jetzt eilten alle auf demselben Wege fort, auf dem er zuerst gekommen war. – »Aber wie ging es eigentlich zu?« fragte der junge Mann, »wie kommen Sie zu dem gefährlichen Abenteuer, mein Vater?« – »Ganz zufällig!« antwortete dieser. »Du weißt, daß der Jäger schon seit einigen Tagen angewiesen ward, das Lager aufzusuchen, weil die Klagen über Verwüstungen sich täglich mehren; es war aber bis jetzt noch immer nicht geschehen. Zufällig entdeckte ich es, da ich eben einen Vogel aufnehmen wollte, den ich heruntergeschossen. Ich bezeichnete den Ort, um ihn dem Jäger anzuzeigen, und ging etwas näher hin zum Lager, weil die Alte nicht dabei war; in dem Augenblick kam sie aber aus dem Dickicht, wo der Schuß sie aufgeschreckt hatte, und gerade auf mich los.« – Und nun erzählte er ferner in prächtigen Ausdrücken den ganzen Hergang, und was der Fremde so glücklich ausgeführt hatte. Der junge Mann suchte sich zu entschuldigen, daß er sich so weit von ihm entfernt; und nun erzählte auch der Jockey seinen Schrecken, als er Ihre Gnaden hätte fehlschießen sehen; wie er gleich nach Hülfe gerufen habe, und dem fremden Herrn begegnet sei, und wie auch dieser fehlgeschossen; wie er dann in großer Angst umhergeritten, um den jungen gnädigen Herrn zu suchen, den er endlich auf dem Berge am Ende des Waldes gefunden, wo die Aussicht nach dem Schloßgarten frei sei.

Während dieser weitläuftigen Erzählungen, die alle nacheinander gehört wurden, die niemanden etwas Neues lehrten, und wovon doch keiner ein Wort verlieren wollte, und die alle mit den größten Lobeserhebungen für den Fremden anfingen und endigten, war dieser still und nahm auf keine Weise Anteil daran.

Man kann doch, dachte er, in der Welt nicht einmal mehr zu seiner Lust, oder weil es einem gerade in den Weg kommt, ein Tier erlegen, oder man muß dann viel Langeweile dafür erleben! Zu seinem Glücke ist der gute Mann gerettet worden: ist es meine Schuld, daß sein Leben an meinem Spiele hing? Den weitläuftigen Dank könnten sie einem größeren Verdienst aufsparen ... Ich hätte die größte Lust von der Welt, ihnen das mit eben dem Pathos vorzutragen, wie sie einander die wundervolle Begebenheit. Bei Gott! mich machen diese Leute sehr ungeduldig. Der feierliche, umständliche, höfliche Alte! der empfindsame exaltierte Knabe! Repräsentanten ihrer Zeit und ihres Standes, ... wenn ich ihre Porträte zu einer Ahnengalerie zu machen hätte, so malte ich den ersten, wie er mit großer Devotion ein von Pfeilen durchbohrtes Herz darbringt, und den andern in erhabenen und rührenden Betrachtungen vertieft über ein Büschel Vergißmeinnicht. Es ist das Lächerlichste von der Welt, außer ich selbst, der ich mich verleiten lasse, ihnen zu folgen, und mich in Prozession aufzuführen....Was will ich dort? Was ich nun schon hier bis zum Überdruß anhören mußte, etwa mir von der ganzen Familie wiederholen lassen? Oder bilde ich mir nicht schon wieder ein, ein geheimer Zug im Innern meines Herzens ziehe mich hin? ... Ich war mein eigner Narr von jeher. –

Der alte Herr unterbrach sein Selbstgespräch. »Der Name eines Mannes«, fing er an, »kann uns zwar wenig mehr lehren, als wovon uns der erste Anblick und sein ganzes Benehmen unterrichtet: indessen, haben Sie keine Gründe den Ihrigen verschwiegen zu halten, so möchte ich Sie ersuchen, uns damit bekannt zu machen. Mir sind die besten Familien unsers Landes auf eine oder die andre Weise bekannt ... so wie ich selbst den meisten nicht unbekannt sein werde«, setzte er mit einer Art von Selbstbewußtsein hinzu. »Mein Name ist Graf Schwarzenberg, ich bin General in Diensten des Kaisers. Dieser junge Mann Eduard von Usingen, ein Sohn meines verstorbenen Freundes, und bald mein geliebter Sohn, Gemahl meiner Tochter.« – »Ich heiße Florentin.« – »Der Name war mir bis jetzt nicht bekannt.« – »Ich bin ein Fremder.« – »Ihre Bekanntschaft ist mir überaus wert, ich darf voraussetzen, daß Sie mein Haus als das Ihrige ansehen werden; als Ausländer dürften Sie einmal sich in dem Fall befinden, Gebrauch davon zu machen.« – »Ihr Anerbieten«, erwiderte Florentin verbindlich, »fodert meine ganze Dankbarkeit; ich wünschte nur diesesmal schon Gebrauch davon machen zu können.« – »Wie so?« – »Ich will meine Reise durch Deutschland abkürzen, und auf dem kürzesten Wege zum nächsten Hafen, wo ich mich nach Amerika einschiffen will, um den englischen Kolonien dort meine Dienste anzubieten.« – »Nach Amerika?« rief Eduard. – »Ihr Vaterland hält Sie nicht?« fragte der Graf. – »Wo ist mein Vaterland?« rief jener in wehmütig bitterm Ton; gleich darauf halb scherzhaft: »Soweit mich mein Gedächtnis zurückträgt, war ich eine Waise und ein Fremdling auf Erden, und so denke ich das Land mein Vaterland zu benennen, wo ich zuerst mich werde Vater nennen hören.« – Er schwieg, und sein Blick senkte sich trübe und ernst.

Bescheiden drang der andre nicht weiter in ihn, und unter Gesprächen verschiednen Inhalts, die bedeutend genug waren, gegenseitig ihre Begierde zu näherer Bekanntschaft zu reizen, langten sie im Park an, der durch eine bloße Weißdornhecke vom Walde getrennt war; sie überließen hier ihre Pferde dem Knaben. »Meine Gemahlin«, sagte der Graf, »hat durch diese Hecke einen Teil des Waldes als Park erklärt, oder zur Freistatt für die Hirsche und Rehe, die, vom Jäger

verfolgt, sich hieher retten; denn hier darf weder der Huf
eines Pferdes, noch das Anschlagen der Hunde oder ein
Schuß gehört werden. Allenfalls läßt sie sich ein fröhliches
Jägerstückchen gefallen, damit sie mich bei meiner Zurückkunft von fern höre.«

Sie gingen den Weg gerade durch den Park auf das große
hohe Schloß zu, das in den Zeiten der alten Ritter erbaut zu
sein schien, über eine Zugbrücke durch einen großen Vorhof,
wo ihnen am Gitter zwei Frauen entgegenkamen: ein Mädchen von außerordentlicher Schönheit zwischen funfzehn
und sechzehn Jahren, und die andre eine ebenfalls sehr
schöne Frau, die ihre Mutter zu sein schien. Florentin gewann Fröhlichkeit und Zutrauen beim Anblick der beiden
Schönheiten, die ihm der Graf als seine Gemahlin und seine
älteste Tochter vorstellte.

»Du lässest uns lange warten heute!« rief die Gräfin ihnen
entgegen. – »Dafür meine Liebe, wird dir ein werter Gast
zugeführt. Heiße Herrn Florentin bei dir willkommen. Und
unsre Kleinen? sie werden ja wohl nicht weit sein?« – »Sie
erwarten noch immer im Garten des Vaters Ankunft. Therese
war mit einer langen Kette von Blumenstengeln beschäftigt,
mit der sie dich festmachen will, damit du nicht immer von ihr
gehest.« – »Du siehst mich nun wieder, meine Liebe, unver-
letzt und am Leben (es hätte leicht anders sein können), und
du ahndest nicht, wem du es verdankest?« – »Nächst der Güte
Gottes, meinem Gebete und deiner Tapferkeit wüßte ich
nicht –« – »Verdankst du es dem jungen Helden hier: komm,
ich erzähle dir hernach alles umständlich.« – »Sein Sie mir
noch einmal und herzlich willkommen!« sagte die Gräfin, und
reichte dem Fremden freudig die Hand, die er küßte. Während dem war auch Juliane wieder näher gekommen, die sich
nach der ersten Begrüßung einige Schritte mit Eduard entfernt hatte, der ihr lebhaft etwas erzählte, und dem sie, soviel
Florentin wahrnehmen konnte, mit Teilnahme zuhörte. Jetzt
ging sie auf ihn zu: »Unser guter Engel führte Sie auf diesen
Weg!« flüsterte sie leise und schüchtern errötend.

Eben kamen die Kinder aus dem Garten herzugesprungen, zwei Knaben und ein Mädchen; der Lärm, das Getümmel und Schäkern ward allgemein. Die Kleinen umwanden den Vater mit ihren Ketten und zogen ihn mit ihren Händchen zur Treppe. Der Alte gab sich dem Mutwillen der Kinder ganz hin, und die andern folgten. Es kamen noch einige Hausgenossen hinzu, und man ging zur Tafel.

Florentin fühlte sich leicht und wohl bei der allgemeinen Heiterkeit und der gutmütigen Laune, die durch nichts unterbrochen ward. Man begegnete ihm wie einem längst Bekannten, wie einem Hausgenossen. Die Unbefangenheit der Frauen bei seinem Empfang, die wenigen bedeutenden Worte, der herzliche Ton, der Blick von dem sie begleitet waren, hatten ihn leichter zu bleiben bewogen, als die dankbaren Einladungen der Männer. Auch mußte das offne, zutrauliche, arglose Benehmen der Eltern, Kinder, Geschwister, Hausgenossen, Domestiken gegen einander wohl jeden Zwang und jedes Mißtrauen verscheuchen. Nicht leicht konnte man eine Familie finden, in der so wie in dieser jedes Verhältnis zugleich so rein und so gebildet sich erhielt, die ganz durch e i n e n gemeinschaftlichen Geist belebt zu sein schien, indem jeder einzelne zugleich seinem eignen Werte treu blieb. Hier zum erstenmal bemerkte Florentin die wahre innige Liebe der Kinder zu den Eltern, und die Achtung der Eltern für die Rechte ihrer Kinder. Keiner verleugnete sich selbst, um dem andern zu gefallen, es bestand alles vollkommen gut neben einander. Eben so stimmte alles Äußere zusammen. Allenthalben blickte durch die glänzende etwas antike Pracht die Bequemlichkeit und Eleganz anmutig durch: gleichsam der ernste Wille des Herrn, durch die gefälligere Neigung der Hausfrau gemildert. Ein allgemeines Wohlsein war ringsum verbreitet, eine gewisse Reichlichkeit und unbesorgte Ordnung. Nichts von dem Spärlichen neben der sinnlosen Verschwendung, was man so oft wahrnimmt, wo einseitiges Bestreben nach einem erzwungenen Glanze das übrige armselig erscheinen macht.

Jetzt betrachtete Florentin auch die Schönheit der beiden Frauen mit großer Bewunderung. Julianens Gesicht gehörte nicht zu den regelmäßigen Schönheiten, die man anstaunt, aber deren Mangel an Lebhaftigkeit kalt läßt: das feine Spiel der sprechenden Züge, die so sichtbar alles abspiegelten, was in ihrer Seele vorging, war unwiderstehlich anziehend und liebenswürdig. Sie war im vollkommensten Ebenmaß gebaut, obgleich nicht sehr groß; ein wahrer Reichtum an lichtbraunen Haaren umfloß in vielen Locken und Flechten das schön geformte Köpfchen und den weißen Nacken; an den aufblühenden Busen schloß sich in weichen Umrissen der schlanke Hals, der oft mit anmutiger Schalkhaftigkeit sich seitwärts neigte, und dann sich wieder frei und stolz erhob. Eine blühende Farbe, ein schön geformter Arm, eine länglichte Hand, durch deren Weiße die Adern bläulich hindurchspielten, zarte Finger, die sich in ein fein getuschtes Rot endigten; der helle und doch biegsame Ton ihrer Stimme; der kleine Eigensinn in den nah zusammenstehenden Augenbrauen und in dem etwas aufgeworfenen Munde; die Anmut im Spiel der leicht entstehenden und verschwindenden Grübchen in Wange und Kinn; große dunkelblaue Augen, die bald voll Seele und frohem Leben blitzten, bald tränenschwer, wie taubenetzte Veilchen sich unter die langen seidnen Wimpern senkten, bald mit kindlicher Unbefangenheit vertrauend in ein andres Auge schauten, bald mit großer, beinah zurückschreckender Hoheit um sich her schauen konnten; besonders das Feine, Zarte und doch Entschiedne und Mutwillige, gleichsam Durchsichtige, woraus ihr ganzes Wesen geformt zu sein schien: alles das waren ebenso viele Bezauberungen, von deren vereinigter Macht Florentin nicht ungerührt bleiben konnte. Auffallend war es ihm, wie ihr Bau und ihre Reize bei der beinah noch kindlichen Jugend doch schon so vollkommen aufgeblüht prangten; dieses Wunder glich einem Werk der Liebe, an deren Hauch sich diese junge Knospe eben zu entfalten schien.

Auch Eleonore war eine sehr schöne Frau. Ihn dünkte, wie

er ihre hohe, etwas reichliche Gestalt erblickte, über die der
Ausdruck der Milde, der innern fröhlichen Ruhe, der mütterlichen Liebe und des Segens verbreitet war, als sähe er ein
Bild der wohltätigen Ceres: alles an ihr, sogar die runden
Hände trugen das Gepräge dieses Charakters. In ihre schönen blauen Augen sah man wie in einen wolkenlosen Himmel, die blendende weiße Stirn umgaben freundlich blonde
Haare in kleinen Ringeln; man konnte sie nicht ansehen,
ohne vergnügt zu werden, und jedes Leiden lächelte sie tröstend aus der Menschen Brust.

Wer sich nach dieser vielleicht etwas zu ausführlichen
Beschreibung ein deutliches Bild der beiden schönen Frauen
machen kann, wird es nicht unnatürlich von Florentin finden, daß er seine Reise und seinen Plan etwas weiter hinaus-
schob, und recht gern die Einladung des Grafen annahm,
noch einige Zeit bis nach dem Hochzeitfeste bei ihnen zu
verweilen. Es war ihm jetzt schauderhaft, an seine Einsamkeit zu denken, die ihm vor wenig Stunden noch so lieb war.
Hätte er auch seinen ersten Vorsatz treu bleiben wollen, der
Einladung der wohlwollenden Eleonore, und dem schmei-
chelnden Blick Julianens war nicht zu widerstehen, und so
versprach er zu bleiben.

Nach der Tafel wurden einige schöne Pferde vorgeritten,
Florentin lobte sie, und der Graf freute sich, einen Kenner in
ihm zu finden. Die Gräfin führte sie nun nach dem Park, wo
sie ihnen einige neue Anlagen zeigte, die unter ihrer Aufsicht
gemacht wurden. Man ging auf dem Rückwege durch das
große schöne Dorf am Fuße des Hügels, worauf das Schloß
lag. Auch hier verbreitete Wohlhabenheit und Reichtum sich
wie Segen vom Himmel herab. Voll Ehrerbietung, ohne
Furcht und ohne knechtische Erniedrigung wurden sie von
den Landleuten, die ihnen begegneten, begrüßt. Gesundheit
und Vergnüglichkeit leuchtete auf jedem Gesicht, Ordnung
und Reinlichkeit glänzte ihnen aus jedem Hause entgegen.
Schöne fröhliche Kinder tanzten auf dem Rasenplatze im
Schein der untergehenden Sonne; dem Fremdlinge ward das

Herz groß, ihm war, als fände er hier die goldne Zeit, die er
auf ewig entflohen geglaubt.

Man kam aufs Schloß zurück, nachdem sie im Vorbeigehen
die schönen weitläuftigen Wirtschaftsgebäude und einige
innere Einrichtungen besehen hatten. Florentin freute sich
kindisch an allem, was er sah, und besonders an der freundlichen und leichten Ordnung, mit der alles geleitet wurde. Er
hatte, was dahin gehört, immer in so trauriger und widerwärtiger Gestalt gesehen, daß er es für erdrückend und Geist
ertötend halten mußte: aber wie ganz anders fand er es hier!
Jetzt erkundigte er sich mit Teilnahme beim Grafen nach
mancherlei, was ihm fremd war. – »Wollen Sie sich nicht
gleich«, sagte dieser, »an den großen Meister selbst wenden,
dessen Schüler auch ich bin? Alles was Sie gesehen haben,
was Sie hier freut, ist das Werk meiner Eleonore, mich hat sie
erst zu dem Geschäft einigermaßen gebildet. Eigentlich leben
wir wie unsre deutschen Väter: den Mann beschäftigt der
Krieg, und in Friedenszeiten die Jagd, der Frau gehört das
Haus und die innere Ökonomie.« – »Glauben Sie nur«, sagte
Eleonore, »der Mann, der jetzt eben so kriegerisch und wild
spricht, muß manche häusliche Sorge übernehmen.« – »Es
geziemt dem Manne allerdings«, erwiderte der Graf, »der
Gehülfe einer Frau zu sein, die im Felde die Gefährtin ihres
Mannes zu sein wagt.« – »Wie das? darf ich erfahren?« fragte
Florentin. – »Nichts, nichts«, rief die Gräfin, »hören Sie
nicht auf ihn! Er wird Ihnen bald eine prächtige Beschreibung meiner Taten und Werke zu machen wissen, die darauf
hinauslaufen, daß ich ihn zu sehr liebte, um mich von ihm zu
trennen. Wollen Sie mein Schüler in der Ökonomie werden,
Florentin? dann setze ich mich zur Ruhe und übergebe
Ihnen das Hauswesen.« – »Es soll ja den Frauen angehören.«
– »Nun gut, so wählen Sie unter den Töchtern des Landes
und leben hier in Frieden.« – »Das Recht zu bieten werde
ich erst mühevoll erringen müssen, Gräfin Eleonore, jetzt
suche ich die Ferne und den Krieg.« – »Bravo!« rief der Graf;
»auch bekömmt die Ruhe nicht eher, bis man ihrer bedarf.« –

Eduard schien hier in einiger Verlegenheit, Juliane blickte liebevoll zu ihm hin. Das Gespräch nahm eine andere Wendung, und man ging in einen Gartensaal, wo sich bald alles wieder versammelte, was sich von der Gesellschaft nach der Tafel zerstreut hatte.

Juliane setzte sich zum Fortepiano, Eduard und einige andre griffen nach andern Instrumenten: ein recht gut besetztes Konzert war bald zustande gebracht. Juliane spielte vortrefflich, und Eduard war Meister auf dem Violoncell. Eleonore fragte Florentin, ob er nicht musikalisch sei? – »Ich liebe die Musik als die größte Wohltäterin meines Lebens«, erwiderte er; »wie oft hat die Himmlische die bösen Geister zur Ruhe eingesungen, die mich drohend umgaben! Und so bin ich, wenn Sie es so nennen wollen, musikalisch, soviel die Natur mich lehrte, bis zur Kunst habe ich es noch nicht gebracht.«

Mit diesen Worten nahm er eine Guitarre, stimmte sie, machte einige Gänge, und sang Verse, die er aus dem Stegereif dazu erfand. Er besang den Strom, der dicht unter den Fenstern des Gartensaals vorbeifloß, das Tal, den Wald, das hohe entfernte Gebirge, von dem die Gipfel noch von den Strahlen der untergehenden Sonne beleuchtet waren, da sie selbst schon lange aufgehört hatte, sichtbar zu sein. Dann sang er von seiner Sehnsucht, die ihn in die Ferne zog, von dem Unmut, der ihn rastlos umhertrieb, und endigte sein Lied mit dem Lobe der Schönheit, unter deren Schutz ihm die Morgenröte des Glücks schimmere, und bei deren Anblick jedes Leiden in seiner Brust in die Nacht der Vergessenheit zurücksinke.

Hier hörte er auf und legte die Guitarre nieder. Seine Worte, die frei und ungebunden und doch sinnvoll und auserwählt, bald groß und ruhig wie der Strom, den sie besangen, dahinflossen, bald kühn mit dem Gebirge sich über die Wolken erhoben, bald wie Abendschein lieblich flimmerten, dann die Schmerzen und Freuden seiner Seele so wundersüß darstellten; seine schöne, reine, akzentvolle Tenorstimme, deren Töne bald von ihm gelenkt zu werden, bald ihn zu übermeistern schienen; die ganz kunstlose Begleitung die immer mit seinen Worten genau übereinstimmte, und seine tiefsten Gefühle, das, was keine Worte auszusprechen vermögen, in die Brust der Zuhörer hinüberströmte: – mit seinem kühnen, halb nachlässigen Anstande, mit der Begeisterung auf dem edlen Gesicht, – es war so wunderbar und ergriff die Zuhörer so seltsam, daß sie ganz hingerissen von der Erscheinung, noch immer in Staunen und Horchen verloren waren, wie er schon eine Weile die Guitarre niedergelegt hatte.

Juliane unterbrach die augenblickliche Stille. »Jetzt ist es an uns, Eduard«, rief sie; »Sie haben es vortrefflich gemacht, Florentin, aber nun sollen Sie auch uns loben müssen.« – Sie suchte unter den Musikalien, die Gräfin setzte sich zum Fortepiano, und begleitete Julianen und Eduard. Sie sangen ein komisches Duett mit vieler Laune und in echt italienischer Manier. Julianens Stimme war überaus süß und schmeichelnd, und sie wußte sie wie eine geübte Künstlerin zu gebrauchen; auch Eduard hatte eine schöne sonore Baßstimme und sang sehr angenehm. Bei der Wiederholung des Duetts begleitete Florentin den Gesang, abwechselnd bald wie eine Flöte bald wie ein Waldhorn singend, es gefiel allen, und die Fröhlichkeit und das Lachen nahm kein Ende. Es wurden nun Erfrischungen gereicht, man scherzte und vergnügte sich bis tief in die Nacht.

»Gute Nacht«, sagte die Gräfin; »ich hoffe, Ihr Entschluß, einige Zeit bei uns zu verweilen, wird Sie nicht gereuen, wenn Sie erfahren, daß Sie es alle Tage ungefähr wie heute bei uns finden. Lassen Sie sich Ihr Schlafzimmer anweisen, und sein Sie morgen früh nicht der Späteste.«

Zweites Kapitel

Florentin war allein; er lehnte sich in ein Fenster seines Schlafzimmers, aus dem er die Aussicht über das Dorf nach dem weit sich hindehnenden fruchtbaren Tale hatte, wodurch der Strom sich majestätisch und ruhig in großen Schwingungen hinwand. In grauer Ferne beschloß das hohe Gebirge den Horizont; das Tal war vom Monde hell erleuchtet. Er sah nach den Schatten, die das Mondlicht bildete, und die in wunderlichen Gestalten bald hervortraten, dann verschwanden.

So stand er lange wie gedankenvoll, und dachte doch nichts. Er hatte an diesem Tage so viel neue Eindrücke empfangen, daß er, wie berauscht, sich selbst aus den Augen verloren hatte. Allmählich verhallte es in seiner Seele, wie Töne in den Wellen der Luft immer in weiterer Kreisen verklingen, bis die Bebungen schwächer werden, und endlich alles ruhig ist. So ward es auch still in ihm, und das bekannte Bild seiner selbst trat wieder deutlich vor ihn. Doch konnte er lange keinen fröhlichen Gedanken fassen. Er war schwermütig, es war ihm traurig, daß er allein hier ein Fremdling sei, wo es ein Gesetz schien, einander anzugehören, daß er allein stehe, daß in der weiten Welt kein Wesen mit ihm verwandt, keines Menschen Existenz an die seinige geknüpft sei. Seine Traurigkeit führte ihn auf jede unangenehme Situation seines Lebens zurück; der Gesang einer Nachtigall, der aus der Ferne zu ihm herüber klang, löste vollends seine Seele in Wehmut auf, er gab sich ihr hin und bald fühlte er seine Tränen fließen.

»Es ist sonderbar! höchst sonderbar!« sagte er, als er ruhiger ward; »wie ich noch die Gesellschaft suchte, lernte ich sie verachten, und nun ich sie floh, nun ich sie haßte, nun muß sie mir wieder liebenswürdig erscheinen! Und hier in einem vornehmen Hause, wo ich sonst immer den Mittelpunkt aller Albernheit der menschlichen Einrichtungen sah: gerade hier muß ich mich wieder mit der Gesellschaft aussöhnen! ... Es ist doch gut, daß mir noch diese schöne Erinnerung ward auf meine lange Wallfahrt! So liegt doch die Zukunft nicht mehr so bodenlos vor mir, so zeigt sich mir doch in weiter Entfernung ein Punkt, an dem die Hoffnung sich erhält! Und damit sei zufrieden, Florentin! Suche nicht festzuhalten, was bestimmt ist, dir vorüberzugehen. In der Entfernung, als Hintergrund, als endliches Ziel alles menschlichen Sehnens und Strebens, lächelt mir die Ruhe süß entgegen: so will ich dich fest im Auge behalten, wenn der Strudel des Lebens mich wild ergreift, und ich in Not zu versinken drohe. Recht, guter Alter! jetzt würde sie mir schlecht bekommen; sie ist das Goldne Vlies, das mit Gefahren erkämpft werden muß.«

Er dachte nun an alle insbesondre, die er an dem Tage so zufällig gefunden, und suchte ins klare zu kommen, welchen Eindruck sie auf ihn gemacht hätten. Eduard war ihm in den wenigen Worten, die er ihn hatte sprechen hören, doch lieber geworden; das erkannte er besonders daran, weil er nicht mit dem Leichtsinn an Julianen denken konnte, der ihm sonst beim Anblick einer Schönen gewöhnlich war. Die Verhältnisse, in denen eine Frau stand, hielten ihn sonst nicht leicht von Entwürfen ab, wenn er nicht einen Freund dabei zu schonen hatte. – »Wie ein Frühlingsmorgen erschienst du mir, reizendes Geschöpf, und dein Anblick erfüllte meine Brust mit Ahndung und Freude. Nur Barbaren können gefühllos bleiben bei solcher Schönheit! Eure Verabredungen sollten mich nicht hindern, ... auch nicht der unschuldige Bräutigam, ... und am Ende? ... Betrüge dich nicht Florentin!« –

Wünsche und Erinnerungen an den schönen Leichtsinn von ehemals erwachten in ihm, und dann erschien ihm wieder die Geliebte seines künftigen Freundes, und alle ihre Verhältnisse in einer Würde, die ihn zurückschreckte. Er hatte die Guitarre mit auf sein Zimmer genommen, und während seiner Betrachtungen und kleinen Monologen einige Griffe darauf getan; jetzt sang er folgende Worte dazu:

Unter Myrtenzweigen
Beim Rieseln der Quelle
Und der Nachtigall Lied,
Auf sanftem Rasen
Durchwirkt mit Blumen,
Im duftenden Hain,
Gebogen die Äste
Von goldener Frucht
Und silberner Blüte,
Wo ewig blau der Himmel,
Ewig lau die Lüfte
   Dich umwehen –

Das Mädchen im leichten Gewand
Tanzet den bunten Reihen,
Bricht die labende Frucht,
Schöpfet vom Quell.
Am Felsen ein Hüttchen
Mit weniger Habe,
Dort ruht es die Glieder
Auf reinlichem Lager.

Du blickst dein Verlangen
Ihr tief in das Herz,
Sie hat dich verstanden,
Und teilet die Glut.
Nichts wehrt dir die Küsse
Auf Lippen und Wangen;
Lilien und Rosen,
Blüten und Knospen,
   Alles ist dein.

Leicht wie der Westwind,
Scherzend wie er,
Berührst du die Blumen,
Und fliehest vorüber,
Schonend der zarten.

Wer fürchtet da Neid?
Wen lockt der Ruhm?
Zürnet die Mutter?
Das Lächeln kann sie
Doch nicht verbergen;
Denn eigne süße Schuld
Ruft die Tochter
Zurück ihr ins Herz.

Sei still, mein Sinn! ein andres Land empfängt dich;
Es hebt sich das Gebirge zwischen dir
Und jenen Spielen. –

Ernst umgeben diese Mauern dich,
Gesetze ernst und ernste Sitten;
Gelübde, Priester, Zeugen,
    Verein der Wappen.

Zahllose Dinge,
Auf ewig fremd dem Scherz,
Fremd auf ewig dir,
Gehn der Liebe voran,
Legen die Freie
In ernste Bande.

So gefesselt geht sie dir vorüber.
Tröstend reicht sie dir die Hand,
Blickt mit Sehnsucht in die Ferne.
Hier kann ich niemals dein Gefährte sein,
    Ruft sie dir zu;
    Unter jenen Blumen
    Hast du gespielt mit mir,
    Auf und ab
    Wandert' ich im Scherz mit dir.

Du sollst auch ernst
Mich wieder finden,
Ernst und treu;
Und wieder mein sein:
Nur laß mich frei!

Drittes Kapitel

Die Sonne schien hell und warm herein, als Florentin erwachte. Er schickte sich sogleich an, zur Gesellschaft zu gehen, die er im Garten vermutete. Vorher ging er durch einige Prachtzimmer des alten Schlosses, das ihn mit seinen Türmen, Gängen und hohen gewölbten Sälen lebhaft in die Zeiten des Rittertums versetzte, von denen er schon als Kind am liebsten erzählen hörte, und die noch jetzt seine Phantasie hinreißen konnten. Hier in diesen Sälen malte er sich nun die mannichfachen Szenen aus, die darin gespielt wurden; wie sich alle die Mitspielenden für ihre Rolle interessierten, als sollte sie niemals endigen. – »Und nun«, sagte er, »wo sind sie hin? Hier beweinte vielleicht eine Schöne ihren Geliebten, oder seine Untreue, oder ein hartes Schicksal, das sich ihrem Glück entgegenstellte; tränenvoll schlug sie das fromme Auge aufwärts, und die Engelchen, die Heiligen, die so künstlich in der Stukkatur an der Decke geformt sind, waren Zeugen ihrer Leiden. Hier, an dieses hohe Fenster gelehnt, drückte der Jüngling, zärtlich und schüchtern, die errötende Jungfrau an sein Herz, und vernahm mit Entzükken das Geständnis ihrer Gegenliebe. Um diesen geräumigen Lehnstuhl hingen Kinder und Enkel, und horchten auf die schauerlichen Gespenstergeschichten, die der Großvater erzählte, und auf die weise Lehre. Mit dem begünstigten Jagdhund an dem Boden wurde dann die Belohnung für ihre Aufmerksamkeit friedfertig geteilt. An diesem künstlich verzierten Tisch saßen Eltern, gedachten mit freudiger Rührung der ersten Tage ihrer Liebe und der nie verletzten Treue; hatten auch wohl manchen Kummer, manche sorgenvolle Stunden um den entfernten Sohn, der ausgezogen war, voll Kraft und mutiger Ehrbegierde sich zu versuchen, und die Fehde für seinen Vater zu fechten. ›Ob er sich gut halten wird? ob die Knechte wacker sind? ob kein feindliches Geschoß ihn getroffen? Er wählte sich das größte Schwert; war es seinem Arm nur nicht zu schwer? Zwar ist er stark und rüstig, und Gott wird den Edlen schützen!‹ Und wie sie es ausdenken, öffnet sich jene Tür, der Jüngling tritt ein! Er war allein vorangeeilt, um den Eltern diese Überraschung zu bereiten; segnend empfangen sie ihn, er hat gesiegt, vertilgt ist der Feind, und neuer Ruhm und Glanz kommt von ihm über das Haus! . . . Sonne, Sterne, Luft und Erde, alles was sie umgab, schien ihnen mit ihrem Leben so innig verwebt; aber Sonne und Sterne gehen auf, gehen unter, die Jahreszeiten wechseln; doch ihr Glück und ihre Leiden, Schmerz und Fröhlichkeit sind vorbeigezogen wie Schatten der Wolken, die vor der Sonne vorüberfliehen, keine Spur mehr auf der Erde davon. Was ihnen im Leben heilig war, hat mit dem Leben geendet; der Ehre allein, unter allem dieser allein, verdanken die Helden das Andenken ihrer Nachkommen; sie leben in den künftigen Zeitaltern fort, da Millionen neben ihnen untergehen . . . Nun so ist es auch billig, daß sie dem selbstgeschaffenen Götzen vor allen Göttern Opfer bringen; dieser macht sie unsterblich, da alles, was die Natur in ihre Brust gepflanzt, mit ihnen untergeht!

Eduard trat zu ihm. »Sie sind schon auf, Florentin! ich wollte Sie eben abholen, die andern sind wahrscheinlich schon im Gartensaal.« – »Ich habe mich etwas zu lange in den Zimmern und Gängen verweilt, um sie zu betrachten. Dieses Schloß ist ein vortreffliches Monument seines Jahrhunderts; mich freut es, daß es so wohl erhalten ist, und so ganz ohne modernen Zusatz. Es wundert mich um so mehr, da die übrige Einrichtung im ganzen nach dem jetzigen Geschmack mehr elegant und zierlich, als nach jenem reich und kostbar ist!« – »Weil diese mehr der Gräfin überlassen bleibt; und da sie die Eigenheit des Grafen schont, der gerne, was das Altertum seiner Familie bezeugt, in der ursprünglichen Gestalt zu erhalten wünscht, auch nichts von der Stelle gerückt, und keiner Sache eine andere Gestalt gibt, die noch als Überrest der alten Zeit sich erhalten hat, so läßt sich der Graf mit eben der Gefälligkeit ihre übrigen Einrichtungen gefallen. Sie sehen selbst, <u>wie klug und gewandt sie beides zu vereinigen weiß. Sie erhält das Alte mit Achtung</u>, und fügt hinzu, was die neuern Erfindungen Angenehmes verschaffen.

Die das Innere hier nicht zu kennen Gelegenheit haben, finden es sonderbar, und erlauben sich manchen Spott über das Gemisch von veraltetem und modernen Geschmack. Auch sieht es befremdend genug aus, wenn an den alten gewirkten Tapeten eine neue Flötenuhr, große Spiegel mit schweren künstlichen Verzierungen und neue kristallne Kronleuchter, schwerfällige Sessel und einladende Sofas friedlich neben einander bestehen; eben so werden Sie es im Garten, im Park, kurz überall finden. Wer aber die Menschen kennt, die hier wohnen, der wird bald das Übereinstimmende in diesen anscheinenden Ungleichheiten finden. Die Gräfin ist eine vortreffliche Frau; mit wahrer Religiosität ehrt sie das Gemüt ihres Gemahls und alles, was ihm heilig ist. Darf man ihr wohl keinen Sinn für das Schöne zutrauen, weil sie nicht wie die Kinder alles gewohnte Spielzeug zerstört, immer nach neuem greift, und das letzte jedesmal für das Schönste hält?« – »Was ich sie über Werke der Kunst habe sprechen hören, verriet gewiß keinen gemeinen Sinn«, sagte Florentin. – »Sie hat große Reisen gemacht und viele der vorzüglichsten Kunstwerke selbst zu sehen Gelegenheit gehabt. Doch kommen Sie jetzt, man wird uns erwarten; ich will vorher zusehen, ob der Graf nicht in seiner Bibliothek ist, ich habe ihn heute noch nicht gesehen, vielleicht geht er dann mit uns hinunter.« – »Ich begleite Sie.« –

Sie traten in das Kabinett des Grafen, er war nicht mehr darin. Ein großes Gemälde zog Florentins Aufmerksamkeit auf sich. – »Einen Augenblick noch, Eduard! Die heilige

Anna, die das Kind Maria unterrichtet.« – »Wie finden Sie
das Gemälde?« – »Es scheinen Porträte zu sein; in dem
Kinde erkenne ich Julianen wieder.« – »Sie ist es auch in der
Tat.« – »Es ist nicht übel gemalt; ganz vorzüglich ist aber das
Charakteristische in den Köpfen sowohl, wie in der ganzen
Anordnung des Gemäldes. Die horchende Aufmerksamkeit,
die Begierde nach dem Unterricht, und der Glaube in dem
Kinde, wie der Hals, der Kopf, mit dem Blick zugleich, sich
vorwärts und in die Höhe richtet, der halbgeöffnete Mund,
als fürchtete sie etwas zu verhören, und als wollte sie die
Lehren durch alle Sinne in sich auffassen. Dabei die Hingebung, das Vergessen ihrer selbst in der kleinen Figur, die halb
liegend sich dem Schoß der Anna anschmiegt; es ist schön,
und zart gefühlt. Und diese Anna, gewiß eine Heilige! Diese
Hoheit, dieser milde Ernst in den verklärten Augen! mit
welcher Liebe sich ihr Haupt zu dem Liebling hinneigt, sich
ihre Tugend lehrenden Lippen öffnen! Ruhe und Würde in
der ganzen Gestalt, und wie erhaben diese Hand, die gegen
den Himmel zeigt! Ist auch diese Anna ein Porträt?« – »Es ist
eine Schwester des Grafen, die er vorzüglich liebt; Gräfin
Clementina; Sie haben uns schon von ihr sprechen hören, sie
wird von uns gewöhnlich die Tante genannt. Juliane hat ihre
erste Erziehung bei dieser Tante erhalten; die Mutter hatte
sie ihr, da sie ihre Jugendfreundin ist, und ihres ganzen Zutrauens genießt, bald nach ihrer Geburt überlassen, weil sie
damals ihrem Gemahl nachreisen mußte, der gefährlich verwundet war, und den sie keiner fremden Pflege überlassen
wollte. Sie verließ ihn nun nicht wieder, begleitete ihn
sowohl auf seinen Feldzügen, als auf seinen Reisen, da er an
verschiedenen Höfen als Gesandter stand. Unterdessen
erreichte Juliane beinahe ihr vierzehntes Jahr bei der Tante,
und verehrt sie als Mutter.« – »Doch muß die Gräfin Clementina dem Bilde nach noch sehr jung sein, obgleich der
Idee und dem Kostume zufolge, sie älter sein müßte.« – »Sie
haben recht, doch ist sie in der Tat nicht mehr jung, sie ist
älter als die Gräfin Eleonora, dieses Bild aber ist eigentlich

die Kopie eines Gemäldes, das in ihrer Jugend ist gemacht worden. Sie ward damals als heilige Cäcilia gemalt; sowohl dieses Bild, das sie dem Grafen auf sein Bitten malen zu lassen erlaubte, um ein Denkmal der Zeit zu stiften, in der sie Julianens Lehrerin war, als das, welches unter den andern Familiengemälden in der Galerie hängt, und auch das Miniatur-Bild, das Juliane an ihrer Brust trägt, sind Kopien nach dieser Cäcilia, welche von einem schon verstorbenen fremden Künstler gemalt ward; seinen Namen weiß ich nicht. Die Tante war nie dazu zu bewegen noch einmal einem Maler zu sitzen. Merkwürdig ist es, wie diese Bilder alle noch der Gräfin Clementina ähnlich sind, obgleich es schon vielleicht dreißig Jahre her sein mag, daß sie gemalt ward, und ein tiefer Gram in ihren Gesichtszügen gewütet hat.« – »Gut, daß mich Ihre gütige Ausführlichkeit warnte«, rief Florentin lachend; »war ich doch in Gefahr mich in diese heilige Anna, und das in meinem Leben zum ersten Male ernstlich zu verlieben. Bald wäre ich ausgezogen, nach echter Rittersitte, das Original zu meinem Gemälde zu finden, und hätte es dann auch wirklich gefunden . . . in einer ehrwürdigen Matrone.« – »Haben Sie wirklich noch nie ernstlich geliebt, so verdienen Sie ein solches Schicksal. Ich werde Sie bei den Frauen für diesen Frevel hart anklagen.« – »Wagen Sie es nicht, Sie könnten sich selbst eine Strafe für Ihre Verräterei zuziehen.« – »Ich wage nichts, man wird es Ihnen nie verzeihen, sich von einem Gemälde haben hinreißen zu lassen, da Sie die Gegenwart der schönen Frauen selbst so ruhig läßt.« – »Nun auch dafür müssen Sie nicht gut sagen; doch im Ernst, das Gemälde hat mich bewegt, und ich stehe mit wahrer Andacht davor. Guter Eduard! ich hoffe Sie fühlen es, wie glücklich Sie sind, und wie wenigen es vergönnt wird, eine solche Jugend zu haben!« – Eduard schien bewegt, und sie gingen beide schweigend hinunter zur Gesellschaft.

Viertes Kapitel

So verstrich ein Tag nach dem andern. Man kann sich keine
angenehmere Lebensweise denken, als die auf dem Schlosse
geführt ward. Ein Vergnügen reihte sich an das andere; Tanz,
Musik, Jagd und Spiel wechselte lustig ab, und in der Einsamkeit suchte jeder nur die Ruhe, um sich zu neuen Ergötz-
lichkeiten zu bereiten.

Die Liebenden erwarteten beide den Tag ihrer Vermählung sorglos und fröhlich, es stellte sich ja nichts ihren Wünschen entgegen; doch mit ganz verschiedenen Empfindungen. Eduard hatte eine peinigende Ungeduld Julianen ganz
die seinige zu nennen; er liebte sie mit der ungestümen Heftigkeit des Jünglings; er dachte, er träumte nichts als den
Augenblick, sich im ungeteilten ungestörten Besitz der schönen Geliebten zu sehen; seine Phantasie lebte nur in jenem so
heiß ersehnten Moment, alles Leben bis dahin würdigte er
nur als Annäherung zu jener Zeit, wie der Gefangne, der der
bestimmten Befreiung entgegensieht. Von dieser Ungeduld
begriff Juliane nichts. Mit aller Innigkeit ihres reinen Herzens liebte sie ihn; niemand war ihr jemals liebenswürdiger
erschienen; sie gab sich ihm gern, sie war von jeher schon mit
der Idee vertraut, und hatte es als ihr Schicksal ansehen
gelernt ihm anzugehören. Aber den Tag erwartete sie mit
großer Ruhe; klopfte auch ihr Herz stärker bei dem Gedanken, so war es mehr eine bängliche Ahndung, die furchtsame
Scheu des sittsamen Mädchens, als die Erwartung eines größern Glücks; sie ahndete kein größeres Glück, als daß es
immer so bliebe, wie es war, es fehlte ihr so gar nichts. Sie
nahm an allem den gewöhnlichen Anteil, hatte die immer
gleiche, besonnene Aufmerksamkeit auf die Gesellschaft,
Eduard mochte zugegen sein, oder nicht.

Sie war also nicht so beschäftigt, daß sie nicht hätte wahrnehmen sollen, welchen Eindruck ihre Schönheit auf Florentin gemacht hatte. Er hatte die allgemeine Aufmerksamkeit
erregt. Es schmeichelte der Eitelkeit des Mädchens, die sei-

nige auf sich zu ziehen; es interessierte sie kindisch, den stolzen Mann zu beherrschen. Ohne es sich bewußt zu sein, und sich ganz der fröhlichen Stimmung hingebend, zog sie ihn mit einer feinen, ihr natürlichen Koketterie an.

Florentin fand sie immer schön, reizend, liebenswürdig, es ergötzte ihn, sie so eifrig bemüht und beschäftigt um ihn zu sehen, und die kleinen Schelmereien des jungen Herzens zu belauschen! Daß er aber gleich am ersten Abend so mit sich zu Rate gegangen war, schützte ihn gegen jeden tiefern Eindruck. Auch war es ihm nicht entgangen, daß sie willens war, ihn zum Spiel ihrer Eitelkeit zu machen, und nichts konnte so seine Phantasie zügeln, als wenn er irgend eine Absicht merkte. Er war leicht kindlich vertrauend: dann konnte er aber auch bis zur Ungerechtigkeit argwöhnend sein. Doch interessierte ihn Juliane sehr, die Tiefe ihres Gemüts war ihm nicht entgangen, trotz der Anlage zur Koketterie, und dem etwas künstlichen Wesen, welches ihre Erziehung und ihr Stand ihr gegeben hatte, und das ihn immer etwas entfernte, obgleich er es hier in so schöner Gestalt erblickte. Lange konnte er es doch nicht aushalten, sie unzufrieden zu sehen; so oft er sie durch ein zu kühnes Wort, oder eine Anspielung, die ihre Eitelkeit strafte, erzürnt hatte, so wußte er sie gleich wieder durch irgend eine Überraschung oder eine kleine schmeichelhafte Aufmerksamkeit zu versöhnen. Er stimmte nie mit ein, wenn sie in Gesellschaft von den um sie her flatternden Herrn wegen ihres Gesangs oder Tanzes, oder ihrer Schönheit erhoben ward; vielmehr suchte er sie dann durch einen kleinen Trotz, eine Art von Vernachlässigung zu demütigen. Wenn sie sich aber irgend einer Regung ihres guten empfindlichen Herzens überließ, oder in ihrer natürlichen Anmut, kunstlos, ohne Anmaßung und ohne Absicht sich gar nicht bemerkt glaubte; dann wußte er ihr etwas Angenehmes zu sagen, oder sie durch einen Blick seiner Teilnahme zu versichern. Dann ließ er sich auch gern ihre kleine Siegermiene gefallen, und ertrug gutmütig ihre mutwilligen Neckereien. Nach und nach war die Zufriedenheit ihres launenhaften Lehrers allein bedeutend für Julianen; der laute Beifall der Menge ward ihr gleichgültiger, zuletzt beinah verhaßt.

Eduard bemerkte mit Freude diese Veränderung. Er scherzte eines Tages darüber, daß Florentin mehr Einfluß auf ihre Bildung habe als er. – »Sie haben mir es niemals merken lassen«, sagte Juliane, »daß ich zu eitel sei.« – »Ich liebte Sie Juliane, so wie Sie sind.« – »Und jetzt merken Sie erst, daß ich besser sein könnte! ich kann mich wenig auf Ihre Erziehungskunst verlassen.« – »Die Liebe weiß nur zu lieben; wie sollte sie erziehen?« – »Sie erzieht freilich«, sagte Florentin, »aber nicht den andern.« – »Machen Sie meiner Liebe einen Vorwurf, unartiger Florentin?« erwiderte Juliane. – »Nein, vielmehr spreche ich sie dadurch rein von einem Vorwurf, den man ihr allerdings machen könnte.« – »Nun?« – »Nun, daß Sie Eduard nicht besser erzogen haben. Denn er wird es doch nicht leugnen, daß er die Huldigungen Ihrer Eitelkeit mit noch weit größerer und sträflicherer Eitelkeit sich hat gefallen lassen. Es ist in der Tat eine schwierige Untersuchung, wer von Ihnen beiden mehr Erziehung oder weniger Liebe hat.« – »Trauen Sie sich zu, uns in beiden zu übertreffen?« – »Ich, ihr Guten, kann weder mein Leben, noch meine Liebe mit dem Kunstwerk der Erziehung vergleichen!« –

»Man kann nicht anders als sich für ihn interessieren«, sagte Juliane, »aber er ist doch zu sehr verschlossen gegen seine Freunde, es ist ihm auf keine Weise beizukommen.« – »Doch hat vielleicht niemand mehr als er die Fähigkeit, Freund zu sein«, sagte Eduard. »Wissen wir doch nicht, wie oft er schon ist hintergangen worden; reizbar wie er ist, muß jede üble Behandlung ihn wohl auf lange verstimmen.«

Florentin vermied anfangs Eduards Annäherung mit eigensinnigem Stolz, ob er ihn gleich im Herzen wohl leiden mochte. Eduard ließ sich aber nicht dadurch abschrecken, er gewann immer mehr Anhänglichkeit für ihn, näherte sich ihm mit freundlicher, bescheidener Aufmerksamkeit, und suchte seinem etwas wilden, nach Freiheit strebenden Sinn mit dem feinen, gebildeten Geist, der ihm eigen war, zu begegnen; es mußte ihm gelingen. Florentin fühlte endlich, daß er am unrechten Ort mißtrauend gewesen war. Mit der Überzeugung seines Unrechts erweichte sich auch sein absichtlich verhärtetes Gemüt gegen Eduard, er wurde bald offner und geselliger gegen ihn. Auf einem Morgenspaziergang öffneten sich ihre Seelen gegeneinander; sie nannten sich seitdem Freunde. Florentin gewann Eduard so lieb, daß er ohne Wehmut bald nicht daran denken konnte ihn zu verlassen; doch mußte und sollte es geschehen!

So waren Wochen verflossen; mit einer jeden nahm er sich's fest vor, in der nächsten zu reisen; immer hielt ihn aber das Bitten seiner neuen Freunde und seine eigne Neigung fest. Zum erstenmal empfand er die Bitterkeit der Trennung; bis dahin hatte er alles, was er jemals verließ, gleichgültig verlassen.

Fünftes Kapitel

Gräfin Clementine hatte eine junge Anverwandte bei sich. Diese kam, und machte Julianen einen Besuch, indem sie zugleich einen mündlichen Auftrag der Gräfin Clementina an Julianens Eltern ausrichtete mit der Bitte, die Vermählung noch einige Wochen aufzuschieben, weil sie in diesen nächsten Tagen abgehalten würde, zugegen zu sein, wie sie es doch sehr wünschte. Sollte der Tag aber schon unwiderruflich festgesetzt sein, und es bei der ersten Verabredung bleiben müssen, so wäre sie genötigt diesen Wunsch aufzugeben. Doch ersuchte sie ihren Bruder und Eleonoren, wenigstens noch einen Brief von ihr abzuwarten; sie hätte ihnen noch einiges zu sagen, wäre aber durchaus in diesem Augenblick nicht imstande zu schreiben; doch sollte es in den nächsten Tagen geschehen.

Eduard war nicht leicht zum Aufschub zu bewegen, seine Ungeduld, die schöne Juliane ganz die seinige zu nennen, wuchs mit jedem Tage, und seitdem er Florentin kannte, schien sie den höchsten Punkt erreicht zu haben. Doch mußte er es sich aus Achtung für die Gräfin Clementina gefallen lassen. Betty eilte zurück, sobald sie sich ihres Auftrags entledigt hatte.

Ein Brief, den Juliane folgenden Tag an ihre Tante schrieb, ist ein Beweis, wie interessant Florentin der ganzen Familie schon geworden war.

Juliane an Clementina

Jetzt verdient Betty nicht mehr von Ihnen bestraft zu werden, wegen ihrer zu großen Leidenschaft für das Tanzen; sie ist vielmehr zu unser aller Verwunderung bis zum Kaltsinn mäßig darin geworden. Alles unsers Bittens und Zuredens ungeachtet, wollte sie durchaus nicht länger bei uns verweilen, als sie es Ihnen zugesagt hatte, ob wir gleich noch denselben Abend einen recht brillanten Ball hatten. Der Vater erbot sich, Ihnen einen Boten zu Pferde zu schicken, um Sie nicht in Unruhe ihrentwegen zu lassen; aber sie war nicht zurückzuhalten. Alle Ihre Aufträge waren ausgerichtet, sie sah mit großer Gemütsruhe die glänzende Gesellschaft sich versammeln, ja, sie wagte es sogar den Anfang des Balls abzuwarten; und indem sie mit Eduard den Saal einmal auf und nieder walzt, winkt sie uns allen im Vorbeifliegen zu, und sofort aus der Tür in den Wagen, so hastig, daß Eduard mit noch einigen Herrn ihr kaum folgen konnten. Kaum daß wir ihr noch einen Gruß für die Tante nachriefen.

So geht es uns allen, teure Clementina! wenn wir zu Ihnen sollen, was könnte uns zurückhalten? Keiner fühlt das wohl mehr als Ihre Juliane, ich habe Betty mehr beneidet als bewundert. – Das war nun alles recht hübsch von dem Mädchen; aber die Arge, was hat sie Ihnen für loses Zeug erzählt! was meinte sie mit ihren Eroberungen? und dem sonderbaren Fremden, der den Meister über uns macht, dem wir alle auf eine so lächerliche Weise ergeben sind, weil wir uns einbilden ihm Dankbarkeit schuldig zu sein! Und ich, die ich diesen Vorwand so gern nehmen soll, um ihm ganz unbefangen mit Auszeichnung begegnen zu dürfen! – Alles dieses hat sie Ihnen wirklich erzählt? – Gut, daß Sie ihren boshaften Erzählungen nicht so unbedingt Glauben beimessen, daß Sie sich selbst an Ihr Kind wenden, um die Wahrheit zu erfahren. Liebe Tante, sehen Sie doch einmal dem bösen leichtfertigen Mädchen scharf in die Augen, wenn sie wieder dergleichen vorbringt. Allerdings sind wir dem Fremden Dank schuldig! Ist meine Clementina nicht auch der Meinung? Wenn es ihm selbst wohl geziemt, den wichtigen Dienst, den er uns geleistet, dem Zufall zuzuschreiben, so würde es sich von uns nicht ziemen, es ebenso anzusehen, und seinen Mut, mit dem er das Leben unsers Vaters gerettet hat, zu vergessen.

Und warum gesteht Ihnen denn Betty nicht, daß der Fremde sich recht geschäftig um sie gezeigt, und daß sie seine Aufmerksamkeiten recht wohlgefällig und artig annahm? – Ich hielt sogar die Festigkeit, mit der sie sich losriß und forteilte, für ein Opfer, das sie ihrem eifersüchtig brauseköpfigen Walter brächte, und habe ihr im Herzen deswegen wohlgewollt. – Belohnt sie so meine gute Meinung? böse Betty! Wenn sie Ihnen nicht abbittet, liebe Tante, und Ihnen gesteht, daß sie ihre Freude daran hat, Unfug zu treiben, so werde ich sie bei Herrn von Walter verklagen; er traut mir! –

Von dem Fremden, von diesem Florentin sollte ich Ihnen also erzählen? Es ist wahr liebe Tante, daß er uns allen wert geworden ist. Er macht jetzt das Leben und die Seele der Gesellschaft aus. Mit dem sonderbarsten, oft zurückstoßenden Wesen weiß er es doch jedem recht zu machen, und zieht jedes Herz an sich, ohne sich viel darum zu bekümmern. Es hilft nichts, wenn man auch seinen ganzen Stolz dagegen setzt, man wird auf irgend eine Weise doch sein eigen. Oft ist es recht ärgerlich, daß man nicht widerstehen kann, da er selber nicht festzuhalten ist. Einmal scheint es, als verbände er mit den Worten noch einen andern Sinn, als den sie haben sollen; ein andermal macht er zu den schmeichelhaftesten

Dingen, die ihm gesagt werden, ein gleichgültiges Gesicht, als müßte es eben nicht anders sein; dann freut ihn ganz wider Vermuten einmal ein absichtsloses Wort, das von ungefähr gesprochen wird; da weiß er immer einen ganz eignen Sinn, ich weiß nicht, ob hineinzulegen, oder herauszubringen. Uns ist dieses sonderbare Spiel sehr erfreulich, da wir ihn näher kennen, und besser verstehen. Sie können aber denken, wie er oft in Gesellschaft Anstoß damit gibt; doch versteht er sich recht gut darauf, ein solches Ärgernis nicht zu groß werden zu lassen; er macht bald alles wieder gut. Wir begreifen eigentlich nicht, wie es ihm möglich ist, diese Fröhlichkeit und gute Laune immer um uns zu erhalten, da er selbst doch nicht froh ist. Ich und Eduard, wir sind oft allein mit ihm, und da haben wir es deutlich genug merken können, daß ihn irgend ein Kummer drückt. Der Vater machte ihm neulich den Vorwurf er wäre zu wenig ernst, und nähme oft die Dinge zu scherzhaft. Florentin ließ es über sich hingehn. Eduard meinte aber, und sagte es mir allein: der Ernst in ihm wäre vielmehr zu ernst und zu tief, als daß er ihn in der Gesellschaft anwenden könnte; und da er nie sich so gegen den Scherz versündigte, daß er ihn ernsthaft nähme, so käme es ihm zu, auch wohl einmal den Ernst scherzhaft zu finden. Am besten findet sich Eduard in ihn, sie sind Freunde geworden, und man sieht jetzt einen nicht ohne den andern. So interessant er auch ist, so glauben Sie mir nur, liebe Tante, Eduard verliert gar nicht gegen ihn, er kömmt mir vielmehr neben seinem Freunde noch liebenswürdiger vor. Ich weiß gewiß, ich könnte diesen nicht so lieben, wie ich Eduard liebe. Er gefällt auch dem Vater sehr wohl, der ihn so viel als möglich um sich zu haben sucht. Er mag seine Einfälle und seine seltsamen Wendungen gern, so sehr er auch sonst gegen jedes Auffallende, Neue oder Sonderbare spricht. An Florentin liebt er es und verteidigt ihn gegen jede Anklage. Sogar das Geheimnisvolle, das über seinem Namen und seiner Herkunft schwebt, achtet er, zu unserm Erstaunen. Noch heute war die Rede davon, ihn einem Manne vorzustellen, den er zu sprechen wünschte. »Von Florentin?« fragte der

Vater. Wir erwarteten alle seine Antwort. »Wenn es durchaus mit meinem Namen allein nicht genug ist«, sagte er, »so setzen Sie B a r o n hinzu, das bezeichnet wenigstens ursprünglich, was ich zu sein wünschte, nämlich ein Mann.« Der Vater ließ es sich wirklich so gefallen.

Sogar Threschen hat er ganz für sich gewonnen. Sie weiß nichts Bessers, als sich von Florentin etwas vorsingen zu lassen, oder ihn zeichnen zu sehen, sie vergißt Spiel und alles, wenn sie nur bei ihm sein darf. Sie kennen ihre heftige Art sich an etwas zu hängen. – Mit den Knaben reitet er viel, und kann sich mit ihnen balgen und lärmen und Festungen erobern, die sie zusammen bauen, bis sie ganz außer sich geraten, und er mit ihnen. – Dem Mütterchen bleibt aber der Kopf ruhig, wenn er uns auch allen verdreht wird; nicht ein einziges Mal ist es ihm doch gelungen sie irre zu machen, wiewohl er es oft darauf anlegte; sie lächelt, und ist freundlich und liebreich gegen ihn, aber Gewalt hat er gar nicht über sie, er fühlt es: Mutter ist auch die einzige, vor der er gehörigen Respekt hat. Mit uns andern schaltet er nach Belieben; wenn ich recht aufgebracht bin, und ihm stolz begegne, so ist er imstande, gar nicht einmal darauf zu merken. –

So schön hat ihn Betty gefunden? So schön als Eduard ist er auf keinen Fall, das meint auch die Mutter, er ist auch nicht so groß und herrlich als Eduard; aber sein Bau ist fein, schlank, und dennoch kräftig. Er hat eine edle Physiognomie, und überhaupt etwas Interessantes; sein Anstand ist frei und kunstlos, manchmal sogar trotzig. Was ihn auszeichnet, ist ein gewisses, beinah verachtendes, Lächeln, das ihm um den Mund schwebt; aber der Mund ist doch hübsch, so wie auch sein Auge, das gewöhnlich fast ganz ohne Bedeutung, still und farblos, vor sich hin schaut, das aber helle Funken sprüht bei einem Gespräch, das ihn interessiert, es wird dann sichtbar größer und dunkler. Er hat eine schöne helle Stirn, und es kleidet ihn gut, wenn er, wie er oft tut, sich die dunkelbraunen Locken, die tief darüber her fallen, mit der Hand zurückstreicht, oder wenn sie vom Wind gehoben werden.

Die Mutter findet, er hätte etwas Altritterliches, besonders
wenn er ernsthaft aussieht, oder unvermutet in ein Zimmer
tritt, sie müßte sich ihn immer mit einer blanken Rüstung
und einem Helm denken. Therese hat viel mit Auffinden von
entfernten Ähnlichkeiten und mit den alten Bildern zu schaffen, und behauptet er sähe dem Gemälde vom Pilgrim ähnlich, das in der Mutter Zimmer hängt. Sie ruhte nicht eher, bis
ich es mir von ihr zeigen ließ, und sie hat wirklich recht; es ist
eine entfernte Ähnlichkeit.

Ich fürchte, Sie werden, trotz meiner umständlichen
Beschreibung, doch kein richtiges Bild von ihm haben.

Sie sehen aber, liebe Tante, wie gern ich Ihnen alles lieber
mit der größten Umständlichkeit berichte, damit Sie nur
nicht verleumderischen Nachrichten Glauben beimessen
dürfen, und dann mit vorgefaßten Meinungen, die uns nach-
teilig sind, herkommen. Sie haben noch keinen Tag festgesetzt, an dem wir Sie sehen sollen. Mit welcher Ungeduld
erwarte ich Sie, meine verehrte, liebe Freundin!

Ich hätte Ihnen gern erzählt, welches fröhliche Leben wir
leben, und welche Dinge wir unter Florentins Anleitung ausführen. Aber heute, und in den nächsten Tagen, kann ich
nicht daran denken. Es wird mir wenig Zeit zum Schreiben
gelassen. Kommen Sie bald, und nehmen Sie teil, und erhöhen Sie unsre Fröhlichkeit durch Ihre Gegenwart. Ich hoffe
heute noch, oder doch morgen einen Brief von meiner gütigen Freundin zu erhalten, mit der bestimmten Nachricht
Ihrer Abreise. Leben Sie wohl, lieben Sie Ihre Juliane.

Sechstes Kapitel

Eduard und Florentin hatten einigemal kleine Reisen im
Gebirg und in der umliegenden Gegend gemacht. In abwechselnden Verkleidungen hatten sie die benachbarten Städtchen
und Dörfer durchzogen, auf Kirmsen, Hochzeiten, Jahrmärkten, bald als Krämer oder als Spielleute. Manches lustige

Abenteuer kam ihnen entgegen, sie wiesen keines von sich. Wenn sie dann von ihren Wanderungen zurückkamen, hatten sie viel zu erzählen und von den Eroberungen zu sprechen, die sie wollten gemacht haben. Juliane bekam den Einfall sie einmal zu begleiten; und das nächste Mal, daß sich die beiden jungen Männer wieder zu einer solchen abenteuerlichen Reise anschickten, teilte sie Eduard ihren Wunsch sie zu begleiten mit. Er war voller Freude über diesen Entschluß, der ihm die Hoffnung gab, Julianen auf ein paar Stunden der Förmlichkeit zu entziehen, die jetzt bei der vergrößerten Gesellschaft immer mehr überhand nahm, und ihrer in der Einsamkeit froh zu werden; auch seinem Freunde war es lieb, er hatte einen solchen Wunsch bei Julianen gar nicht vermutet. Der Graf und seine Gemahlin hatten aber viel dawider, und wollten es anfangs unter keiner Bedingung zugeben. Der Wohlstand ward beleidigt, Julianens Gesundheit ausgesetzt, der übrigen Gefahren und ihrer eignen Ängstlichkeit nicht zu gedenken. Florentin, der seinen Kopf auf diesen Plan gesetzt hatte, und Eduard, der ein Recht zu haben glaubte, eine solche Erlaubnis zu fordern, hörten mit Bitten und Vorstellungen nicht eher auf, bis sie ihnen zugeteilt ward, nur unter der Bedingung, daß sie nicht zu Pferde sondern zu Fuß gingen, und daß sie nicht die Nacht ausbleiben wollten. Und nun wurden noch so viele Anstalten gemacht, so viel Regeln und Warnungen gegeben, daß Juliane, ganz ängstlich gemacht, sich im Herzen vornahm, gewiß nichts zu übertreten, und gewiß zum letztenmal eine solche Erlaubnis zu begehren. Eduard aber ward der ganze Einfall beinah zuwider wegen der großen Umständlichkeit, und er war eben nicht gesonnen, sich gar zu streng an die Vorschriften zu halten.

Nachdem sie endlich alles zustande gebracht, und Juliane den Abend mit schwerem Herzen von ihren Eltern Abschied genommen hatte, machten sie sich morgens früh auf den Weg, nur von ein paar Jagdhunden begleitet. Sie waren alle drei als Jäger gekleidet. Eduard und Florentin trugen Büch-

sen, Juliane hatte nur ein Jagdmesser und Tasche, statt der
Büchse trug sie die Guitarre, von der sich Florentin selten
trennte. Da Juliane gut zu Pferde saß, und oft in Männertracht ausritt, so war sie ihr nicht ungewohnt, sie ging so
leicht und ungezwungen daher, als hätte sie nie eine andere
Kleidung getragen, und auch so als Knabe sah sie wunder-
schön aus; auch die beiden Freunde nahmen sich gut aus, als
ältere Brüder des lieblichen Kindes. Sie gingen dem Morgen
entgegen, der in voller Pracht heraufstieg, der Frühling in
seiner ganzen Herrlichkeit umfing sie, die Vögel sangen
munter, Blüten dufteten und die Bäume glänzten im Schein
der Sonne.

Sie gingen durch den Wald nach dem Gebirge zu, fröhlich
und unbekümmert wie die Kinder. Sie genossen sich selbst in
reiner Unbefangenheit; Vergangenheit und Zukunft war
ihren Gedanken fern, der Wille des Augenblicks war ihnen
Gesetz.

»Ach«, rief Eduard auf einmal aus; »so leben, wenn auch
nur eine kurze Zeit, und sterben, eh wir den Tod zu wünschen haben! Schlafen gehen und nicht wieder aufstehen!« –
»Ihr denkt an den Tod«, sagte Florentin, »um zu bedenken
wie ihr so gern nicht an ihn denken wollt!« – »Torheit!« rief
Juliane, »wer will jetzt vom Tode sprechen?« – Florentin
nahm ihr die Guitarre ab, und spielte einen raschen Tanz,
sie drehte sich mit Eduard in schnellen Kreisen. Er hatte sich
unter einem Baume niedergesetzt. Nachdem sie zu tanzen
aufgehört hatten, setzten sich beide neben ihn. »Es tanzt
sich gut auf dem kurzen Grase.« – »Besser und erfreulicher
als auf dem getäfelten Fußboden eurer Säle, das ist gewiß.« –
»Wenn man nun hier im Walde an eine Assemblee denkt!« –
»Davon kein Wort, Juliane, ich mag eben so wenig von
Assembleen hören, als Sie vom Tode.« – Hiemit nahm er die
Guitarre wieder auf, und sang:

Sie ist mir fern, wie soll ich Freude finden!
Ich kann dem Kummer nur mein Leben weihn.
Wie um den Baum sich üppig Ranken winden,
Die Nahrung raubend seiner Krone dräun,
So, fern von dir, mich Sorg und Unmut binden,
Daß keine Erdenlust mich kann erfreun.
Fragt nicht, warum mein Sinn so rastlos eilt;
Für mich ist nirgends Ruh, als wo sie weilt.

Juliane, erhitzt vom raschen Tanz, lehnte sich an Eduard,
ein sanfter Wind, der hoch in den Wipfeln der jungen Birken
rauschte, kühlte ihr das glühende Gesicht, und wehte die
Locken zurück, die in der Bewegung durch ihre eigne
Schwere sich von der Nadel losgemacht hatten, und nun bis
tief auf die Hüften herabfielen. Eduard verlor sich ganz im
Anschaun ihrer Schönheit, und die Töne der Guitarre, die
dazu gesungenen Worte drangen in sein Innerstes. Er
drückte Julianen mit Heftigkeit an seine Brust; die Gegenwart des Freundes vergessend hielt er sich nicht länger, seine
Lippen waren fest auf die ihrigen gepreßt, seine Umarmung
wurde kühner, er war außer sich. – Juliane erschrak, wand
sich geschickt aus seinen Armen, und stand auf, ihm einen
zürnenden Blick zuwerfend. Eduard war betroffen, sie
reichte ihm beruhigend die Hand, die er mit Küssen bedeckte. Nunmehr sang Florentin, mit raschen Griffen sich
begleitend, gleichsam als beruhigendes Echo jener ersten
sehnsuchtsvollen Anklänge:

Ich bin dir nah, wie soll die Wonn' ich fassen,
Die mir aus deinen lieben Augen winkt!
Als sollt ich nimmermehr dich wieder lassen.
Wann voll Verlangen Herz an Herz nun sinkt,
So soll mein Arm den holden Leib umfassen,
Indes mein Mund der Liebe Tränen trinkt.
O Glück der Liebe, seliges Entzücken!
Geschenk der Götter, Menschen zu beglücken!

»Wie schön«, rief Juliane, als das Lied geendigt war, »wie
schön weiß er die Seligkeit und die Schmerzen eines liebenden Herzens auszusprechen! Florentin, Sie lieben! gewiß Sie
lieben! Sie sollten uns die Geschichte Ihres Glücks mitteilen!
oder, wenn Sie nicht glücklich lieben . . . armer Florentin!« –
Sie nahm seine Hand in ihre beiden Hände. Er seufzte und
lehnte seine Stirn auf ihre Hand.

»So öffnen Sie uns Ihr Herz«, fuhr sie mit bewegter
Stimme fort, »wir sind es beide wert.« – Florentin richtete
sich auf. – »Wie mich eure Teilnahme rührt, ihr Guten. Es ist
das erste von Herzen zu Herzen Gehende, dem ich begegnet
bin! Wohl trage ich Liebe in meiner Brust, Juliane, aber ein
Weib, dem sie eigen gehörte, die sie mit mir teilte . . . die fand
ich noch nie!« – »O das ist unglaublich. Sie entziehen sich
uns.« – »Nein, bei Gott, nein!

Sie werden es weder glückliche noch unglückliche Liebe
nennen wollen, wenn Sie hören, daß ich von meinem sech-
zehnten Jahre an der Erziehung der berühmtesten schönen
Frauen in Venedig überlassen war. Ich lernte den Sinnenrausch kennen, früher als ich das geheime Feuer im innersten
meines Herzens kannte und verstand, und keine Verderbnis
der verderbtesten Welt hat es daraus vertilgen können. Die
Schönheit betete ich an, wo sie sich mir darbot, ein glückliches Naturell unterstützte mich . . . kurz, ich ward nirgend
grausam behandelt. Nachher lebte ich eine Zeit lang von aller
schönen feinen Welt entfernt bei armen Hirten in den Gebir-
gen; dieser schönen Tage werde ich immer mit Freude gedenken. Ich lebte mit lieben holden Kindern zusammen, wahren
Kindern der Natur, und der ersten Unschuld; bei ihnen heilte
meine Phantasie wenigstens wieder. . . . Einen Gegenstand
der Liebe aber, die bis jetzt mir nur unbelohnt, aber tief im
Herzen lebt, wo würde ich den wohl finden? Er existiert
irgendwo, das weiß ich, von dieser frohen Ahnung werde
ich im Leben festgehalten: aber wo und existiert? wo ich ihn
finde?« – »Aber welche Forderungen werden Sie auch
machen?« sagte Juliane. »Was wird der Herr verlangen von
einer Frau, die ihm die rechte sei!« – »Unwiderstehlich rei-

zend sind Sie, Juliane, wenn Sie die kleine Lippe so trotzig aufwerfen, und das Näschen höhnisch rümpfen!« – »Welche Anmaßung!« – »O keinen Zorn, wenn ich meinen Kopf behalten soll, er kleidet Sie viel zu schön! Was hilft es denn, daß ich in e i n e r alles vereinigt fand, was meine Wünsche fassen? Sie ist ja die liebende Braut des Glücklichen dort!« – »Sie sind ausgelassen, Florentin!« –

»Nun seht, ihr Lieben, ich fordre wenig, ihr werdet es vielleicht nicht glauben, recht sehr wenig; doch scheint es eine große Forderung zu sein, denn ich fand sie nie erfüllt. Nichts als ein liebenswürdiges Weib, die mich liebt, liebt wie ich sie, die an mich glaubt, die ohne alle Absicht, bloß um der Liebe willen, die meinige sei, die meinem Glück und meinen Wünschen kein Vorurteil und keine böse Gewohnheit entgegensetzt, die mich trägt wie ich bin, und nicht erliegt unter der Last; die mutig mit mir durch das Leben, und, wenn es sein müßte, mit mir in den Tod schreiten könnte. . . . Sehen Sie Juliane, das ist alles! . . . und ich habe es nicht gefunden, obgleich schöne Frauen jedes Standes mir überall und ohne Bedenken die unzweideutigsten Beweise ihrer Liebe, wie sie es nannten, gaben.« – »Mit welchen Frauen haben Sie gelebt, Florentin!« – »In der besten, der feinsten Gesellschaft mitunter, sein Sie versichert, gute Juliane.« – »Sie sollten uns doch bald mit Ihren Schicksalen und Abenteuern bekannt machen«, sagte Eduard. – »O tun Sie es«, sagte Juliane, »Ihr Lebenslauf muß sehr interessant sein!« – »Interessant!« rief er aus; »ich bitte euch, was nennt ihr denn interessant? Ich weiß wahrhaftig nicht, ob er das sein wird. Ich wollte, mein Lebenslauf gehörte irgend einem andern zu, vielleicht würde ich ihn dann auch ergötzlich finden: als mein eigner Lebenslauf aber gefällt er mir eben nicht. Euch will ich auch einmal die Lust verschaffen, nur jetzt nicht, denn mich dünkt, es ist Zeit, daß wir uns nach einer Mahlzeit umsehen.« – »Wenn Sie es zufrieden sind«, sagte Juliane, »so gehen wir, während die Mittagssonne brennt, nicht von diesem Platz, er ist schattig und kühl. Geben Sie her, was von kalter Küche da ist, unser grünes Lager mag zugleich unsre Tafel sein.« – »Sehen Sie,

auch für ein sauberes Tuch hat man gesorgt, um es aufzudek-
ken.« – »Sogar Wein findet sich hier«, sagte Florentin, indem er
die Flasche hervorzog. – »Stellen Sie ihn dort an den Bach hin,
damit er abkühle.« – »So reichlich fanden wir uns noch nie auf
unsern Zügen versorgt.« – »So hat die Umständlichkeit, die
meine Begleitung verursachte, doch wieder etwas Angenehmes
erzeugt.« – »Wie oft mußte ich nicht schon die Annehmlich-
keiten eines bequemen Lebens entbehren! konnte ich mir
aber nur eine größere Unabhängigkeit damit erkaufen, so
geschah es mit tausend Freuden.« – »Doch wohl auch oft
dem Liebchen zu gefallen?« sagte Eduard. – »Auch das
genug«, sagte Florentin, »ich hatte dann auch süßen Lohn.«

Sie lagerten sich um das Tuch und verzehrten ihren Vorrat
unter fröhlichen Scherzen, Gesängen und Lachen. Florentin
pflegte durch den Wein lebhafter noch und heiterer zu werden als gewöhnlich, Eduard aber fühlte seine Lebensgeister
leicht durch ihn erhitzt, reizbarer und zugleich schwerer;
Juliane ward von ihnen mit Bitten bestürmt, diesesmal doch
ihren Wein ohne die gewöhnliche Mischung von Wasser zu
trinken, sie war aber nicht dazu zu bewegen. Die Ausgelassenheit und der steigende Mutwille der beiden fing an sie zu
ängstigen, sie fand jetzt ihr Unternehmen unbesonnen und
riesenhaft kühn; die beiden Männer kamen ihr in ihrer Angst
ganz fremd vor, sie erschrak davor, so ganz ihnen überlassen
zu sein; sie konnte sich einen Augenblick lang gar nicht des
Verhältnisses erinnern, in dem sie mit ihnen stand, sie bebte,
ward blaß. – Eduard bemerkte ihre Angst. »Was fürchtest du
holder Engel! Du bist bei mir, bist mein« – er umarmte sie mit
einigem Ungestüm. – »Lassen Sie mich, Eduard!« rief sie,
sich aus seinen Armen windend; »nicht diese Sprache . . . . . .
Sprechen Sie jetzt gar nicht zu mir, Ihre Worte vergrößern
meine Furcht . . . ich bin so erschreckt . . . ich weiß nicht
warum?« – Sie verbarg ihr Gesicht in ihre beiden Hände. –
»Beruhigen Sie sich Juliane!« – »Stille, ich beschwöre Sie,
nicht ein Wort weiter, wenn Sie mich lieben!« – Florentin
hatte sich, als er ihre Unruhe bemerkte, zurückgezogen, die

Guitarre genommen, und allerlei Melodien phantasiert; die beiden Hunde hatten sich zu ihm gelagert, und drückten aufwärts ihre Köpfe an seine Knie. Gesammelt fing Juliane endlich an: »Die Sonne steht noch zu hoch, wir können in der drückenden Hitze diese Schatten nicht verlassen. Sie, Florentin, könnten jetzt Ihr Versprechen erfüllen und uns einiges aus Ihrem Leben erzählen!«

Er schwieg ein Weilchen, dann sang er folgende Worte:

>   Draußen so heller Sonnenschein,
>   Alter Mann, laß mich hinaus!
>   Ich kann jetzt nicht geduldig sein,
>   Lernen und bleiben zu Haus.
>
>   Mit lustigem Trompetenklang
>   Ziehet die Reuterschar dort,
>   Mir ist im Zimmer hier so bang,
>   Alter Mann, laß mich doch fort!
>
>   Er bleibt ungerührt,
>   Er hört mich nicht:
>   »Erlaubt wird, was dir gebührt,
>   Tust du erst deine Pflicht!«
>
>   Pflicht ist des Alten streng Gebot;
>   Ach, armes Kind! du kennst sie nicht,
>   Du fühlst nur ungerechte Not,
>   Und Tränen netzen dein Gesicht.
>
>   Wenn es dann längst vorüber ist,
>   Wonach du trugst Verlangen,
>   Dann gönnt man dir zu spät die Frist,
>   Wenn Klang und Schein vergangen!
>
>   Was du gewähnt,
>   Wonach dich gesehnt,
>   Das findest du nicht:
>   Doch bleibt betränt
>   Noch lang dein Gesicht.

»Was soll uns jetzt das Lied, Florentin?« fiel Juliane ungeduldig ein; »ich dringe auf die Erfüllung Ihres Versprechens!« – »Sie könnten auch mein Lied als eine Einleitung
nehmen zu dem, was ich Ihnen zu erzählen habe. Aus meiner
Kindheit weiß ich mir nichts so bestimmt zu erinnern, als
den Zwang und das Unrecht, das mir geschehen ist, und das
ich schon damals sehr klar fühlte. Gewiß ist jedem Kinde so
zumute, dem man nach einer vorher bestimmten eigenmäch-
tigen Absicht eine streng eingerichtete Erziehung gibt.«

Siebentes Kapitel

Die Gesellschaft lagerte sich bequem, und Florentin fing an
zu erzählen:

»Wie ein Traum schwebt mir die frühe Erinnerung vor,
daß ich in meiner ersten Kindheit in einem einsamen Hause
auf einer kleinen Insel lebte. In dem Hause wohnte niemand,
als eine gute freundliche Frau, die Sorge für mich trug und
mich keinen Augenblick verließ, und ein etwas ältlicher
Mann, der die schweren Haus- und Gartenarbeiten verrichtete, und jeden Tag mit einer kleinen Barke fortruderte, und
die nötigen Vorräte einholte. Es befanden sich gewiß noch
mehrere Häuser auf der Insel; von diesen erinnere ich mich
aber nichts, so wenig als von ihren Bewohnern. Ein paarmal
kam eine schöne sehr prächtig gekleidete Dame, von zwei
Herrn begleitet, mit der zurückkehrenden Barke. Diese
Dame liebkoste mich zärtlich, gab mir Spielzeug und Kon-
fekt, und ich mußte sie Mutter nennen. Einer von den Herren, der auch schön und glänzend gekleidet war, bezeigte
meiner Mutter viel Aufmerksamkeit, und war sehr freundlich gegen sie, so wie sie auch gegen ihn. Dem andern Herrn,
der, wie ich nachmals erfahren habe, ein Geistlicher war,
begegneten beide mit Ehrfurcht. Gegen mich waren beide
unfreundlich; sie schalten mich wenn ich mich zu nah an
meine Mutter drängte oder nicht von ihrem Schoß fort

wollte. Sie waren mir beide verhaßt, besonders der geistliche
Herr, dessen Recht mich zu schelten ich immer im Herzen
bezweifelte. Der Stolz und die Unfreundlichkeit der beiden
Männer hatte einen so verhaßten Eindruck auf mein kindli-
ches Gemüt gemacht, daß ich sie fürchtete, und sie niemals
begrüßen oder anreden mochte, so sehr meine Mutter darauf
bestand. Empfindlichen Kindern ist Härte und Unfreundlichkeit unerträglicher als jede Entbehrung, die man ihnen
mit Güte und Sanftmut auferlegt.

Eines Tages kam unser alter Mann mit der Barke zurück.
Er war ganz bestürzt und sprach heftig mit der Frau; diese
weinte, küßte mich und stieg mit mir in die Barke. Der
Mann fuhr uns an ein fremdes Ufer, wo der Anblick der
vielen Menschen und Häuser mich in Erstaunen setzte. Ich
ward durch viele Straßen in ein sehr großes Haus geführt,
dann durch eine Menge Zimmer, in denen sich viele Menschen hin und her drängten. Die meisten waren schwarz
und wunderlich gekleidet, und obgleich es so viele waren,
und alle besorgt und beschäftigt schienen, so ging es doch
still und feierlich zu. Mein Herz ward kalt bei dem geister-
mäßigen Anblick, den ich mir so gar nicht erklären konnte.
Endlich gelangte ich in ein sehr großes Zimmer, dessen
Wände und Fußboden schwarz behängt waren; kein Tages-
licht drang hinein, ein paar Wachskerzen mit schwarz um-
wundenen hohen Leuchtern brannten düster. Ganz am ent-
gegengesetzten Ende stand ein schwarz behangenes Ruhbett, auf dem eine gleichfalls ganz schwarz gekleidete Dame
saß, die einen langen schwarzen Schleier über das Gesicht
hatte.

Indem ich hineintrat, stand die Dame auf, und ich erkannte die Stimme meiner Mutter; der geistliche Herr bat
sie ruhig zu sein, und ging mir entgegen, um mich zu ihr zu
führen, ich war vor Angst und Schrecken wie im Fieber, und
ich verbarg mich zitternd im Gewand meiner Wärterin.
Meine Mutter mochte die Ursache meines Schreckens erraten, sie kam auf mich zu, und legte ihren Schleier zurück, so

daß ich ihr Gesicht erkannte; aber ich vermißte schmerzlich
den glänzenden Schmuck, den ich sonst mit solchem Ergötzen in ihren Haaren, an Hals und Ohren hatte schimmern
sehen. Ich blieb lange furchtsam und ängstlich; man gab mir
glänzendes Spielzeug, ich konnte mich aber nicht beruhigen. Endlich ward mir ein kleines Mädchen zugeführt, die
mir freundlich zuredete, und den Gebrauch des schönen
Spielzeugs kannte; man sagte mir, sie sei meine Schwester;
ich spielte mit ihr, und meine Furcht verschwand beinah
ganz. Dies war das erste Mal, daß ich ein anderes Kind sah,
und meine Freude war sehr groß über diese neue Bekanntschaft. Nun war ich glücklich genug, nur konnte ich mich
durchaus nicht an die finstern Zimmer gewöhnen, ich
sehnte mich nach der frischen Luft, nach dem Himmel und
den Bäumen; meine Mutter begegnete mir mit der größten
Zärtlichkeit, ich liebte sie, aber ich ging doch noch lieber mit
meiner Wärterin ins Freie. Meine Mutter blieb immer in
diesen mir verhaßten Zimmern, sie weinte fast immer, wenn
ich sie sah, und ich hörte sie oft wiederholen: mein Vater sei
gestorben; aber ich konnte es nicht fassen, ich wußte nicht,
wer mein Vater gewesen sei, ich hatte diese Benennung gar
nicht zu brauchen gelernt. Meine Mutter sagte mir mit Tränen: der schöne Herr, der mich in ihrer Gesellschaft auf der
Insel besucht hätte, wäre mein Vater gewesen. Ich weinte
nun auch, und war nicht wieder zu beruhigen; die Wärterin
fragte mich: warum ich denn so sehr weinte? Ich wollte es
nicht sagen, man drang in mich. ›O daß der Prior nicht
mein Vater war‹, schrie ich, ›so wäre der tot, und der andre
Herr lebte noch!‹ – Ich erinnere mich jetzt nicht mehr, was
auf diesen Ausruf erfolgte, auch nicht, ob der Prior zugegen
war.

Von den Hausleuten hörte ich manchmal mit Bedauern
sagen: es wäre doch sonst viel anders im Hause gewesen! Ich
erkundigte mich dann bei ihnen und bei meiner Schwester,
wie es eigentlich gewesen wäre? Ihre Erzählungen gaben mir
ein wunderliches buntes Bild von den weltlichen Freuden,

die jetzt ganz aus dem Hause verbannt, und an deren Stelle
feierliche Unterredungen und Andachtsübungen getreten
waren. Meine Schwester wußte nicht viel zu erzählen, außer
daß die Mutter damals sehr reiche glänzende Kleider ange-
habt hätte.

Einigemal hörte ich den Prior meine Mutter erinnern,
daß es jetzt die höchste Zeit sei, mir die Erziehung meiner
künftigen Bestimmung zu geben, und mich in die notwendige Lebensart einzuführen. Meine Mutter bat ihn aber, ihr
die Gesellschaft ihrer Kinder noch nicht zu nehmen, sie
würde alles Versäumte wieder nachholen. Ohne daß ich den
Sinn dieser Worte verstand, ängstigten sie mich mit trauriger Ahndung, die auch sehr bald erfüllt ward. Meine Mutter
ward immer ernster und trüber, und bald auch strenger
gegen uns. Anstatt unsrer gewöhnlichen zierlichen leichten
Kleidung gab man uns häßliche Kleider von grobem Zeuge,
mit klösterlichem Schnitt, und das während derselben Tage,
da ich die Freude hatte, daß man die schwarzen Vorhänge
aus dem Zimmer meiner Mutter nahm. Die hellen Teppiche
kamen nun zum Vorschein, die prächtig vergoldeten Zierra-
ten glänzten mir entgegen, ich war voller Freude über diese
Herrlichkeiten; und nun mußte ich diese Kleidung anlegen,
die mir schon an den Mönchen, die ich gesehen hatte, so
widerlich war. Ich war außer mir, ich wollte es durchaus
nicht leiden, keine Drohung konnte mich bewegen. Endlich
zog meine Schwester mit stillen sanften Tränen an, was man
von ihr verlangte, da ließ ich mir's auch gefallen. Noch
mehre Schrecken erwarteten mich an diesem unglücklichen
Tage.

Wir wurden zur Mutter herein gerufen; sie war im
Gespräch mit dem Prior und noch einem Mann in geistlicher
Kleidung, den ich nicht kannte, der mir aber einen so fatalen
Eindruck machte, daß ich gewiß den Augenblick, wo ich ihn
zuerst gesehen, nie vergessen werde. Er hatte ein finstres kaltes Gesicht wie der Prior, nur daß dieser, ein vollkommen
schöner Mann, mit feierlichem stolzen Anstand sich sehr gut

zu präsentieren wußte, auch über meine Mutter eine Superiorität hatte, die allen Ehrfurcht einflößen mußte. Der neue Ankömmling war lang und mager, von gelber Gesichtsfarbe, und hatte so durchaus etwas Jämmerliches und Demütiges. Er bückte sich bei jedem Wort, das meine Mutter mit einer Protektionsmiene zu ihm sprach, so furchtsam und ungeschickt. Mir entging nichts von dem allen, meinen Widerwillen wußte ich aber erst später zu erklären. Er ward mir als mein Hofmeister bekannt gemacht, und zu gleicher Zeit sagte meine Mutter zu meiner guten Wärterin, sie wäre von nun an die Hofmeisterin meiner Schwester, die unter ihrer unmittelbaren Aufsicht stehen sollte. Ich beneidete meine Schwester, ich wäre so gern bei meiner Wärterin geblieben. Es erfolgte jetzt ein förmliches Abschiednehmen; meine Mutter küßte mich, und führte mich zum Prior, der mir seinen Segen gab, meine Schwester ward weinend von mir getrennt, der Hofmeister empfing mich aus den Händen des Priors, der ihm Wachsamkeit und Fleiß empfahl. Er führte mich fort, ich folgte ihm halb tot vor Entsetzen und bangem Erwarten. Es war der Anfang einer unglücklichen Reihe von Jahren, der ich entgegenging.

Er führte mich in das für uns bestimmte Zimmer, es war ganz entlegen, und vom geräuschvollen Teile des Hauses entfernt. Eine große schwere Türe, am Ende eines finstern Ganges ward aufgetan. Wir traten hinein, eine kalte Luft umfing mich, ich schauderte, und derselbe Schauder überfiel mich jedesmal, wenn ich hineinkam. Das Zimmer war groß und hoch, gotisch gewölbt, die Fenster ganz oben, und zum Überfluß noch vergittert, die nackten grauen Wände nur von finstern Heiligenbildern verziert. Am einen Ende bedeckte ein großes Kruzifix einen Teil der Wand; drunter ein Tisch, worauf eine Decke und zwei große Kerzen sich befanden; gegenüber unsre Betten, zwei Tische mit Schreibezubehör, ein Repositorium mit Büchern und einige Stühle: das war alles, was diese Gruft enthielt, in der ich vier lange, bange

Jahre mit meinem gespensterhaften Aufseher, unter unaufhörlichem Zwang verleben mußte. Ich mochte ungefähr zehn Jahr alt gewesen sein, als ich hineingelassen ward. Seltne spärliche Sonnenstrahlen fielen durch die kleinen Gitter, und diese vermehrten nur immer mehr meine Traurigkeit und meine Sehnsucht nach dem freien Himmel, wenn sie die gegenüber stehende Wand erhellten. Jeden Morgen beim Erwachen fiel mir das Kruzifix in die Augen, auf das oft ein solcher blasser Strahl schräg hinfiel und es so schauderhaft erleuchtete, daß ich davor zurückbebte. Ich habe mich in diesen ganzen vier Jahren an den Anblick nicht gewöhnen können; ich war froh, wenn der Himmel umwölkt war, damit ich die Strahlen nicht mehr sähe, die sonst meine größte Freude gemacht hatten. Seitdem war ich noch oft sehr unglücklich, ich habe Momente der schrecklichsten Verzweiflung erlebt; aber gegen die Bitterkeit jenes Zustandes, in dem ich die lieblichsten Jahre meiner Kindheit vertrauren mußte ... daran reichte seitdem nichts wieder! Wie grenzenlos unglücklich ein Kind sein kann, dem die Hoffnung noch nicht bekannt ist, das nichts hat, nichts kennt als den gegenwärtigen Moment, an dem es mit allen Sinnen, mit aller Kraft und Begierde seiner empfangenden Seele hängt; wenn es abhängig von fremder Laune, fremder Absicht, seine frohen Wünsche, die natürlichen Gefährten seines Alters unterdrücken muß, so daß selbst diese ihm fremd werden ... gewiß hat ein jeder dies irgend einmal erfahren: aber die meisten vergessen diesen peinvollen Zustand wieder, sobald sie darüber hinaus sind. Ja oft rächen sie sich für das ausgestandene Übel wiederum an ihren Kindern, so wie diejenigen gegen ihre Untergebenen am härtesten verfahren, die selbst aus dem Stand der Dienstbarkeit sind. Kinder werden von einer Generation auf die andre als angebornes Eigentum angesehen, das man zu seinem eigenen Vorteil, oder nach Laune, bearbeitet und benutzt. Nun, wenn es unabänderlich so bleiben muß, so ist es nur eine Inkonsequenz, daß die Eltern nicht auch über Leben und Tod ihrer Kinder zu richten haben!

Es hielt schwer, eh ich mich bewegen ließ, bei meinem Hofmeister zu bleiben, der im Hause allgemein der Pater genannt ward. Ich sträubte mich aus allen Kräften dagegen. Endlich ward mir im Namen meiner Mutter notifiziert, daß ich mich durchaus fügen müßte, sonst sollte ich sogleich ins Kloster der Benediktiner, wohin ich durch besondere Vergünstigung des Priors nun erst in vier Jahren zu gehen brauchte. Er hätte aus Gewogenheit für mich und meine Mutter es erlaubt, daß der größte Teil meines strengen Noviziats in ihrem Hause unter der Aufsicht des Paters vergehen dürfte, und für diese Gunst sollte ich doppelt gehorsam und dankbar sein.

Mein Schrecken war übermäßig, als ich erfuhr, daß ich zu den Benediktinern sollte. Der Prior hatte mich einmal im Kloster herumgeführt, mir die Ordnung, Einrichtung und Gesetze erklärt, und trotz dem, daß er mir alles aufs schönste und unter vielen Schmeicheleien vortrug, konnte doch nichts den Abscheu überwinden, den ich mit der größten Heftigkeit gegen Kloster und Mönche faßte.

Er war sonderbar, dieser Haß, denn ich kannte ja die Welt noch nicht, und wußte nichts von ihren Freuden. Aber es war mir immer, als spräche etwas in meinem Innern zu mir: es gibt noch viel schöne Dinge, aber weit von hier! Doch alles, was ich einwenden mochte, half nichts, wollte ich diese vier Jahre noch im Hause meiner Mutter bleiben dürfen, so mußte ich mir alles gefallen lassen; und nun war es beschlossen, daß sowohl ich, als meine Schwester zum Kloster bestimmt wären, und daß wir, dieser Absicht gemäß, schon jetzt unsre Lebensart daran gewöhnen sollten.

Anfangs wurde ich und meine Schwester täglich zu meiner Mutter geführt, nach und nach wurden aber diese Besuche immer seltner, meine Schwester blieb meiner alten Wärterin ganz überlassen, und ich war allein mit dem Pater. Nur an seltnen Festtagen durften wir zur Mutter kommen; auch fanden wir immer weniger Trost bei ihr, sie bezeigte uns zwar viel Liebe, besonders mir; aber sie selbst ward täglich trüber,

und den Andachtsübungen immer mehr hingegeben. Mein
einziger Trost war meine Schwester, die ich aber nie sprechen
konnte als im Garten, wohin mich der Pater regelmäßig
jeden Abend führte, wo sie sich dann auch mit ihrer Hofmeisterin einfand; dies war die einzige frohe Stunde, die ich den
ganzen Tag hatte; und auch diese war beschränkt, denn der
Pater verließ mich keinen Augenblick, und gelang es uns
auch, uns allein zu unterhalten, so verging sie unter gegenseitigen Klagen. Das arme kleine Mädchen jammerte besonders
sehr über die häßliche Kleidung, die ihr nicht stehen wollte,
ich tröstete sie oft, wenn ich weniger übel gelaunt war, und
einigemal versicherte ich ihr sogar als eine Prophezeiung, ich
würde es, wenn ich erst älter wäre, gewiß ändern, und ich
wollte sie frei machen, sobald ich frei wäre. Darauf wußte sie
aber niemals etwas zu sagen, sie sah mich mit großen Augen
an, und es schien als glaubte sie mir nicht, was mich denn
nicht wenig verdroß.

Meine Tage füllten trostlose Studien, die alle darauf ab-
zweckten, mich zu meinem künftigen Stande geschickt zu
machen; das kanonische Recht, geistliche Gebräuche, Kir-
chengeschichte, kurz alles was in dieses Fach gehört: mein
armes Gedächtnis ward mit diesen toten Dingen bis zur Zerstörung gemartert. Das Beste, was ich davontrug, war die
Kenntnis einiger alten, und der deutschen Sprache; der Pater
war ein Deutscher von Geburt, und liebte seine Sprache. Der
Prior, der als ein gelehrter Mann bekannt war, hatte es über
sich genommen, meine Studien zu dirigieren. Er kam jede
Woche einmal und untersuchte meine Fortschritte, es war
daher leicht zu begreifen, daß der Pater sein Bestes an mir
versuchte. Mit der größten Strenge hielt er mich an, mir
Sachen einzuprägen, die ich, Gott sei Dank, in kürzerer Zeit
vergaß, als ich zu ihrer Erlernung gebraucht hatte; zur Erho-
lung wurde mir verstattet in den Legenden die Geschichte
der Heiligen und Märtyrer zu lesen, deren Gemälde an den
Wänden hingen. Auch versuchte ich es oft, mit der Feder die
Umrisse dieser Bilder nachzuahmen, welches mir immer gut

gelang; mit einiger Anleitung hätte ich vielleicht ein Künstler werden können. Gewiß ist es aber, daß Kinder von lebhaftem Geiste gegen die Dinge, wozu man ihnen durch frühe Gewöhnung eine Neigung zu geben sucht, grade dadurch einen Widerwillen bekommen; nur auf schwache, furchtsame Gemüter vermag die Gewohnheit etwas. Der Abscheu gegen mein Leben und meine Bestimmung nahm mit jedem Tage zu, da alles, was mich umgab, mich bis zur Ermüdung darauf hinwies. Freiwillig und lebensmüde hätte ich sie vielleicht einst selbst gewählt.

Alle erwachsenen Leute erschienen mir nicht allein mürrisch und hart, sondern ganz unverständig und blind, ihre Befehle und Verbote sinnlos und abgeschmackt. Darin ward ich besonders durch einen Zufall aus dem ersten Jahre meines widrigen Lebens bestärkt; ich war nämlich einmal mit meiner Schwester im Zimmer meiner Mutter, sie wollte unsre Fähigkeit im Lesen prüfen. Zufällig war kein andres Buch in der Nähe, als ein Gedicht, das meine Mutter eben gelesen hatte. Ich las einige Verse, in denen das Glück der Kindheit gepriesen ward; meine Mutter war mit der Fertigkeit, womit sie gelesen wurden, zufrieden, und rühmte, indem sie sich zum Pater wandte, die Schönheit der Verse, und die rührende Wahrheit des Inhalts; der Pater stimmte laut mit ein. Schwache Geschöpfe, die in solcher Abhängigkeit leben müssen, glücklich zu preisen, zu beneiden, das war zu toll! Ich ward ganz wütend, weinte, und war durch nichts zu bewegen, noch weiterzulesen, und mußte die Strafe für meinen Eigensinn, wie sie es nannten, erleiden, deren Ungerechtigkeit mich nur noch mehr empörte, und meine Verachtung gegen die geringe Einsicht meiner Vorgesetzten noch vergrößerte. Wie seufzte ich nach dem Moment, mich von den hartherzigen, unverständigen Tyrannen loszumachen, sie nicht mehr fürchten zu dürfen! Ich suchte in den Augen meiner Schwester eine Übereinstimmung mit diesem Gefühle, ohne sie zu finden; das Kind war durch meine erlittne Strafe erschreckt, und las gedankenlos, was man ihr aufgab, mit allem Eifer, bloß um den Beifall der Mutter zu erhalten; ich hatte Mitleid mit ihr, aber mein Zutrauen zu dem schwachen Kinde war verschwunden.

Der Eindruck dieser Begebenheit haftete unauslöschlich in meinem Gemüt; ich war seitdem überzeugt, mehr Verstand zu haben, als die mich beherrschten, und sie betrügen zu dürfen. Weil sie stärker waren und ihre Stärke gegen mich anwandten, so glaubte ich meinen Verstand, als die einzige Waffe, wodurch ich ihnen überlegen wäre, gebrauchen zu müssen. Ich suchte auf jede Weise meine Unabhängigkeit in meinem Innern zu erhalten, je mehr ich meine Handlungen und mein äußeres Leben nach ihrem Willen ordnen mußte. In jeder Meinung ging ich geflissentlich von der ihrigen ab, es war mir genug, daß jene etwas fest glaubten, um starke Zweifel in mir dagegen zu hegen, und grade das Entgegengesetzte anzunehmen. Da ich nun meine Freidenkerei sorgfältig verbergen mußte, so hielt ich mich heimlich für den Zwang schadlos; jeder Akt von Unabhängigkeit, auch der allerunbedeutendste, erfüllte meine Seele mit einem geheimen Triumph, und daß ich nicht gleich auf der Stelle für meine Unwahrheit von Gott bestraft wurde, befestigte mich in meiner Überzeugung. So lebte ich, in anscheinendem Frieden, innerlich in beständigem Krieg mit meinen Vorgesetzten, dachte auch, sie verachteten mich ebenso, wie ich sie, und suchten mich nur zu überlisten.

Wie ward ich nun überrascht und erschüttert, als ich bei einer Krankheit, die ich aus Stolz einige Tage verbarg, der ich aber endlich unterliegen mußte, die Zärtlichkeit meiner Mutter und die Sorgfalt meines Hofmeisters für meine Genesung gewahr ward! Es waren die Blattern, die mit gefährlichen Symptomen herausbrachen. Einige Tage lag ich in heftigen Fieber ohne Bewußtsein; in dem Augenblick, als ich endlich zu mir kam, und noch ganz entkräftet die Augen aufschlug, war das erste, was ich unterscheiden konnte, der Anblick meiner Mutter, die auf ihren Knieen lag, und mit heißen Tränen und geängstigtem Herzen Gebete für ihr

Kind zum Himmel schickte. Ich machte eine Bewegung,
sie kam zu mir, ich sah sie bleich und ihre Kleidung und
Haare zerstreut und nicht in der gewöhnlichen Ordnung;
ich erkundigte mich nach der Ursache, da hörte ich: sie
wäre in den Nächten meiner Lebensgefahr nicht von meinem Bette gewichen, und hätte sich auch am Tage nicht
von mir entfernen wollen, um gehörig auf ihrem Bette zu
ruhn, oder sich umzukleiden. Ihre Freude, als sie gewahr
ward, daß ich meine Besinnung wieder erlangt hätte, und
sie mich wieder ruhig und zusammenhängend sprechen
hörte, auch der Arzt versicherte, ich sei jetzt außer aller
Gefahr, war unbeschreiblich, und bewegte mich tief. Mein
Zustand schien mir selbst höchst abschreckend und ekel-
haft; doch hielt er weder meine Mutter noch meinen Hofmeister ab, mir alle möglichen Dienste selbst zu leisten,
und Erleichterungen zu verschaffen. Sie verließen mich fast
keinen Augenblick, begegneten mir mit nie erfahrner
Freundlichkeit, und suchten mir sogar durch kleine Spiele
diese Leidenszeit zu verkürzen. Trotz meiner körperlichen Schmerzen war ich zum erstenmal vergnügt; mein Herz
erweichte sich gegen diejenigen, die ich für meine Feinde
gehalten hatte, und die mich jetzt so freundlich und zärtlich behandelten. Mein Vergehen, sie als Feinde betrogen
zu haben, fiel schwer auf mein Gewissen; es drängte mich,
mich ihnen zu entdecken, und sie selbst um die Auflösung
meiner Zweifel zu bitten. In dieser Aufwallung von frommer Treuherzigkeit legte ich eine vollständige Beichte in
Gegenwart meiner Mutter und des Paters ab; heiße Tränen
entfielen meinen Augen bei dem Bekenntnis meiner Sün-
den! Der Moment war entscheidend, denn jetzt hing es
von ihnen ab, mich auf immer für sich zu gewinnen. Die
Idee vom Kloster ausgenommen, war ich zu allem bereit,
was von mir gefordert würde; ja auch zu diesem hätte ich
mich vielleicht verleiten lassen, wenn sie mich mit weniger
sichtbarer Absicht behandelt hätten; aber sie verstanden
mich nicht, dies rettete mich.

Während meiner Beichte waren beide sehr erschreckt, wegen der Tiefe meiner Ruchlosigkeit, wie mein Hofmeister sich ausdrückte, meine Mutter aber wegen meines weltlichen Hanges zur Unabhängigkeit, der durch keine geistliche Übung und Anstrengung zu unterdrücken sei. Während meiner Genesung ward ich mit Schonung behandelt, nur mußte ich mehr noch als vorher, Gebete hersagen, und sonst allerlei von mir verachtete Dinge vornehmen. Mit unbeschreiblicher Geduld verrichtete ich alles, bloß aus Gefälligkeit für die Menschen, die mich liebten , und die ich beleidigt hatte. Daß sie mir mein Unrecht nicht fühlen ließen, hatte ihnen mein ganzes Herz wiedergewonnen.

Ihr Betragen veränderte sich aber, je mehr ich wieder an Kräften zunahm. Mit der möglichsten Strenge ward ich beobachtet; zu unaufhörlichen, mir verabscheuungswürdigen Übungen angetrieben; nicht die allergeringste Freiheit ward mir verstattet; im Hause der Mutter mußte ich vollkommen so leben, als im Kloster; dabei zeigte man mir unaufhörlich das größte Mißtrauen. Ich fühlte mich hier so rein, war es mir bewußt, daß ich durch meine Aufrichtigkeit vielmehr ihr Zutrauen hätte erwerben sollen; ich fand jene so klein, so unedel in ihrem Mißtrauen, und mich so unwürdig behandelt, daß mein Entschluß wieder aufs neue fest ward, mich zu befreien. Wie? und wann? das sah ich, unerfahren und kindisch wie ich war, durchaus nicht ein. Der Zufall kam mir zu Hülfe.

Wir machten unsern gewöhnlichen Spaziergang im Garten; der Prior kam dazu und nahm unsre Aufseher auf die Seite, um etwas mit ihnen zu überlegen; ich blieb mit meiner Schwester in einem bedeckten Gang allein. Auf einmal hörten wir auf dem Hof nebenan einige Stimmen und Pferdegetrappel; neugierig, wie jeder Eingekerkerte, guckten wir durch eine ziemlich große Öffnung der Planke, die unsern Garten von jenem Hofe trennte. Ich erblickte einen Jüngling, der sich in muntrer militärischer Tracht eben auf ein schönes Pferd schwang, und vom Hofe herunterritt. Er

war nicht mehr zu sehen, und alles still um uns. Ich
betrachtete bald mich, bald meine Schwester. Das Bild des
leichten schlanken Jünglings, wie er sich auf das rasche
Pferd schwang, einen reichgekleideten Knaben hinter
sich, schwebte mir noch immer vor Augen; mein Zustand
kam mir ganz unleidlich vor; ich weinte heftig, ich war
außer mir, und in einem Zustande von Verzweiflung.
Meine arme Schwester versuchte mich zu trösten; es
gelang ihr aber nicht eher, bis sie mir versprach, sie wollte
ihr möglichstes tun, mich mit dem Jüngling bekannt zu
machen.

Wirklich gelang es ihr einige Tage darauf, ihn durch die
Planke zu sprechen, und ihn zu bitten, den andern Tag in derselben Stunde wieder an dem Ort zu sein, zugleich sagte sie
ihm von meiner Begierde, ihn zu sprechen. Sie gewann ihre
Hofmeisterin für mich, die mir noch immer sehr gewogen
war, öffentlich aber nichts für mich tun konnte.

Den andern Tag, als wir im Garten waren, entfernte sie
sich um die bestimmte Zeit mit dem Pater und meiner
Schwester, die nur unter der Bedingung nicht dabei zu sein,
sie in ein so gewagtes Unternehmen hatte hineinziehen
können. Ich blieb allein am bestimmten Ort, der Jüngling
erschien bald darauf, nicht wenig neugierig auf eine so
abenteuerliche Zusammenkunft. Mit wenigen Worten, und
ohne Zeitverlust, sagte ich ihm kurz die Ursache, warum ich
seine nähere Bekanntschaft wünschte, bei welcher Gelegenheit ich ihn zuerst gesehen, und welche Hoffnung ich gleich
beim ersten Anblick von ihm gefaßt habe; zugleich machte
ich ihn mit meiner ganzen Lage bekannt. Er nahm auf der
Stelle den wärmsten Anteil an meiner Not, beklagte mich,
versprach mir seine Hülfe und seinen Rat in allem, was ich
unternehmen wollte, und gewann mein ganzes Herz durch
sein edles Wesen. Er bestärkte mich in meinem Vorsatz,
mich mutig zu widersetzen, vorher aber sollte ich zu erlangen suchen, daß wir freundschaftlich zusammen umgehen
könnten. Wir trennten uns, da ich die Stimmen der übrigen

vernahm, mit dem gegenseitigen Versprechen, uns bald wiederzusehen.

Ich hatte neuen Mut durch diese Bekanntschaft gewonnen; und die erste Wirkung davon war die, mich nicht ferner zu verstellen; jetzt verachtete ich meine Unterdrücker mehr, als ich sie fürchtete.

Den andern Morgen sagte ich dem Pater in einer ordentlichen Anrede: ich dankte ihm für seine bisherige Bemühung, der er aber von nun an überhoben sein sollte, weil es mit meinen Studien vollkommen aus wäre! Wollte er mich aber etwa zum Studieren zwingen, so würde ich sogleich zu meiner Mutter gehen und es ihr selber sagen, daß ich unter keiner Bedingung ins Kloster gehen, noch auch die geistlichen Studien weiter fortsetzen wolle; ich sei fest entschlossen und ganz bereit, mich jeder Begegnung auszusetzen, um mich frei zu machen. Der Pater war wie aus den Wolken gefallen, als er mich diese Sprache führen hörte, und wollte einiges versuchen, mich wieder zum alten Gehorsam zu bringen; da er mich aber unwandelbar entschlossen sah, nahm er plötzlich eine ganz andre Miene an. Der arme Teufel mochte wohl fürchten, seine gute einträgliche Stelle, und die künftige Versorgung, die ihm der Prior zugesagt hatte, zu verlieren, wenn ich mich meiner Mutter entdeckte; er wußte, diese würde den Fall sogleich dem Prior mitteilen, der dann vor allen Dingen einen andern Hofmeister für den rebellischen Knaben herbeischaffen würde; eine Veranstaltung, die zuerst den Pater zu seinem eignen Nachteil hätte betreffen müssen. Nach einigem Bedenken fragte er mich nach meinem Plan, sagte viel zu seiner Verteidigung: wie ich ihn verkennte, wie er mich im Herzen immer bedauert hätte, und mir aufrichtig zugetan sei; da es ihm aber aufgetragen wäre, mich so zu behandeln, so hätte er seine Pflicht doch tun müssen. Verlassen wollte er mich aber auf keinen Fall, und hier würde Gott es ihm verzeihen, wenn er, im Zweifel über seine Pflicht, seinem Herzen folgte; und was der Worte mehr waren. Sobald ich nur merkte, daß es sein Vorteil sei, mir nichts in den Weg zu legen, hörte ich nicht weiter darauf. Alles was er für mich tun könnte, sagte ich ihm, wäre, mir die Erlaubnis zu geben, daß ich den Sohn unsers Nachbars, des Marchese, besuchen dürfte, mir auch unverzüglich und insgeheim ein Pferd und eine anständige Kleidung für mich anzuschaffen, dies alles dann dem jungen Manfredi zu überbringen, und soviel möglich mir zum Ausgehen zu verhelfen.

Er versprach alles, nur sollte ich Sorge tragen, daß er mich nicht verlassen dürfte; ich gab ihm mein Wort, und von dem Augenblick schwur er mir ganz ergeben zu sein. – Ich traute ihm viel zu leicht: wahrscheinlich hätte er mich bei der nächsten Gelegenheit verraten, wenn er Zeit dazu gefunden hätte, aber es nahm schneller eine gute Wendung, als ich selber hoffen durfte. Ich ging sogleich zu meinem jungen Freunde, der Pater begleitete mich, damit es im Hause keinen Verdacht erregte, wenn man mich ohne ihn ausgehen sähe. Zu meinem Freunde ließ er mich aber allein, nachdem wir einen Ort verabredet hatten, wo wir uns jedesmal wieder antreffen wollten. Die Freude, die wahrhaft kindische Lust, als ich nun im Zimmer meines lieben Manfredi war, und in Freiheit mich mit ihm unterhalten konnte, beschreibe ich euch nicht. – Ich machte ihm bekannt, wie weit ich in der Insurrektion gekommen wäre, und daß er nun das Pferd, was mir der Pater verschaffen würde, versorgen, und meine Kleider bei sich verbergen möchte, die ich dann immer bei ihm anlegen wollte, so oft wir zusammen ausritten; denn daß ich gleich zuerst wollte reiten lernen, versteht sich von selbst, mein guter Manfredi wollte mein Meister sein. In unsern heißen Köpfen fand dieser ganze Plan nicht die geringste Schwierigkeit, mein Freund versprach mir alles, was ich verlangte; am Ende daraus werden sollte, das wollten wir ein andermal überlegen, in diesem Augenblick hatten wir vor aller Herrlichkeit keine Zeit dazu. Ich war bei meines Freundes Fechtübungen zugegen, und sogleich ward beschlossen, auch ich sollte heimlich teil daran nehmen. Jetzt wußte ich bestimmt, daß ich Soldat werden wollte, und Manfredi bestärkte mich in diesem Vorsatz. Ich lief ganz voll von allem, was ich gesehen, und betäubt von tausend Empfindungen zu meinem ehrwürdigen Hofmeister, den ich antrieb mir das Nötige herbeizuschaffen.

Als ich das nächste Mal zu Manfredi kam, fand ich seinen Vater bei ihm, und er stellte mich diesem so vor, daß ich merken konnte, er hätte ihm von mir etwas gesagt. Ich war ängstlich, ich hatte von immer eine gewisse Furcht vor allen erwachsenen, älteren Leuten, als den Feinden der jungen. Der Marchese flößte mir aber bald Zutrauen ein, er begegnete mir freundlich und mit Schonung. Als ich einigen Mut gefaßt hatte, fragte er mich nach den genauern Umständen meiner Geschichte, Manfredi hatte ihm nur das Allgemeine davon mitgeteilt. Ich erzählte nun meine Lebensart, klagte über den Zwang zu Studien, die mir Langeweile machten; daß ich zum Kloster bestimmt, aber entschlossen wäre, mich bis in den Tod zu widersetzen; daß an dieser Härte und diesem Zwang niemand schuld wäre, als der mir fatale Prior, der Beichtvater meiner Mutter, dem sie nicht allein das Heil ihrer Seele, sondern auch die Führung aller weltlichen Dinge anvertraut hätte. ›Ja‹, rief ich mit dem größten Affekt, ›ich will lieber den Tod als das Kloster! ich will die abscheulichen Mönchskleider nicht länger tragen! ich will nicht aussehen wie diese Mönche, und nicht werden wie sie; dazu hat man mich schon seit der zarten Kindheit gewöhnen wollen.‹ Ich klagte sogar mit der größten Bitterkeit, daß mir schon angekündigt wäre, mir in den nächsten Tagen die Haare abzuscheren, die ich, eitler törichter Weise, zu sehr liebte. Bis jetzt hatte sie meine Mutter trotz der Vorstellungen des schrecklichen Priors immer noch erhalten, weil sie selbst sie liebte; nun sollten sie aber herunter, weil sie befürchtete, ihr Herz zu sehr an diesen weltlichen Schmuck zu hängen. –

Sie lächeln, Juliane, über die Wärme, mit der ich dieser kindischen Eitelkeit erwähne! Sie können aber wohl schwerlich denken, wie entsetzlich mir die Idee war, ebenso auszusehen wie die Mönche mit ihren geschorenen Köpfen: meine Haare

hielt ich noch für das einzige, was mich von dieser verhaßten
Klasse unterschied, das Seil, das mich noch in gewissem Sinn
an die Welt knüpfte, die ich durchaus nicht verlassen wollte,
die ich erst wollte kennen lernen; diese Haare sollte ich nun
lassen!« – »Nun, lieber Florentin«, rief Juliane, »halten Sie
sich nicht auf, was sagte der Marchese zu Ihrer tragischen
Erzählung?« – »Dem Marchese schien sie Vergnügen zu
machen, er lächelte einigemal mit Bitterkeit, als ich vom Einfluß des Priors auf meine Mutter sprach. In der Folge erfuhr
ich, daß er durch die Einmischung der Geistlichen in Fa-
milienangelegenheiten schon eine schreckliche Zerrüttung
bei einem seiner Freunde erfahren, und seitdem allem was
zum Mönchstume gehörte, den unversöhnlichsten Haß
geschworen habe. Er ist sowohl durch seine Herkunft als
durch sein Vermögen von großem Einfluß, und gebraucht
diesen so viel er vermag, und mit der größten Vorsicht und
Klugheit, um allen Orden zu schaden, wenigstens ihrem zu
großen Einfluß entgegenzuarbeiten.

Er fragte mich, wozu ich entschlossen wäre, und was ich
zunächst tun wollte? Ich entdeckte ihm mein Verständnis
mit dem Pater, und wie ich, sobald mich Manfredi in den
notwendigsten Stücken würde unterrichtet haben, gesonnen
sei, davonzugehen, und im Auslande Soldat zu werden. Mit
dem letzten war der Marchese zufrieden, aber die Heimlich-
keit wollte er nicht billigen. Er drang darauf, mich meiner
Mutter zu entdecken. Ich erinnerte ihn, wie meine Mutter so
ganz von ihrem Beichtvater abhinge, und daß ich von diesem
ja auf keine Weise etwas hoffen dürfte. ›Gegen jeden Mann
von Ehre‹, setzte ich keck hinzu, ›und der mit gleichen Waf-
fen gegen mich ficht, werde ich offen und ohne Rückhalt
handeln und sprechen, aber gegen diese Menschen halte ich
die List für erlaubt, sie ist mein einziger Vorteil gegen sie.‹
Den Marchese belustigte wahrscheinlich mein kindischer
Eifer, denn er ließ mich eine gute Weile deklamieren. Endlich
sagte er: ›Nun gut, mein junger Freund! beruhigen Sie sich
nur. Sie haben recht, Sie dürfen sich nicht aussetzen, ich

werde Ihre Sache führen, hoffentlich soll es mir gelingen Sie frei zu machen, nur versprechen Sie mir, nichts ohne mein Vorwissen zu unternehmen.‹ Ich versprach alles, was er wollte, in der Freude einen Beschützer an den Vater meines Freundes gefunden zu haben. Jetzt gedachte ich auch meiner armen Schwester, die, wie ich mir einbildete, in derselben angstvollen Lage seufzte. Der Marchese erkundigte sich näher nach ihr; da nahm Manfredi das Wort, und beschrieb ihre rührende Schönheit, ihre Sanftmut und Geduld mit einiger Wärme. Der Marchese hörte ihn ernsthaft an und sagte dann: ›Es tut mir leid, für Ihre Schwester kann ich nichts tun; Familienverhältnisse machen es für die Töchter oft zur Notwendigkeit den Schleier zu nehmen, und nach allem, was mir Manfredi sagt, scheint sie sich recht gut in dieses Schicksal zu fügen.‹ Ich wollte ihm vom Gegenteil überzeugen: – ›Nein, nein‹, fuhr er fort, ›es geht nicht an, für Ihre Schwester läßt sich nichts tun, und es wäre sehr gut, wenn ihr junge Herrn ihr nicht Hoffnung machtet, und sie von dem Wege ablenktet, den sie gehen muß. Was aber Sie betrifft, verhalten Sie sich ganz ruhig, Sie sollen bald frei sein. Ein Jüngling sollte niemals zum Kloster bestimmt werden, so lange man noch Köpfe und Arme in der Welt braucht, und so lange es Armeen gibt.‹

Ich folgte dem Marchese, und blieb ruhig auf meinem Zimmer, beim Pater wurden meine Aufträge widerrufen, und ihm nur empfohlen ein wachsames Auge auf das zu haben, was bei meiner Mutter vorginge, und es mir zu hinterbringen. Einige Tage darauf kam er besorgt zu mir, und erzählte: er wäre zu meiner Mutter gerufen worden, wo er den Prior gefunden hätte; beide hätten mit Heftigkeit geredet, indem er hineingetreten sei, und ihn scharf befragt: wo ich den Marchese gesprochen hätte? und bei welcher Gelegenheit? Er, der Pater, hatte sich dann völlig entschuldigt, und versichert er wüßte von nichts, er wollte mich aber darnach fragen. Dies wäre ihm gestattet worden, und nun wollte er sich bei mir erkundigen, was er berichten sollte? Es ward

nun geschwind etwas ersonnen, das ziemlich glaubwürdig
klang, und wobei der Pater zugleich von jedem Verdacht frei
blieb, und alles allein auf mich fiel. Er gab mir zugleich
Nachricht von einigen ernsthaften Unterredungen, die meine
Mutter mit dem Prior gehabt, endlich ward ich vorgerufen;
der ehrwürdige Pater empfahl mir noch einmal sein Heil, und
nun trat ich nicht ohne Herzklopfen und bange Erwartung in
meiner Mutter Zimmer.

Hier hatte ich einen schweren Auftritt zu überstehen. Ich
ward genau aber ohne Strenge vernommen; dann wandten
sowohl meine Mutter als der Prior jede Überredung, jede
Schmeichelei an, mich zu bewegen, daß ich mich freiwillig
zum Kloster entschließen sollte. Meine Mutter weinte, bat,
rief mir jede Erinnerung ihrer mütterlichen Zärtlichkeit ins
Gedächtnis zurück, beschwor mich mit aufgehobenen Händen, mit den rührendsten Gebärden, ihr alles was sie je für
mich geduldet hätte durch diesen einzigen Entschluß, der das
ewige Heil meiner Seele und ihrer eigenen sicherte, zu belo-
nen. Ich war wie gepeinigt, konnte nicht sprechen, nur durch
meine Liebkosungen suchte ich sie zu beruhigen; im
Schmerz, die Frau, die ich ehrte, so leiden zu sehen, und um
meinetwillen, aus Sorge für meine ewige Seligkeit so leiden
zu sehen, konnte ich durchaus meinen Widerwillen nicht
wieder finden; halb war ich erweicht, und wirklich in Gefahr
nachzugeben; in dem Augenblick fing aber der Prior an, mit
seiner fetten Stimme, die mir in den Tod zuwider war, mir
die großen Vorteile der Abgeschiedenheit von dieser ver-
derbten zur ewigen Verdammnis lebenden Welt vorzuzäh-
len, und mir mit allen Höllenstrafen für meine Widersetz-
lichkeit gegen meine Mutter zu drohen. Da fiel mir mein
guter Manfredi ein, und sein vortrefflicher Vater, und daß
ich, wenn ich standhaft bliebe, ein Pferd haben und Soldat
werden sollte; dies brachte mich zu mir selbst, und ich war
gerettet. Dem Prior antwortete ich nicht, aber meiner Mutter
mit einer für mein Alter seltnen Entschlossenheit und Festigkeit.

Wie es der Marchese angefangen hatte, begreife ich noch jetzt nicht; denn ich weiß gewiß, er hat mit meiner Mutter selbst nicht einmal gesprochen: kurz, ich ward befreit, und das Resultat aller Überlegungen und Unterredungen war, daß ich nach einer nicht sehr entfernten großen Stadt, in die adeliche Militärschule daselbst geschickt ward, um mich dort in den nötigen Übungen geschickt zu machen, eh ich in Dienste treten konnte. Mein Hofmeister, auf den nicht der geringste Verdacht fiel, bekam die Versorgung nun noch früher, als er gehofft hatte, er tröstete sich also für meinen Verlust, und mir war es auch nichts Geringes, ihn so auf gute Art los zu werden. Der Abschied ward mir leicht; meine arme Schwester grämte sich aber recht herzlich, daß ich mich von ihr trennen mußte. Das arme Kind war nun ganz den Menschen überlassen, die sich der Schwäche ihres Charakters bedienten, um sie nach ihrer Willkür zu lenken. Sie fühlte ihre Abhängigkeit, aber diese drückte sie nicht so wie mich; doch ich konnte es mir gar nicht denken, daß sie nicht ebenso unzufrieden sein müßte. Beim Abschied steckte ich ihr einen Zettel zu, ich riet ihr darin mir zu schreiben, wenn ich ihr helfen sollte, ihre Hofmeisterin würde mir zuliebe gewiß ihre Briefe bestellen.

Jetzt erwartete mich aber noch eine große Freude: Manfredi kam, und kündigte mir an, daß er mit mir reise. Er war zwar älter als ich, und hatte seine Übungen schon vollendet, da der Marchese ihn aber so jung nicht zum Regiment schicken wollte, so hatte er in die Bitte des Sohns gewilligt, in meiner Gesellschaft sich noch in manchen Dingen vollkommner zu machen, und mich auch, da ich so völlig ohne Welt war, und man mich auf eine so unverzeihlich nachlässige Weise ganz allein reisen ließ, dort einzuführen, und meine Studien zu dirigieren. Auffallend war es in der Tat, wie man mich nach der strengsten Aufsicht plötzlich mir selbst überließ, ohne Führer, ohne Ratgeber, als ob ich von nun an für vogelfrei erklärt wäre. Man hielt mich von dem Augenblick an wahrscheinlich für einen Raub des Satans und jede Sorgfalt für ganz unnötig.

Der Marchese billigte gleich den Vorsatz seines Sohns, und befestigte ihn noch darin. Meine Erziehung schien ihn zu interessieren. In der Folge glaubte ich zu bemerken, daß es ihm auch darum zu tun war, Manfredi von meiner Schwester zu entfernen; damals fiel es uns aber beiden gar nicht ein, wir freuten uns herzlich beisammen zu sein, und waren dem gütigen Marchese dankbar für seine Wohltaten. Ich war damals etwa vierzehn oder funfzehn Jahr, Manfredi einige Jahre älter. Es war in derselben Jahreszeit, in der wir jetzt sind, daß ich zuerst die schöne Welt frei betrat, an der Hand meines guten Manfredi.« – »Ach«, rief Juliane, »ich schöpfe endlich freien Odem! Ich fand keinen Ausweg für Sie, und ängstete mich gewaltig, Sie endlich dennoch unter den Mönchen zu sehen; es wollte mir gar nicht deutlich werden, daß Sie nun hier sind, und kein Mönch haben werden müssen.« – »Florentin«, fiel Eduard ein, »hat so gut erzählt, man mußte es ganz aus den Augen verlieren, daß es eigentlich seine Geschichte sei!« – »In der Tat«, sagte Juliane, »ich hätte nie geglaubt, daß er so zusammenhängend und in einem Strome fort reden könnte.« – Ich kann nicht finden, daß ich so gut erzählt hätte, denn anstatt die einfache Geschichte gerade-weg zu erzählen, bin ich in den Konfessionston hinein gera-ten. Es ist die Erinnerung meiner Kindheit, die einzige Epo-che meines Lebens, die mich interessiert, die mich so schwatzhaft gemacht hat. Zum Glück ist es hier nun aus, denn ich bin es selbst müde.« – »Wie? Aus?« – »Ja, aus! denn was mir nun noch zu erzählen bleibt, ist des Erzählens kaum wert, und läßt sich in ein Dutzend Worten ungefähr fassen; nämlich die eine, bis zur Ermüdung wiederholte Erfahrung: daß ich eigens dazu erkoren zu sein scheine, mich in jeder Lächerlichkeit bis über die Ohren zu tauchen, immer nur von einem Schaden zum andern etwas klüger zu werden, mich immer weniger in das Leben zu schicken, je länger ich lebe, und zuletzt der Narr aller der Menschen zu sein, die schlech-ter sind als ich.« – »Nicht so gar bitter, lieber Florentin«, sagte Eduard freundlich; »vergessen Sie nicht, daß dieses

mehr oder weniger das Schicksal aller Jünglinge ist, nur wirkt
diese Allgemeinheit verschieden auf die verschiedenen Gemüter.« – »Ja wohl, aber eben das ist es«, sagte Florentin,
»daß es grade auf mich so und nicht anders wirken mußte! Ist
denn diese Verschiedenheit nicht eigentlicher das Schicksal
zu nennen, als die äußern Begebenheiten?« – Juliane unterbrach ihn: »O lieber Florentin, nur einige von Ihren Erfah-
rungen, wie Sie sie meinen, erzählen Sie noch, ich bin sehr
begierig zu hören, wie man Sie so oft hat zum besten haben
können, man muß es doch eigen angefangen haben.« – »Auf
die einfachste Weise von der Welt, das sollen Sie hören.

Manfredi und ich waren unzertrennlich während unsers
Aufenthalts auf der Akademie: noch liebe ich ihn immer
herzlich, und ich wünschte wohl, wir träfen noch einmal im
Leben zusammen, wir waren uns gewiß echte Freunde,
obgleich wir, dem Äußern nach, eben nicht für einander paß-
ten: ich war immer wild, ausgelassen, einigermaßen tollkühn
und roh; er hingegen sanft, liebend, von schöner Gestalt, und
edlem Gesicht, feinem Anstand, tadellosen, wahrhaft altade-
lichen Sitten, strengen Grundsätzen über die Ehre; und doch
zog uns diese Verschiedenheit vielmehr gegenseitig an. Er
konnte am ersten mich von irgend einer Ausgelassenheit
zurückführen, dagegen konnte ich sicher auf ihn rechnen,
wenn es darauf ankam, irgend etwas Rechtes auszuführen,
oder wenn meine Ehre zu retten war. Hatte ich zu irgend
etwas mein Wort gegeben, so half er es lösen, wenn auch mit
Lebensgefahr. War es aber vollbracht, so mußte ich oft die
ernsthaftesten Verweise wegen meiner Unbesonnenheit von
ihm hören. Von niemand hätte ich sie ertragen, als von dem,
der den Mut und die Liebe hatte, alles für mich zu wagen. O
du mein guter Genius, der du meine Jugend, mein schönstes
Dasein schütztest, warum haben wir uns trennen müssen?
Seitdem, mein Manfredi, wandre ich einsam und in der Irre.
– Florentin sagte diese letzten Worte mit einer vor Rührung
erstickten Stimme, er hob sein Auge mit Wehmut empor,
dann schwieg er, in Gedanken verloren. Eduard nahm seine

Hand; Florentin blickte ihn an und sah Tränen in seinen Augen glänzen, er warf sich in seine Arme: – »Ich verstehe den Vorwurf dieses Händedrucks, mein guter Eduard! Nein, ich bin jetzt nicht mehr allein, nicht mehr in der Irre! ich habe wieder ein Herz gefunden, das verdient neben dem Andenken an meinen Manfredi zu stehen! Ich bin dein, Eduard, auf immer!« – »Ewig dein, mein Florentin!« – Sie hielten sich in fester Umarmung umschlossen. – »Schließt mich nicht aus, aus eurem Bunde«, sagte Juliane, »auch ich bin euer!« – Eduard umarmte sie zärtlich; sie beugte sich gegen Florentin, er berührte freundlich lächelnd ihre Stirn mit seinen Lippen.

Achtes Kapitel

Nach einer Pause fing Florentin wieder an:

»Wir waren ungefähr zwei Jahre auf der Akademie, unsre Übungen waren vollendet, wir sprachen schon von unsrer Rückreise und meinem weitern Fortkommen, als ganz unerwartet ein Brief an mich ankam, er war von meiner Schwester. Der Tag ihrer Einkleidung sei bestimmt, schrieb sie mir, und sehr nah, sie wolle also von mir und meinem Freunde schriftlich Abschied nehmen, und mich meines Versprechens, ihr zu helfen, entlassen, denn sie dürfe jetzt nicht mehr auf die Ausführung desselben hoffen. Sie sei nun entschlossen, sich drein zu ergeben; auch hoffe sie, es würde ihr gewiß am Ende gut gehen, denn seit dem Jahre, das sie nun im Kloster gelebt, habe sie viel Liebe und Freundlichkeit von den Nonnen erfahren; sie habe auch schon einige gute Freundinnen, die sie sehr liebe, die sie wieder zärtlich lieben, und mit denen sie immer zusammen sei, das sei doch eine Freude, die sie bei der Mutter entbehre, wo sie ebenso streng eingezogen leben müsse, als im Kloster, und dabei ganz allein, ohne eine Gespielin ihres Alters zu haben. Sie wünsche sehr von mir und Manfredi mündlich Abschied zu nehmen, wir sollten es doch möglich zu machen suchen, zurückzukom-

Schwester

men, um bei der feierlichen Einkleidung zugegen zu sein, und sie in ihrem Schmuck zu sehen, denn sie würde ganz herrlich geschmückt sein, die Mutter hätte ihr für ihren Gehorsam einen reichen Anzug zur Zeremonie gegeben, und so viel Geld zu guten Werken, als sie nur immer verlangte. Ihre vorige Hofmeisterin habe diesen Brief zu bestellen übernommen, aus alter Liebe für ihre Pflegekinder, und wolle ihr auch meine Antwort überbringen, wenn ich ihr eine schreiben wollte.

Dies war ungefähr der Inhalt ihres Briefes. Die Unschuld aber, das Unbewußte, Einfältige, das aus jedem Wort hervorblickte, kann ich nicht ausdrücken. Wir wurden beide auf eine eigne Weise von der Beschränktheit gerührt, und Manfredi erinnerte sich dabei mit vieler Zärtlichkeit der süßen Gestalt und der frommen kleinen Miene. Ich beschloß auf der Stelle, sie zu retten, wenn Manfredi mir zur Ausführung helfen wollte. Dieser war nicht so bald zu bewegen, aber ich hatte ihm das Geständnis abgedrungen, daß ihr rührendes Bild, so wie er es durch die Planke des Gartens erblickt hatte, jetzt aufs neue mit großen Ansprüchen auf seine Hülfe vor ihn träte, daß er es eigentlich noch nie aus seiner Seele verloren habe, kurz daß er sie liebe, und gewiß glücklich sein würde, wenn er sich mit ihr verbinden dürfte. Überdem hatte ich ihr Hülfe versprochen, und sie schien sogar auf ihn gerechnet zu haben; er ward endlich überredet, daß unsre Unternehmung gerecht und ehrenvoll sei, und versprach mir seine Hülfe. Und nun ward ein allerliebster Plan verabredet, der so toll war, daß es uns alle drei, wenn er gelungen wäre, ins tiefste Elend gezogen hätte. Uns kam aber damals nichts leichter, nichts natürlicher vor.

Meiner Schwester schrieb ich in wenigen Worten: Ich wolle mein Versprechen mit Manfredis Hülfe erfüllen. Sie solle alles tun, was man von ihr verlangte, nur Sorge tragen, daß sie nicht die erste sei, die an dem Tage das Gelübde ablegte. Sie werde mich in dem Augenblick sehen, wenn sie zum Altar gehen müsse, dann solle sie sich gefaßt halten, mir auf meinen Wink zu folgen. Mit Manfredi hatte ich verabredet, gleich zurück zu reisen, ohne es jemand wissen zu lassen, ohne uns zu zeigen, und den Tag der Einkleidung in einem entlegenem Hause vor dem Tor zu erwarten. Dann wollte ich ganz eingehüllt ins Kloster gehen, und mich unter das Gedränge mischen; wenn dann meine Schwester sich mit der Begleitung aller Angehörigen durch die Menge drängte, um zum Altar zu gelangen, und alles aufmerksam auf die Himmelsbräute wäre, die vor ihr eingekleidet würden, dann sollte ich den Moment wahrnehmen, sie von den übrigen ab, und zur Tür zurückführen, sie dann schnell in einen Mantel verhüllen, den ich über meinen eigenen hängen wollte, und mit ihr durch den nächsten Gang in den Garten eilen. Da bei einer öffentlichen Feierlichkeit die Türen offen sind, oder doch nachlässig bewacht werden, so war von dieser Seite kein Hindernis zu befürchten. Manfredi mußte unterdessen eine Strickleiter an die Mauer befestigt haben, und uns draußen mit einer Chaise und raschen Pferden erwarten; auch müßte er eine Männerkleidung in Bereitschaft halten, die meine Schwester sogleich anlegen könnte, wenn wir uns außer der Stadt sähen, dann wollten wir, ohne zu rasten, nach Venedig reisen, dort würden sie sogleich getraut. Für die Einwilligung meiner Schwester war ich Bürge, ich war überzeugt, sie würde sich in ihrem neuen Lose besser und glücklicher finden, als in dem traurigen, wozu sie sich schon so geduldig gefügt hatte. Manfredi bleibt mit ihr in Venedig, ich reise zurück, versöhne den Marchese mit ihnen, der zu edel ist, um sie seinen Zorn lange empfinden zu lassen, besonders da diese Handlung seinen wahren Grundsätzen gar nicht entgegen sein kann; was er uns damals darüber gesagt, war gewiß nur, um uns von allen weitern Planen abzuhalten, sein Ernst konnte es aber nicht sein. Ist nur erst der Marchese versöhnt, so muß es ihm leicht werden, auch unsre Mutter zu beruhigen, besonders da es doch nun einmal geschehen, und nicht zu ändern sein wird. Dann hole ich sie wieder von Venedig ab, sie werden beide glücklich sein, und werden mir ihr

Glück danken; ich habe dann redlich meine große Schuld gegen Manfredi abgetragen. Wir haben unser Leben gewagt für die gute Sache, wir haben den Priestern ein Schlachtopfer aus den Händen gewunden! Das Bewußtsein dieser großen Handlung wird uns auf ewig stärken und erheben, und unser Trost im Tode sein, wenn wir dem Versuche unterliegen sollten! –

Mit diesen hohen Worten, die wir wechselsweise einander zuriefen, und uns die Köpfe immer mehr erhitzten, eilten wir an die Ausführung des großen Werks. Von den unzähligen Schwierigkeiten fiel uns keine ein. Anfangs ging alles dem Plane gemäß. Wir reisten ab, kamen an, wohnten im strengsten Inkognito vor dem Tore in einem unbekannten Hause. Den Morgen nach unsrer Ankunft erzählte uns unsre Wirtin: es werde heute in dem Nonnenkloster ein großes Fest gefeiert, wo die ganze Stadt gewiß hinströmen würde, um es anzusehen, sie selbst wolle auch nicht zurückbleiben; sie bat uns daher, mit unsrer Abreise zu eilen, wenn wir nicht etwa auch Zuschauer abgeben wollten. Es würden drei vornehme Fräulein heute ihr Gelübde ablegen, die alle drei schön und fromm wie die heiligen Engel wären, und es wohl verdienten, glückselige Bräute des Himmels zu werden. Das wäre ein sehr schönes und erbauliches Schauspiel, auch freute man sich schon, die heiligen Reden des vortrefflichen Priors zu hören und seinen Segen zu erhalten. Sie nannte den wohlbekannten Namen des Priors, und mein ganzer Eifer entbrannte aufs neue. Manfredi eilte, seine Aufträge zu besorgen, ich in die Kirche des Klosters.

Es war noch sehr früh, das Volk versammelte sich allmählich, mir ward die Zeit lang. Ich ging wieder hinaus, um mir den nächsten Gang nach dem Garten, und durch denselben nach der Mauer, recht zu merken. In der Tür begegnete mir meine alte Wärterin; ich wandte mich von ihr, um mich zu verbergen, sie hatte mich aber schon erkannt und guckte mich scharf an. ›Mein Jesus! sind Sie wahrhaftig hier; kommen Sie nur gleich mit mir zum Fräulein, sie erwartet Sie schon, folgen Sie mir nur. Ei, ei, Sie sind wirklich gekommen!‹ Ihre Anrede befremdete mich, ich suchte sie so vorsichtig als möglich auszuforschen, sie wußte aber nichts weiter, konnte mir auf keine Frage antworten, als daß sie mich zu meiner Schwester führen sollte, die mich sprechen müßte, ich folgte ihr also. Sie öffnete eine Tür, ich trat hinein, und sah meine Schwester in prächtigem Brautschmuck in den Armen meiner Mutter, die sie mit Schmeicheleien und Küssen bedeckte. Meine Schwester schrie laut auf, als sie mich gewahr ward, ihr Gesicht in beiden Händen bergend; dann kam sie auf mich zu: ›Vergib mir!‹ rief sie, und fiel mir um den Hals, ›vergib mir, Guter, und lebe wohl!‹ Sie wollte noch sprechen, meine Mutter verhinderte sie aber daran. ›Geh, meine fromme Tochter!‹ sagte sie, ›laß mich mit ihm allein.‹ Meine Schwester ging hinaus, ich war unbeweglich und stumm vor Erstaunen. Meine Mutter fing wieder an: ›Ich habe nur wenig Zeit, Florentin, mich mit dir zu unterhalten. Dein entsetzliches gottloses Vorhaben ist entdeckt! Sei ewig gepriesen von mir, gebenedeite Jungfrau, daß du das Herz meines Kindes gerührt hast, eh es unwiderruflich verloren war! In dieser Nacht, die das arme Kind in der Angst ihres Herzens unruhig und schlaflos zubrachte, ward es ihr in einer wundervollen Erscheinung offenbar, daß sie auf schlimmem Wege sei, und im Begriff ihre Seele ewiger Verdammnis zu übergeben, und mit ihr zwei andre Seelen noch, die leider, ach! vielleicht nicht mehr zu retten sind. Ein Strahl der ewigen Gnade hat das geliebte Kind des Himmels erleuchtet, und sie fest im Entschluß zum Guten gemacht. Diesen Morgen, als ich ihr den Brautschmuck anlegen half, und mich ihrer Schönheit im Herzen erfreute, hat sie mir euer Vorhaben entdeckt, und deinen Brief gezeigt. Florentin, ich will jetzt nichts davon erwähnen, wie sehr es mich beugte, noch steht es bei dir, mich in hoher Himmelsfreude wieder aufzurichten. Auf mein Geheiß hat das fromme Kind gebeichtet, und ihre Seele von aller Angst lösen lassen. Der Prior, den sie die Beichte abgelegt, weiß nun alles; auch habe

ich soeben eine Unterredung mit ihm deinetwegen gehabt.
Du hast dich schwer vergangen, er kann und darf es nicht
verhindern, daß du schwer dafür büßest. Ein einziges Mittel
gibt es noch, dich mit dem Himmel zu versöhnen. Entsage
der Welt, leb in Ruhe im Schoß der Kirche!‹ – ›Nimmer, nimmermehr, Mutter!‹ rief ich in höchster Bewegung. – ›Nein?
durchaus nicht? Nun so fliehe, eile von hier weg, es ist das
einzige, was ich für dich tun kann, wenn ich dich aufs schnellste entfliehen heiße, denn hier bist du jetzt keinen Augenblick in Sicherheit, mein Herz blutet für dich, glaub mir das!
Hier, nimm diesen Beutel! Was er enthält, ist alles, was du
jemals von mir zu erwarten hast. Dein weiteres Fortkommen
bleibt dir selbst überlassen; du hast dir ein müh- und sorgen-
volles Leben erwählt, nun mußt du es tragen. Du wirst kümmerlich darben müssen in der Welt; in der heiligen Zurückge-
zogenheit hättest du weltliche Not nie gekannt.‹ – ›Davon
nichts mehr, Mutter! ich will gehen, gleich gehen! Nur ein
Wort noch! Ist es möglich, daß Sie selbst meiner schwachen
Schwester zureden konnten, mich dem Prior zu verraten?‹ –
›Lästerliche Worte! nennst du die Beichte Verrat? Deine
fromme Schwester schwach? Es galt ihre Ruhe auf dieser,
ihre Seligkeit auf jener Welt. Sie ist mein Kind!‹ – ›Und ich
nicht, Mutter? bin ich nicht Ihr Sohn?‹ –

Ich erzähle euch hier so zusammenhängend als möglich,
was mit der äußersten Verwirrung gesprochen ward, indem
eins dem andern immer in die Rede fiel, ich war besonders
wegen dieser unerwarteten Wendung in großer Verwirrung.
Zuletzt ward ich heftig, meine Worte fallen mir jetzt nicht
wieder ein, aber sie mochten wohl eben nicht sanft sein; ich
strömte über von Vorwürfen, daß sie ihren Sohn, ihren einzigen Sohn, im blinden Aberglauben den Pfaffen aufgeopfert
hatte, und schonte sie vielleicht zu wenig. Sie ward aufgebracht und rief endlich in großer Hitze: ›Trotze nicht länger,
Florentin, und höre etwas, wozu ich nicht wieder einen
schicklichen Augenblick finden werde, denn wir werden uns

nie wieder sehen! Ich bin nicht deine Mutter, und meine
Tochter ist nicht deine Schwester!‹ – Das war freilich etwas
Neues, ich war wie betäubt. ›Wo? wer? wer denn?‹ rief ich. –
›Dazu ist jetzt nicht Zeit, auch nützt es dir nicht, es zu wissen, deine Eltern leben nicht mehr; sie waren mir teuer,
darum warest auch du es mir. Es wird geläutet, ich muß jetzt
fort. Halte dich nicht länger auf, Florentin, wenn man dich
hier erblickt, so vermag ich dich nicht zu retten. Es ist der
letzte Liebesdienst, den ich dir erweise: laß dich umarmen,
mein Sohn! Ich bin zwar nicht deine Mutter, aber ich habe
mütterliche Sorge für dich getragen, vergiß es niemals! Lebe
wohl, Gott segne dich! Flieh! ich höre Stimmen im Nebenzimmer! Oder kehrst du noch um? wirfst du dich reuig in die
Arme der heiligen Kirche?‹ – ›Leben Sie wohl!‹ rief ich ihr
nach, als sie mich standhaft verneinen sah und sich mit einem
Ausdruck von Schmerz und Unwillen ins Nebenzimmer
wandte. Jetzt hörte ich viele Stimmen, unter allen hervor die
mir so verhaßte Stimme des Priors. Betäubt eilte ich fort, im
allgemeinen Getümmel kam ich unbemerkt wieder hinaus.

Manfredi erwartete mich, der Abrede gemäß, an der Gar-
tenmauer; ich setzte mich in den Wagen, und ohne ihm weiter etwas zu sagen, mußte er wieder hinfahren, wo wir hergekommen waren.

Dies war das tragische Ende unsrer Heldenunterneh-
mung! Begreifen Sie jetzt wohl, Juliane, wie leicht es ist,
einen Narren aus mir zu machen? Manfredi sahe mich mit
großen Augen an, und wartete mit Gelassenheit, bis der
Strom von Ausrufungen und Schimpfreden, der sich reichlich von meinen Lippen ergoß, gemäßigter wurde. Endlich
war ich ruhig genug geworden, ihm den Verlauf meiner
Unternehmung zu erzählen. Er war nicht wenig erstaunt
über die Veränderungen, Erklärungen und Verwicklungen,
die diese hervorgebracht hatte. Die Schwäche meiner Schwester fiel ihm wenig auf, er gestand mir, er hätte gleich anfangs
Hindernis von ihrer Seite befürchtet, und ihre Einwilligung
würde ihn weit mehr gewundert haben. Er war mit mir über-

zeugt, daß sie einst ihr Gelübde bereuen, und dann diesen verlornen Moment gern mit ihrem Leben zurückrufen würde. Mein guter Manfredi trauerte über ihr Schicksal, und suchte sie gegen meine heftige Anklage in Schutz zu nehmen.

Von seiner Liebe zu ihr war nicht wieder die Rede zwischen uns. Entweder sie war in ihm ebenso schnell erloschen als aufgelodert, oder er drängte sie gewaltsam in sein Innres zurück, um den gemeinschaftlichen Angelegenheiten, die uns jetzt so nahe lagen, Raum zu lassen. Es ward beschlossen, daß Manfredi wieder zurück auf die Akademie gehen müßte; von dort sollte er an seinen Vater schreiben, ihm alles entdekken, und ihn um Rat fragen, ob er es wagen dürfte, in seine Vaterstadt zurück zu reisen, oder wenn der Anteil, den er an meinem Unternehmen genommen, bekannt geworden, und es gefährlich für ihn wäre, so sollte er ihn um die Erlaubnis bitten, mir folgen zu dürfen, ich hatte beschlossen, nach Venedig zu reisen. Dürfte er aber zu seinem Vater reisen, so sollte ich in Venedig Nachricht von ihm erwarten, er würde alsdann dort alles anwenden, die bösen Folgen unsers Unternehmens zu unterdrücken, dann wollten wir uns auf irgend eine Weise wieder zusammen treffen. Manfredi versprach mir auch vor allen Dingen keine Mühe und keine Nachforschung zu sparen, um etwas über meine Geburt und meine Eltern zu erfahren: wir hofften, der Marchese selbst würde sich dafür interessieren, und uns eine Aufklärung dieser seltsamen Begebenheit verschaffen. Wie die Kinder beschäftigte uns die Dunkelheit über mein vergangnes Schicksal mehr, als die Sorge für die Zukunft; ein sonderbares Rätsel war es allerdings, daß fremde Menschen sich eine solche Gewalt über mich hatten anmaßen wollen, und dann mich wieder mit so vieler Sorgfalt behandelt hatten. Die Nacht hindurch reisten wir, dann trennten uns unsre verschiedenen Wege. Den Morgen schieden wir unbekümmert und mit der Zuversicht, uns bald wieder zu sehen, um uns dann gewiß nie wieder zu trennen.

Neuntes Kapitel

In wenigen Tagen war meine Reise glücklich und ohne Abenteuer zurückgelegt; da war ich nun, ohne Aufsicht, ohne Zweck, ohne Plan, als den zu leben, in meinem siebzehnten Jahr, mit aller meiner eigentümlichen Ausgelassenheit, die noch ausgelaßen war, seitdem ich niemand angehörte, mit einem Vermögen von ungefähr tausend Dukaten (ein unerschöpflicher Reichtum für meine Unbesorglichkeit und Unerfahrenheit), sprudelnd vor Gesundheit und Mutwillen und allen erwachenden Sinnen – in Venedig! – Erwartet hier von mir, ihr lieben Freunde, keine detaillierte Fortsetzung meiner Lebensgeschichte, es könnte mich leicht zu weit führen; auch gehören meine tollen Begebenheiten in der majestätischen Republik, diesem Sammelplatz aller Torheiten in ernsthafter zeremoniöser Hülle so wie der greulichsten Anhäufung aller Grausamkeiten unter die fröhlichste Maske gesteckt, sie gehören nicht in den eigentlichen Lauf meines Lebens: vielmehr ward dieser durch jene gehemmt; aber sie machen zusammen ein artiges Kapitel in meinen Konfessionen aus, die ich gewiß noch einmal schreiben, und Ihnen zueignen werde, Juliane.« – »Gut, ich werde Sie bei Ihrem Wort halten.« – »Und dieses deswegen, weil sie sich mit einem Bekenntnis endigen sollen, das, aller Wahrscheinlichkeit nach, das letzte sein wird, das ich abzulegen haben werde, und das Julianen am nächsten betrifft.« – »O jetzt keine von Ihren niedlichen Possen, Florentin! Bringen Sie Ihre Geschichte zu Ende, ich bin höchst neugierig.« – »Und ich höchst ermüdet von den Erinnerungen meiner unnütz vertaumelten Jahre! Doch ich gehorche.

In kurzer Zeit war ich nun in Venedig der Polarstern des guten Tons, die Seele aller Intrigen, der Freund aller lustigen Köpfe, der Anführer aller tollen Streiche, der Tyrann aller zärtlichen, und der Ehrgeiz aller koketten Frauen geworden. Es gab kein gutes Haus, in das ich nicht freien Zutritt hatte. Da ich mit meinen tausend Dukaten zu leben angefangen, als wären es ebenso viele Tonnen Goldes, so nahmen sie ein rasches Ende. Die Börsen meiner Anhänger benutzte ich nicht, wiewohl sie mir offen standen, weil ich sie nicht brauchte: ich war sehr glücklich im Spiel, und spielte viel. Einigen kläglichen dummen Teufeln, die weder das Spiel, noch sich selbst verstanden (denn sie hatten in wahrer blinder Wut ihr ganzes Vermögen gegen mich gesetzt und verloren), deren Frauen ich kannte und bedauerte, hatte ich ihren Verlust zurückgegeben, wodurch ich bald in den Ruf der Großmut geriet.

In dieser brillanten Epoche bekam ich einen Brief von Manfredi. Sein Vater war gleich nach Empfang seines Briefes zu ihm auf die Akademie gekommen. Durch unsre Geschichte war der Prior zu sehr in Vorteil gegen den Marchese gesetzt, als daß er ihn nicht hätte zu benutzen suchen sollen. Manfredi durfte es so wenig als ich wagen, sich in seiner Vaterstadt sehen zu lassen, aber auch nach Venedig durfte er nicht kommen, sondern er mußte nach Frankreich zu dem Regiment, worin sein Vater ihm eine Kompagnie gekauft hatte. Der Marchese war sehr aufgebracht wegen des unüberlegten Streichs, besonders weil er es uns eigentlich untersagt hatte, irgend etwas für Felicita (so heißt sie) zu unternehmen. Doch ließ er mir durch Manfredi wissen, er würde jemand den Auftrag geben, auf mein Betragen in Venedig Acht zu geben, und weiter Sorge für mein Fortkommen tragen, wenn der Bericht über mich gut ausfiele. Noch habe er nichts Näheres über meine Geburt und meine Eltern erfahren können, er würde aber keine Mühe sparen und mir, sobald er etwas Sicheres wisse, Nachricht darüber erteilen. Unterdessen sollte ich der würdigsten Eltern mich würdig machen.

Ich hatte eine große Freude über den Brief meines Manfredi, denn außer diesen Nachrichten fand ich die schönsten Beweise von der Fortdauer seiner Liebe und einige freundliche Vorschläge, uns wieder zu sehen. Auch der väterliche

Ton des Marchese freute und beruhigte mich; doch war es, als ob irgend ein Geist mich abhielt, mich, wie ich gekonnt hätte, ganz seiner Sorge zu überlassen, und seinem gutgemeinten Rat zu folgen. Es widerstrebte etwas in mir der Notwendigkeit, einen regelmäßigen Stand und ein Amt zu bekleiden, es war mir nicht bestimmt, auch fühlte ich selbst mich nicht dazu gestimmt. Zwar nahm ich mir vor, Manfredi aufzusuchen, um bei demselben Regimente, wobei er stand, wo möglich Dienste zu nehmen, und ich schrieb es ihm, aber die Ausführung dieses vernünftigen Plans schob ich immer weiter hinaus. Bald wollte ich dies nur noch abwarten, bald jenes ausführen; kurz es ward nichts daraus.

Unter vielen Reisenden und Fremden, die ich kennen lernte, waren ein paar Engländer, die sich sehr an mich hingen: reiche Lords, die ihr Geld um sich her warfen, um ihre Langeweile loszuwerden, und das, was sie für ihr Geld eintauschten, machte ihnen nur noch größere. Ihr sonderbares humoristisches Wesen zog mich an, ihre Langeweile machte mir die größte Kurzweile. Was ihnen an mir gefallen haben mochte, weiß Gott; sie waren beständig bei mir und sagten oft, in ihrer rauhen Mundart, ich wäre der einzige Italiener, der ihnen nicht unleidlich wäre. Das war freilich sehr schmeichelhaft für mich, wenn ich nur nicht Venedig mit seinen Herrlichkeiten und meines Lebens dort herzlich überdrüssig geworden wäre! Ich sehnte mich fort. –

Ich hatte meine Lords zu allen Kunstwerken, die Venedig enthält, geführt, hatte viele Städte Italiens, wo es etwas Sehenswürdiges gab, mit ihnen durchreist. Dies und der Umgang mit einigen jungen deutschen Malern, die ich in der Zeit kennen lernte, brachten mich auf den Gedanken, die Kunst zu studieren und dann nach Rom zu gehen, um seine Wunder der Kunst zu sehen und zu verstehen. Diesen Gedanken ergriff ich nun aus ganzer Seele und schob das Soldatwerden weit, weit zurück. Ich sann und tat und träumte nichts anders, als zeichnen, die Werke des Altertums studieren, und mit meinen Malern Kunstgespräche führen. Mit diesen war ich auch entschlossen, nach Rom zu reisen, und mit ihnen dort zu leben: durch einen sonderbaren Vorfall sah ich mich aber genötigt, früher noch, als diese es bewerkstelligen konnten, Venedig zu verlassen.

In einem großen Hause ward eines Abends während dem Karneval ein Ball gegeben; ich ward von den Engländern beredet, mit ihnen hinzugehen. Man spielte, der eine von meinen Lords spielte hoch, und verlor ansehnlich gegen eine Maske, die durch ihr anhaltendes Glück wohl Verdacht gegen sich erregen mochte. Mein ehrlicher Großbritannier verstand das Ding unrecht, und schimpfte etwas zu laut, und in der gewohnten kräftigen Manier. Nach einem kurzen heftigen Wortwechsel warf der Lord seine Karte der Maske an den Kopf. Ich befand mich an einem andern Ende des Saals in einer Unterhaltung mit ein paar mir unbekannten Masken, die mich neugierig machten, weil sie mich zu kennen schienen, wenigstens wußten sie viel von mir; plötzlich hörte ich Tumult, sah Stilette blinken, die Maske sank nieder; in demselben Moment kam der andre Lord hastig auf mich zu, nannte höchst unvorsichtig meinen Namen laut, und rief mich seinem Landsmann zu Hülfe. Ich, noch unvorsichtiger, folgte ihm hin. Man hatte dem Niedergesunkenen die Maske abgenommen, man erkannte den Sohn eines Nobile, er war tot. Der Lärm nahm zu; der Lord hatte ganz den Kopf verloren, bewegte sich nicht von der Stelle, und ließ das Gedränge um sich her anwachsen. Ich riß ihm das blutige Stilett, das zum Glück noch kein andrer bemerkt hatte, aus der schlaffen herunterhängenden Hand, ließ es fallen, indem ich mich zu gleicher Zeit darnach bückte, und es wieder aufnahm. ›Dem Mörder nach!‹ rief ich aus, ›dort nach jener Tür! er hat hier neben mir das noch blutige Stilett fallen lassen, soeben drängt er sich dort hinaus!‹ Alles folgte mir nach der Tür, die ich bezeichnet hatte. Der Lord ward verlassen. Seinem Landsmann gab ich einen Wink, und im Vorbeigehen sagte ich ihm: ›Zu mir!‹ Alsdenn mischte ich mich in den dichten Haufen, der nach der Tür strömte; ich trieb und drängte mit

der Menge und kam glücklich hinaus. Ich mietete sogleich
selbst eine Gondel, die ich an einem bestimmten Ort warten
ließ, und eilte nach meiner Wohnung, wo ich die beiden
Lords schon fand. Ich kündigte ihnen an, daß sie unverzüglich fort müßten, bezeichnete ihnen den Ort, wo sie die Gondel in Bereitschaft finden würden, und riet ihnen, gleich nach
Rom zu reisen. Sie waren wegen Geld in Verlegenheit; was
sie bei sich gehabt, war im Spiel verloren und nach ihrem
Hause durften sie sich nicht wagen, weil man dort gewiß
schon auf sie wartete. Ich gab ihnen alles, was ich an barem
Gelde hatte. Sie versprachen mir mein Darlehn gleich wieder
auszahlen zu lassen, denn auf ihr zurückgelassenes Vermögen
in Venedig war nicht mehr zu rechnen. Sie gingen fort, und
kamen glücklich nach Rom. Ich hatte alles so schnell und vorsichtig getrieben, daß es selbst vor meinem Bedienten ein
Geheimnis geblieben war.

Ich hatte mir eine Erkältung zugezogen, und mußte einige
Tage zu Hause bleiben. Als ich zum ersten Mal den Abend
wieder in Gesellschaft ging, kam mir die Dame vom Hause,
die meine Freundin war, entgegen, und führte mich, sobald
sie unbemerkt war, in ein Kabinett. ›Sein Sie auf Ihrer Hut‹,
sagte sie, ›es ist bekannt, daß Sie dem Mörder des jungen
Nobile durchgeholfen haben, und daß er Ihr Freund ist. Sie
erinnern sich, daß zwei Masken mit Ihnen sprachen, als einer
von den Engländern Sie bei Ihrem Namen zu Hülfe rief. Der
Ermordete ist ein Anverwandter und Freund der einen von
den beiden Masken: er erfuhr erst, wer der Ermordete sei,
nachdem Sie sich schon hinaus gedrängt hatten. Der Mörder
war gleich nicht zu finden, Sie haben ihm fortgeholfen, und
der Freund des Nobile hat beschlossen, Sie für Ihre unzeitige
Hülfe büßen zu lassen. Sie sind angeklagt, und man wird
einen Verhaftsbefehl auswirken. Was diese Maßregel gegen
Sie erleichtert, und jeden Verdacht bestärkt, ist: daß man aus
Ihrem Geburtsort einigen Leuten von Bedeutung aufgetragen hat, über Ihre Aufführung genau zu wachen. Einer von
denen, welchen es aufgetragen worden, ist eben der Ermor-

dete, und dieser hatte es wieder seinem Freunde aufgetragen, Ihre Bekanntschaft zu machen, um Sie besser zu beobachten; dieser nimmt nun diesen Umstand als einen Beweis, daß Sie Anteil an der Ermordung gehabt, um sich von seiner Aufsicht zu befreien.‹

Ich beklagte mich gegen meine Freundin über diese sinnlose Beschuldigung. ›Sinnlos oder nicht‹, fiel sie mir ein, ›Sie wissen, es ist genug, daß man den leisesten Verdacht erregt, um Sie zu verderben. Sie haben dem Mörder fortgeholfen, dies ist genug, und mehr als genug gegen Sie. Ihr Feind hat sich auf das Zeugnis der andern Maske berufen, daß Sie zu Hülfe gerufen worden, und wirklich hingeeilt sind. Diese Maske nun ist mein sehr guter Freund, der es weiß, daß ich Ihnen gewogen bin, er hat mich also, kurz vorher, ehe Sie kamen, von allem unterrichtet. Das Zeugnis abzulegen darf er nun einmal nicht versagen; aber wenigstens sind Sie gewarnt. Eilen Sie nach Hause, sorgen Sie, daß man keine Papiere bei Ihnen findet!‹ –

Ich mußte sogleich fort; auf der Treppe, wie ich hinuntergehe, kömmt der eine meiner jungen Deutschen atemlos mir entgegen. ›Gott Lob, daß ich Sie finde!‹ rief er mir zu, ›Sie müssen fort, gleich auf der Stelle. Ich begleite Sie bis hinaus, und erzähle Ihnen unterwegens.‹ Ich war ohne Geld, von dem jungen Künstler war nichts Überflüssiges zu erwarten. Er mußte einen Augenblick auf mich warten, ich ging wieder zur Gesellschaft zurück; meine Freundin mochte mir meine Bestürzung ansehen, sie kam mir entgegen, ich vertraute ihr meine Verlegenheit, sie half mir auf der Stelle heraus, nach einem kurzen zärtlichen Abschied verließ ich sie und Venedig.

Ich eilte mit meinem deutschen Freunde durch lauter enge Gäßchen, und wir kamen glücklich hinaus. Er erzählte mir nun, daß er und sein Freund mich hätten in meiner Wohnung besuchen wollen, zu ihrem Schrecken hätten sie aber Gerichtspersonen bei mir gefunden, die alles durchsucht, und meine Briefe und Papiere durchgelesen hätten. Aus den

verwirrten Reden, die ihnen entfallen wären, hätten sie ungefähr vernehmen können, wessen man mich beschuldigte. Sie
wären darauf fortgeeilt mich aufzusuchen, und mir zu helfen, daß ich fortkäme. Glücklicherweise wäre ihnen nicht
weit von meiner Wohnung mein Bedienter begegnet, von
diesem hätten sie erfahren, wo ich hingegangen sei.

Ich mußte fort, das sahe ich ein. Meine Papiere waren
allein schon hinreichend mir den Prozeß zu machen. Außer
einigen launenhaften possenmäßigen Sachen, die ich zu meiner Lust aufgesetzt, in denen ich das würdige Venedig nicht
geschont hatte, waren auch einige Briefe und Billets vorhan-
den von Frauen, welche die Richter etwas nahe angingen,
und die ich unvorsichtigerweise nicht vernichtet hatte.
Gnade war also nicht zu hoffen. Ich machte mich sogleich auf
den Weg, und empfahl meinen guten Deutschen mich bald in
Rom aufzusuchen. Sie versprachen es mir. Der Aufenthalt in
Venedig war ihnen durch diese Begebenheit verleidet, auch
hatten sie in der Tat viel Anhänglichkeit für mich. Sie wollten
durchaus etwas Deutsches an mir finden, ich hätte es ihnen
gern und mit Vergnügen geglaubt, hätten die Lords nicht zu
gleicher Zeit behauptet, ich habe viel von einem Engländer an
mir.

Zehntes Kapitel

Auf meiner einsamen Reise hatte ich Raum etwas nachzu-
denken. Mir war, als hätte mich ein bezauberter Wirbelwind
aus Venedig und allen Verhältnissen gerissen. War es aber das
Plötzliche des ganzen Ereignisses, oder war es, daß mein
Leben in Venedig mich beschäftigt hatte, ohne mich zu interessieren, kurz mir schwebte das Ganze wie längst vergangen
nur entfernt im Gedächtnis, ich konnte meine Wünsche und
meine Gedanken alle vorwärts richten, nichs zog mich
zurück. Dies machte mich aufmerksam auf mich selbst, und
auf die Leere meiner geführten Lebensart.

Ich dachte an Manfredi, ich wünschte bei ihm zu sein; zu gleicher Zeit fühlte ich eine gewisse Abneigung, mich jetzt schon dem Soldatenstand zu ergeben. Das Leben eines Soldaten in Friedenszeit schien mir eine lustige Sklaverei, nicht viel besser als Lakaiendienst, und nur durch herrschendes Vorurteil darüber hinaus gesetzt. Soldat wollte ich zwar sein, dabei blieb es, dies war der Hintergrund meines Lebensplanes, aber nicht in einer Garnison, nicht bei einer stehenden Armee. Ich wollte nie für den Despotismus, nie für eine unbekannte, oder gar nach meinen Begriffen ungerechte Sache fechten. Wie die Helden des Altertums, wollte ich nur für die Freiheit streiten, und in erkämpftem Frieden, ruhig, frei, mein eigen sein. Bei dem Gedanken an die Helden des Altertums ward mir zugleich der an mein Vorhaben wieder rege, die Kunst der Alten in Rom zu studieren. Jetzt fühlte ich ganz bestimmt den Trieb dazu aufs neue in mir erwachen, und ich beschloß meine ganze Zeit und mein Leben in Rom dazu anzuwenden. Sobald ich dort ankam, machte ich auch gleich alle Anstalten, einsam und fleißig meinen Plan auszuführen. Er schien mir so gut und so würdig, daß ich davon an Manfredi schrieb, und nachdem ich ihm meine letzte Begebenheit mitgeteilt, wendete ich meine ganze Beredsamkeit an, ihn zu bewegen, daß er sogleich seine Kompagnie in Stich lassen und zu mir nach Rom kommen sollte, um mir nachzuahmen.

Ich bekam nach einiger Zeit eine freundschaftliche Antwort von meinem guten Manfredi. Zu mir könnte er aber nicht kommen, der Marchese halte es nicht für ratsam, daß er seine Laufbahn unterbreche, und habe es ihm untersagt. Meine Katastrophe in Venedig habe er schon durch seinen Vater erfahren, der überaus aufgebracht wegen meiner Unbesonnenheiten gewesen sei. Man hatte es ihm nämlich aus Venedig mit allen möglichen Verkehrtheiten und Verfälschungen berichtet. Vom Anteil an der Mordtat sprach er mich übrigens zwar frei, aber ich hätte mich niemals, meinte er, in solche gefährliche Gesellschaften mischen sollen. Da ich aber doch die Ehre nicht verletzt hätte, so habe er noch nicht aufgehört, sich für mich zu interessieren, und es sei ihm erfreulich gewesen, aus meinem Briefe an Manfredi zu erfahren, daß ich in Rom sei. Auch habe er gar nichts dagegen, daß ich mich dort einem ruhigen Leben und den Studien überlasse, nur sollte ich meine Zeit zweckmäßig benutzen. Zuletzt kam wieder dasselbe Versprechen, er wolle auch in Rom auf meine Aufführung wachen lassen, und nach den Berichten, die darüber einliefen, würde er mich behandeln.

Ich ärgerte mich entsetzlich über diese Aufsicht, die so unsichtbar wie die Allwissenheit über mir schwebte, ohne daß sie mit der Allweisheit verbunden gewesen wäre, wie diese; denn sie hatte mir in Venedig auf die verkehrteste Weise von der Welt den größten Schaden zugefügt. Ich fand kein Mittel, mich von ihr zu befreien, ohne den Marchese zu erzürnen; er war mir zu wert, niemand als er hatte noch so viel für mich getan. Ich glaubte aber, man würde es bald müde werden, mich zu beobachten, da ich äußerst eingezogen, und bloß mit meiner Absicht beschäftigt lebte. Mit den beiden Lords, die ich noch in Rom fand, und die mir sehr lästig wurden, mußte ich noch viel umherstreifen und ihnen helfen die Beweise ihres Kunstverstandes zusammentreiben, die sie für ihre baren Guineen einhandelten. Sie hatten mir meinen Geldbeutel zurückgegeben, ich fand die geliehene Summe dreifach verdoppelt darin; was mir gehörte, nahm ich davon, das übrige gab ich ihnen zurück; nicht etwa, als ob ich es unter meiner Würde gehalten hätte, Geld anzunehmen: unter den Umständen, in denen ich lebte, wäre dies lächerlich und zwecklos gewesen. Mein kleines Vermögen war aufgezehrt, dem Marchese Geld abzufordern, dazu hielt ich mich nicht berechtigt, ob er es mir gleich durch Manfredi hatte anbieten lassen, mich im Fall der Not an ihn zu wenden. Diese Not schien mir aber noch nicht eingetreten. Ich machte den Cicerone, sobald es mir an Geld fehlte, und lebte wieder bei meinen Studien, so lange es vorhielt. Von den Fremden, die meiner bedurften, nahm ich unbefangen meinen Lohn an, es war kein andres Verhältnis zwischen mir und ihnen, als daß ich ihnen meine Dienste, sie mir ihr Geld gaben. Mit den Lords stand ich aber nicht auf demselben Fuß; der Dienst, den ich ihnen geleistet, den konnten sie mir mit Geld nicht bezahlen. Diese Herren aber fühlten meinen Unterschied nicht, sie waren beleidigt, und taten aufgebracht, daß ich ihre vollwichtige Dankbarkeit verschmähte; ich konnte sie nur mit dem Versprechen beruhigen, sie in England zu besuchen, wenn ich einst Italien verlassen möchte, und in jeder Geldverlegenheit von ihrer Freundschaft Gebrauch zu machen. Sie reisten endlich nach England zurück.

Unterdessen waren meine guten deutschen Künstler aus Venedig angelangt, und nun hob eine Zeit für mich an, die wohl immer zu den glücklichsten Epochen meines Lebens gehören wird. Ich ging mit niemand um, als mit Künstlern, besonders mit den ausländischen, und unter diesen zeichnete ich besonders wieder die Deutschen aus. Unter ihnen fand ich jederzeit den hellsten Sinn, das treulichste Bestreben, und am meisten innere Freiheit. Mein angestrengtester Fleiß brachte mich in kurzem so weit, daß ich mit meinen Gefährten wetteifern konnte. Sobald meine Gemälde verkäuflich waren, legte ich das Gewerbe eines Cicerone völlig nieder, zeichnete und malte ununterbrochen. Um den Verkauf meiner Bilder, meistens Landschaften, bekümmerte ich mich ebenso wenig, als um die Anwendung des gelösten Geldes. Das erste besorgten meine Freunde, und die Summen, die zu meiner wenig kostbaren Lebensart vollkommen ausreichten, händigten sie meiner Frau ein.« – »Ihrer Frau?« rief Juliane erstaunt; »doch wahrscheinlich bloß Ihrer Haushälterin?« – »Nein, meiner Frau!« – »Wie? Sie sind verheiratet?« – »Wirklich getraut?« fragte Eduard. – »Wahrscheinlich traute sie mir, und ich habe ihr nur zu viel getraut. Es war ein sehr schönes Mädchen, eine Römerin, die uns lange zum Modell gesessen hatte. Sie hielt sich klug und bescheiden, so daß sie von uns allen hochgehalten, und wegen ihrer großen Schönheit sehr bewundert ward. Einige Tage fanden wir sie niedergeschlagener als gewöhnlich, ich bat sie, uns etwas vorzusingen, um sich selbst damit zu erheitern. Sie sang uns nun ein Lied, dessen Inhalt ungefähr war: wenn sie einen Mann hätte, der sie liebte, und für sie sorgen wollte, so möchte sie einzig für ihn und seine Wünsche leben, das würde dann ihr größtes Glück sein. Sie sang das Lied mit einer solchen süßen Unschuld, so schüchterner Innigkeit, und sah dabei so entzückend schön aus, daß ich, da sie während des Gesanges ihre Blicke am meisten auf mich geheftet hatte, ihren Wunsch erfüllen mußte. Sie blieb gleich bei mir. – Ich hatte meine große Freude an dem Kinde, wie gut sie sich nahm, und mit welchem Anstande sie dem Hauswesen vorstehen konnte. Ich muß aber gestehen, sie hätte es weit schlechter machen können, sie würde mir doch nicht weniger gefallen haben, denn ihr kleidete alles, was sie unternahm; man kann sich nichts Reizenderes erdenken, als dieses kleine anmutige Wesen. Meine größte Lust war es, sie zu schmücken, und sie jeden Tag in unserm Zirkel in immer neuem Kostume und unerwarteten Abänderungen aufs kostbarste zu kleiden, darauf verwandte ich nicht eben den kleinsten Teil meiner Einkünfte. Ich malte sie unter jeder Gestalt, und in allen ersinnlichen Stellungen, als Göttin, als Heilige, als Priesterin, als Nymphe: diese Bilder sollen mir sehr gut gelungen sein. Wir führten das einfachste und doch tollste Leben, das sich erdenken läßt. Ich war der beste Ehemann von der Welt, und ließ mich von ihr beherrschen, so viel sie wußte und vermochte; sie lernte es immer besser. Je mehr sie ihre Gewalt über mich kennen lernte, desto impertinenter und launenhafter ward sie; da es mir aber damals auch gar nicht daran fehlte und ich, wenn es darauf ankam, zehnmal launenhafter und tollköpfiger war als sie, so entstand nicht selten ein gar artiges Gepolter und Lärmen zwischen uns.

In unsern gewöhnlichen Abendzusammenkünften, die bei mir gehalten wurden, ward entweder über das Werk eines großen Meisters, das wir denselben Tag gesehen hatten, gesprochen, oder es stellte einer unter uns, der eine Arbeit vollendet hatte, sie zur Beurteilung auf, oder man las auch wohl einen alten Dichter laut vor. Mitten in den ernsthaftesten Beschäftigungen entstand dann nicht selten, zur großen Verwunderung aller Anwesenden, ein plötzlicher lauter Lärm und Zank zwischen mir und meiner Frau, wovon niemand den Grund erraten konnte. Gewöhnlich war es aber nichts anders, als daß sie mir, von den andern unbemerkt, ein Gesicht geschnitten, das mir, wie sie wohl wußte, verhaßt an ihr war; dies beantwortete ich ihr dann mit einer impertinenten Gebärde, die sie nicht leiden konnte, so ging es eine Zeitlang hin und her, ohne daß es die andern bemerkten, bis wir dann laut auf einander losfuhren. Natürlich endigte der Krieg ebenso lustig, als er entstanden war. Unsre Haushaltung bestand aber herrlich, zur Erbauung und Belustigung aller Angehörigen.

Ich hätte füglich eine lange Reihe Jahre in denselben Beschäftigungen und denselben Freuden hinbringen können, aber eine geheime Unruhe im innersten Gemüt, ein Treiben nach einem unbekannten Gut ließ es mich selten rein genießen, daß es mir doch eigentlich recht wohl ging. Ich wünschte mir einen größern Wirkungskreis, es kam mir oft ganz verkehrt vor, daß ich Kraft und Jugend einer einseitigen Ausbildung hingegeben; es dünkte mir lächerlich, daß ich so viel angewendet hätte, um mich frei zu machen, und nun diese errungne Freiheit doch nicht in ihrem ganzen Umfang benutzte. Mein Bestreben schien mir kindisch und zwecklos, weil ich immer mehr inne ward, daß ich eigentlich gar kein Talent zur Malerei hatte; dennoch war es mir wieder gar nicht möglich, mich loszumachen, so wenig von meiner Lebensweise, als vom Anblick und dem Studium der großen Wunder der Kunst. In manchen Stunden beunruhigte es mich wieder, nichts über meine Geburt und meine Eltern zu erfahren, ich mußte bei jedem Schritt, den ich unternehmen wollte, befürchten, daß ich meiner eigentlichen Bestimmung entgegen arbeite. Oft fühlte ich mich zu diesen unruhigen Betrachtungen geführt, doch konnte ich mich nicht lange einer trüben Stimmung überlassen, meine Freunde sowohl als alle meine Übungen führten bald wieder Vergessenheit alles Grams herbei.

Endlich ward mir von meiner Kleinen die nahe Aussicht zur Vaterwürde verkündet. Wie soll ich euch beschreiben, wie mir ward bei dieser Nachricht! Es geschah eine plötzliche Revolution in mir. Alles, was ich bis dahin geglaubt, gedacht, gefürchtet, gehofft, geliebt und gehaßt hatte, nahm eine andre gleichsam glänzendere Gestalt in mir an. Jetzt wußte ich, was ich wollte; ich dachte nicht mehr an ein entferntes Glück, ich hatte meine Bestimmung gefunden. Doch mich selbst verlor ich völlig dabei aus den Augen, auf das Kind bezog ich alles: ich dachte unaufhörlich an die Art, wie ich es erziehen, wie ich für sein Glück sorgen, und wie ich in diesem Kinde erst meine Kindheit genießen wollte, die mir selbst so getrübt worden war. Was ich von Kenntnissen besaß, suchte ich zu ordnen und festzuhalten, um es dann nützen zu können, dabei strengte ich mich mehr als gewöhnlich an, immer neue zu sammeln. Meine Einkünfte, um die ich mich sonst nie bekümmert hatte, berechnete ich jetzt mit großer Genauigkeit; jedes Goldstück, das ich beiseite legen konnte, erhielt im voraus seine Bestimmung zum Besten des Ankömmlings. Lange Reden hielt ich an die Mutter, als sie mit einigen Einschränkungen unzufrieden war, die ich einführen wollte, in denen ich ihr Sinn für ihre neue große Würde zu geben versuchte. Ich merkte es nicht in meinem Eifer, daß sie sie mit großem Leichtsinn aufnahm. Einigemal war ich gegen meine Freunde, die sich eines Lächelns und leichten Spottes über meinen gutmütigen Enthusiasmus nicht enthalten konnten, ernsthaft aufgebracht: sie schwiegen und sahen mir gelassen zu. Kein rauhes Lüftchen durfte die Mutter anwehen, ich bekümmerte mich um jede Regel der Diät, ich dachte nur daran, sie in der besten und ruhigsten Stimmung zu erhalten, und vermehrte durch meine Ängstlichkeit ihre Ungeduld, so daß ich unaufhörlich von ihren Launen litt. Was habe ich nicht angewandt, sie vom Tanze abzuhalten, dem sie mit großer Leidenschaft ergeben war! Geliebt hatte ich sie wohl eigentlich nie, aber jetzt fühlte ich wahre Zärtlichkeit für sie; sie war mir heilig. Wie weit aber war sie von diesen Gefühlen entfernt, die mich so entzückten!

Ich war genötigt, eine Reise nach Florenz vorzunehmen, um eine angefangne Arbeit dort zu vollenden. Ich arbeitete mit solchem Eifer, daß ich in zwei Monaten vollendete, wozu ich sonst noch einmal so viel Zeit gebraucht hätte. Ich erhielt eine ansehnliche Summe, und eilte zurück zu meinen Freunden.

Ich fand meine Kleine etwas blaß bei meiner Zurückkunft, ich erkundigte mich ängstlich nach ihrem Befinden, ihre Antwort befriedigte mich nicht, indessen schob ich es in meiner Freude auf ihren Zustand, denn sie war übrigens wohl und fröhlicher, mutwilliger, als ich sie verlassen hatte. Wir saßen bei Tische, ich erzählte, fragte, überließ mein Herz den schönsten Eindrücken der Freude. Endlich fragte ich sie so schonend als nur möglich, wie es zuging, daß ihr Wuchs noch so unverändert wäre, ich hätte nicht geglaubt, sie noch so schlank zu finden? Meine zärtlichen bescheidenen Fragen wurden mit lautem Gelächter beantwortet; ich ließ nicht ab, sie ward übel gelaunt, einige heftig ausgestoßne Worte vermehrten meine Besorgnis, ich drang in sie, endlich ... sie hatte meine Abwesenheit benutzt ... sie hatte sich durch künstliche Mittel von dem Zustande befreit. – Die lange Beschwerde, ... die ewige Sorgfalt ward dem leichtsinnigen Geschöpfe sträflich zur Last ... sie fürchtete für ihre Schönheit! ... Gott! ich werde noch jetzt ganz verwirrt, wenn ich mich daran erinnere. ... Ich verlor alle Fassung, alle Gewalt über mich. ... Atem und Sinne vergingen mir ... meiner selbst nicht mehr mächtig, warf ich mein Messer, das ich in der Hand hatte, mit solcher Gewalt zu ihr hinüber ... es hätte sie auf der Stelle töten müssen, hätte die Wut mich nicht blind gemacht; es blieb über ihrem Kopf tief in der Wand stecken. Von meiner Wildheit erschreckt, schrie sie laut auf, und verließ eilends das Zimmer, ich war unvermögend, ihr zu folgen.« –

»O Florentin«, sagte Juliane, »wie fürchterlich erscheinen Sie mir! Sie hätten eine Mordtat begehen können!« – »Wie! war nicht sie eine hartherzige, treulose, widernatürliche Mörderin? Mich, mich hatte sie höchst unbarmherzig gemordet! Still nur davon, und erlaubt, daß ich ende.

Die Treulose hatte auf der Stelle das Haus verlassen, ich sah sie nicht wieder. Ein gewisser Kardinal hatte sich ihrer angenommen. Wie ich nun erfuhr, hatte Se. Eminenz, die übrigens ein Muster der Frömmigkeit für ganz Rom war, ihr schon längst nachgestellt, und wahrscheinlich während meiner Abwesenheit seine Absicht erreicht. Ein heftiger Blutsturz, den ich gleich nach jenem Auftritt bekam, drohte meinem Leben. Ich war zerstört, konnte meine Kraft, meine Fröhlichkeit und meinen Trieb zur Arbeit nicht wiederfinden. Die Lust zu reisen kam mir wieder an, ich durfte es aber nicht wagen, wegen meiner angegriffenen Gesundheit. Ich mußte bei jeder etwas heftigen Bewegung Blut auswerfen. An dem Mädchen rächte ich mich weiter nicht; dem Kardinal konnte ich es aber doch nicht so hingehen lassen; ich machte einige Verse, in denen ich ihn eben nicht schonte. Es war Witz und Bitterkeit genug darin, sie kamen bald in Rom herum. Meine Geschichte war bekannt geworden, man erriet den Dichter, und zugleich die Eminenz. Er mochte es wahrscheinlich durch aufmerksame Diener erfahren haben, und für seinen Heiligenschein besorgt geworden sein.

Ich suchte nun diese Begebenheit zu vergessen, und strengte mich an, meine alte Lebensweise wieder einzuführen, als ganz unerwartet ein Billet von meiner treulosen Schönen an mich kam. Aus einem Rest von Anhänglichkeit für mich, riet sie mir, so geschwind als möglich Rom zu verlassen. Se. Eminenz wären äußerst aufgebracht auf mich, und hätten beschlossen, mich auf die Galeeren zu schicken, ich wäre also keinen Tag sicher in Rom. Se. Eminenz hätten ihr versichert, ich hätte diese Strafe verdient, nicht allein wegen des boshaften Pasquills, wofür er sich niemals rächen würde, das er mir auch schon von Herzen vergeben habe, sondern sowohl wegen der abscheulichen Absicht sie zu ermorden, nachdem ich sie gewaltsam verführt habe, als auch wegen meiner Irreligiosität, und des gottlosen Planes, eine heidnische Sekte zu stiften, zu welchem Ende ich geheime Zusammenkünfte mit jungen Künstlern gehalten habe, wobei wir lästerliche Reden gegen den katholischen Glauben ausgestoßen, und verschiedene heidnische Gebräuche eingeführt hätten. Überdies wäre ich schon längst verdächtig, und ein Gegenstand der Aufmerksamkeit für die Polizei, weil von auswärts her von gewissen Leuten Nachfrage nach meiner Aufführung geschehen sei; ich müßte mich also schon längst verdächtig gemacht haben. –

Denkt euch! denkt euch diesen Abgrund von Absurdität! Es lag mir nichts daran, mich zu verteidigen, ich hätte es leicht gekonnt. Es war mir gleichgültig, wo ich lebte, Italien war mir aber verhaßt. Ich verließ Rom noch in derselben Stunde. Weil ich die Bewegung des Fahrens nicht ertragen konnte, ging ich zu Fuß nach Civita Vecchia, einige von meinen guten Gefährten gingen mit mir bis dahin. Hier schiffte ich mich nach Marseille ein. Dort war die Luft, und die ruhige Einförmigkeit meines Lebens, meiner Gesundheit so zuträglich, daß ich in einigen Monaten wieder völlig hergestellt war. Auf wiederholte Briefe an Manfredi bekam ich keine Antwort. In der Folge erfuhr ich, daß sein Regiment die Garnison verändert habe, und meine Briefe wahrscheinlich nicht an ihn gelangt waren. Damals glaubte ich aber zu meinem tiefsten Schmerz, er habe sich von mir gewandt. Ich schrieb dies dem Marchese zu, der wahrscheinlich den Nachrichten aus Rom zufolge eine schlechte Meinung von mir bekommen, und sie seinem Sohn mitgeteilt hätte. An den Marchese selbst schrieb ich also nicht, ich glaubte seine Antwort vorher wissen zu können.

Nun durchwanderte ich einsam einen großen Teil von

Frankreich; die schönen Träume und Bilder waren von mir gewichen, die sonst auf jeder neuen Reise vor mir herflogen. Mein Herz hatte sich verschlossen, und so blieb ihm auch alles verschlossen. Ich lebte von Porträtmalen. Hatte ich mir an einem Ort einiges Geld erworben, so reiste ich weiter. Manches zog mich an, aber nirgends wurde ich festgehalten. Allenthalben fand ich dieselben Gewohnheiten, dieselben Torheiten wieder, denen ich soeben entgehen wollte. Ein Vorurteil hing am andern, und an dieser Kette sah ich die Welt gelenkt und regiert. Allenthalben fand ich Sklaven und Tyrannen; allenthalben Verstand und Mut unterdrückt und gefürchtet, Dummheit und niedrige Gesinnung beschützt von denjenigen, denen sie wieder als Pfeiler diente.

Ich trieb mich in Paris umher, es war mir nach und nach ein gar schlechter Spaß geworden, Gesichter aller Art für bare Bezahlung zu konterfeien, und für dieses sündlich erworbene Geld ein leeres törichtes Leben weiter hinaus zu spinnen, und die Erfahrung immer zu wiederholen, daß ich nirgends hinpasse.

An einem öffentlichen Ort kam ich zufällig in ein Gespräch mit einem englischen Manufakturisten, der auf Frankreich schimpfte und mir die englische Freiheit rühmte; mir fiel das Versprechen ein, das ich meinen Lords in Rom gegeben hatte, – in wenigen Tagen war ich in London. Hier fand ich nur den einen Lord, der andre, der den Nobile getötet hatte, wohnte auf seinem Landsitz. Eine Zeitlang lebte ich nun mit jenem im Zirkel der Londoner Elegants. Ich fand aber keine Lust an ihren Routs und Punsch und tollen Wetten, worin sie den Ehrgeiz des guten Tons setzten. Die Gesellschaft ihrer Frauen erfreute mich nicht; ihre Fabriken, Manufakturen, ihr Geld, ihr Hochmut, ihre Nebel und ihre Steinkohlen machten mich traurig und schwermütig. Und ihre Freiheit, die mir so oft gepriesene? . . . Ich war bei einer Debatte im Unterhause zugegen . . . und nun war ich bestimmt entschlossen, und es bleibt unwiderruflich dabei, ich gehe zur republikanischen Armee nach Amerika. Es muß

jenen Menschen gelingen, sich frei zu machen, da sie nicht
von falschem Schimmer geblendet sind, den man ihnen
anstatt des echten Goldes aufdringen will. Meine Kraft und
meine Tätigkeit sei ihnen geweiht. Bei diesem Gedanken
erwachten Mut und Freudigkeit wieder in mir, für die ameri-
kanische Freiheit fechten, dünkte mir ein würdiger Endzweck.

Ich setzte einen Tag fest, an dem ich wieder nach Frankreich wollte. Den Tag vorher hatten meine Londoner Herren
ein Pferderennen, zu dem sie mich mitzogen; ich folgte mit
einigen andern den Rennern, mein Pferd stürzte, ich ward
heftig herunter geschleudert; ohne es zu achten, stieg ich wieder auf, fühlte mich aber, nach einer kurzen Anstrengung
ihnen zu folgen, so angegriffen, daß ich mich nach Hause
mußte bringen lassen. Meine Brust war durch den Fall aufs
neue verletzt worden, ich war krank, allein und verlassen.
Mein Geldvorrat war erschöpft, was noch übrig war, reichte
kaum hin, mich wieder herzustellen. Um dieses zu beschleu-
nigen, wollte ich einige Zeit auf dem Lande leben; die Luft in
London war mir höchst schädlich. Sobald ich es nur wagen
durfte, so weit zu gehen, machte ich mich auf, um meinen
Lord auf seinem Landhause zu besuchen, und mich bei ihm
völlig zu erholen.

In seinem der gewöhnlichen Pracht der englischen
Landpaläste errichteten Wohnsitz fand ich alles in bunter,
lauter Freude und Lustbarkeit. Der Lord hatte sich vor
wenigen Tagen mit einer reichen Erbin vermählt, und man
war noch sehr mit den Festen beschäftigt. Ich kam zu Fuß,
war matt, bleich und im Kostum eines Fußgängers. Ich
mußte lange stehen, eh ich jemanden fand, der mich Sr. Herrlichkeit melden wollte. Es gab eine Zeit, wo ich es nicht so
geduldig abgewartet hätte, aber ich war krank, und mein
Geist gebeugt. Des Stehens im lärmenden Vorsaal endlich
müde, schickte ich eine Karte mit meinem Namen hinein,
und setzte dazu, ich wäre im Garten. Ich ging wirklich dahin
und setzte mich auf die erste Bank, die ich fand. Bald darauf

kam auch der Lord mit einem wahren Festtagsgesicht, das immer länger ward, je näher er mir kam, und mein Aussehen und meinen Aufzug gewahr ward. Seine ganze Haltung schwebte zwischen Erstaunen und Verlegenheit. In jeder andern Stimmung hätte mich Se. Herrlichkeit sehr belustigt, jetzt war es mir aber ganz gleichgültig; es war ein schöner warmer Herbsttag, der Sonnenschein tat mir wohl, ich legte mich bequem auf den schönen Sitz und ließ den Lord sich wundern und nicht begreifen. Seine Fragen beantwortete ich ihm zur höchsten Notdürftigkeit; er wußte bald, wie es gegenwärtig mit mir stand, und mein Begehren, einige Zeit lang bei ihm auf dem Lande zu wohnen. Nach einigem Husten und Räuspern, und einem sehr bedeutenden Spiel mit Uhrkette und Hemdkrause, erzählte er mir endlich: während seiner Rückreise nach England sei sein Vater plötzlich gestorben, und habe viel Schulden und die Güter in Unordnung gelassen. Auch er habe nach gemachter Rechnung, auf seinen Reisen weit mehr ausgegeben, als ihm eigentlich erlaubt gewesen. Schon auf dem Punkt, ganz ruiniert zu sein, habe er seine gesammelten Schätze der Kunst und die größten Seltenheiten alle verkaufen müssen, was doch nicht zugereicht habe, ihn wieder in Ordnung zu bringen; er sei aber jetzt so glücklich gewesen, eine sehr reiche Frau zu finden, durch deren Vermögen er sich wieder in den Stand gesetzt sehe, seinen alten Glanz anzunehmen. Er finde sich überaus glücklich; nur auf das Glück, seinen alten Freunden öffentlich viel zu sein, müsse er Verzicht tun; heimlich könne er aber manches für sie tun. Seine Anverwandte und die Familie seiner Gemahlin, die jetzt zu seinem Glück alles getan habe, müsse er durchaus hierin schonen, und ihnen nicht das Zutrauen nehmen, daß er von seiner Neigung zur Verschwendung geheilt sei, wovon sie immer noch einen Rückfall befürchteten. Da sie nun seinen Aufenthalt in Italien als den Hauptgrund seines Verderbens ansähen, so sei ihnen alles verdächtig, was von dort herkomme, besonders alle Künstler, und was damit zusammenhänge. Jetzt sei die ganze Familie noch in seinem Hause zu

den Vermählungsfesten versammelt, und er sowohl als ich
würden viel von ihrer übeln Laune und ihrem Verdacht zu
leiden haben, wenn er mich als Künstler und Bekanntschaft
aus Italien bei ihnen einführen wollte; das, was er mir schuldig sei, was ich für ihn getan, komme in keinen Betracht bei
ihnen, da er jene Geschichte mit einigen andern Umständen
erzählt habe, und sie nur die Summe berechneten, die er an
jenem Abend im Spiel verloren. Seine Freundschaft und
ewige Dankbarkeit sei noch immer dieselbe für mich; ich
sollte nur erst eine andre Toilette machen und in einem
Wagen oder zu Pferde bei ihm ankommen, dann wollte er
mich unter fremden Namen, als Graf oder Marquis vorstellen, unter diesem Titel könnte ich eine Zeit lang, wie zum
Besuch, bei ihm bleiben. Alsdann wollte er mir eine bequeme
Gelegenheit, nach Frankreich zu reisen, verschaffen, und mir
einige sehr gute Empfehlungen dorthin mitgeben. Sollte ich
mich aber nicht in diese Maßregeln fügen können, so möchte
ich wenigstens nicht die kleinen Beweise seiner Dankbarkeit
und Freundschaft verschmähen, und erlauben, daß er sich
zum Teil der großen Verbindlichkeiten entledige, die er mir
habe. Wo ich auch wäre, sollte ich mich seiner erinnern, und
immer auf seine Freundschaft rechnen. Während dessen
hatte der großmütige Lord einen Geldbeutel hervorgezogen
und ihn neben mir auf die Bank hingelegt.

Als ich merkte, daß er nichts mehr zu sagen hatte, und
irgend eine Antwort erwartete, stand ich auf, setzte meinen
Hut gelassen auf, wandte mich und ging hinaus, ohne ein
Wort zu sagen. Überdies war auch eben die Sonne unterge-
sunken. Wie lange er mir nachgesehen haben mag, weiß ich
nicht.

Mir war leichter, da ich hinaus ging, als da ich herein trat.
Der Auftritt hatte meiner Laune ganz wohl getan, mir war so
leicht wieder zu Sinn, als seit lange nicht; es war mir, als hätte
ich eine große Rechnung im Leben abgeschlossen, und
könnte nun auf neues Konto wieder anfangen.

Ich genoß im nahen Gasthofe einiger ruhigen Stunden, in denen ich überlegte, was ich nun tun wolle? Zur Armee konnte ich noch nicht, ich hätte bei meiner angegriffenen Gesundheit das Soldatenleben nicht ertragen, es ging überdies zum Winter. Ich ging zurück nach London, verkaufte meine überflüssigen Habseligkeiten, und so mit recht frischem heitern Sinn, der nicht wenig dazu beitrug, daß ich bald wieder Kräfte und Gesundheit erlangte, verließ ich England und schüttelte den Staub von meinen Füßen, als ich wieder zu Calais anlangte.

Im südlichen Frankreich hoffte ich zuerst meine Gesundheit wieder zu erlangen, ich beschloß also hinzuwandern und den Winter unter jenem milden Himmel abzuwarten. Den Fußreisen fing ich an vielen Geschmack abzugewinnen; es gibt keine lustigere und abenteuerlichere Art zu reisen, wenn es einem eben nicht darauf ankömmt etwas später an das Ziel seiner Reise zu gelangen, oder wenn man, was noch schöner ist, seiner Reise kein Ziel zu setzen braucht.

Freilich mußte ich nun wieder zum Porträtmalen meine Zuflucht nehmen, um durchzukommen. Es ward mir aber schwerer und zuletzt ganz unmöglich, eine Kunst, die die Göttin, das Glück und die Gefährtin meiner schönen und glücklichen Tage gewesen war, im Unglück als Magd zu gebrauchen. Ich behalf mich oft lieber äußerst kümmerlich, litt manchen Tag lieber wirklich Not, ehe ich mich dazu entschloß. Ich half mir sinnreich genug, und auf unzählige Weisen durch; eine der angenehmsten war mir darunter, als Spielmann von Dorf zu Dorf versorgt zu werden.

Auf meiner Wandrung machte ich zufällig die Bekanntschaft eines Schweizers, der mit seiner kranken Frau den Winter in Frankreich zubringen wollte, um sie wenigstens so lang als möglich zu erhalten, da keine Hoffnung zu ihrer völligen Wiederherstellung war. Sie starb während des Winters, und er, der über ihren Verlust sehr trauerte, bat mich, ihm auf seiner Rückreise nach Basel Gesellschaft zu leisten. Ich nahm es gern an, ich hatte die Schweiz noch nicht gesehen. Um sich zu erheitern, reiste er nicht geradezu nach Basel, wo er wohnte, sondern begleitete mich vorher auf meinen Zügen in den Alpen. Ich machte einige gutgelungene Zeichnungen, die er behielt. Unter diesen Beschäftigungen verstrich wieder der Sommer; nun ging ich mit ihm nach Basel, wo ich durch ihn in einigen artigen Häusern bekannt ward.

Die Härte des Winters hielt mich lang in Basel, während dem gab ich Unterricht im Zeichnen und Malen. Einigen liebenswürdigen Menschen dort habe ich gar vieles zu verdanken, ohne daß sie es vielleicht ahnden. Auf ihren Rat, und durch ihr Lob aufmerksam gemacht, lernte ich Deutsch und einige eurer guten Dichter kennen. Sie gaben mir glückliche Stunden, und rechtfertigten meine Vorliebe für die Deutschen. Ich ward durch sie bewogen noch erst durch Deutschland zu reisen, und mich noch länger den Stürmen eines ungewissen Lebens hinzugeben, eh ich zu meiner Bestimmung gelange. Sobald man nur hoffen durfte, daß die Kälte nicht mehr zurückkehren würde, habe ich mich von Basel aufgemacht; ich habe einige schöne Teile von Deutschland durchreist, und fühle mich so gestärkt an Leib und Seele, daß ich nun meinen Entschluß gewiß auszuführen gedenke. Mich treibt etwas Unnennbares vorwärts, was ich mein Schicksal nennen muß. Es lebt etwas in mir, das mir zuruft, nicht zu verzagen, und nicht bloß zu leben, um zu leben, ich muß meinen Endzweck, ich muß das Glück, das ich ahnde, wirklich finden. –

Ihr wolltet es so, meine guten Freunde, da habt ihr also die Erzählung meiner wichtigsten Begebenheiten. Es sind wunderliche Bilder der Vergangenheit in mir rege geworden, bei denen ich mich vielleicht zu lange aufgehalten habe, sie haben sich meiner bemeistert. Laßt es geheim zwischen uns bleiben, was ich euch erzählt habe. Es gibt Menschen, die das, was man ihnen sagt, selten so nehmen, wie man es sagt, und wie man es genommen haben will, sondern aus eigner Bewegung noch ganz etwas anders dahinter suchen und vermuten. Der Himmel gebe, daß euch meine Erzählung keine Lange-

weile gemacht, und daß ihr jetzt nicht übler von mir denkt als
vorher.«

Beide versicherten ihn ihrer freundschaftlichsten Teilnahme, und daß er ihnen vielmehr jetzt noch werter geworden sei. Sie unterhielten sich noch mit ihm über diese und
jene Begebenheit, die ihnen aufgefallen war. Juliane erkundigte sich genauer nach den Namen, Verhältnissen und den
Personen, die darin vorkommen. – »Fragen Sie mich nicht
um dergleichen Zufälligkeiten, liebe Juliane, sie gehören
nicht auf die entfernteste Weise zu mir, und von mir sollte ich
Ihnen erzählen! Hinz oder Kunz, es ist einerlei. Wenn es
Ihnen so um den deutlichen Begriff der Persönlichkeit zu tun
ist, so können Sie sich Personen nach Ihrer Bekanntschaft
dazu denken, man findet sehr leicht passende Vorbilder. Und
nun, bevor wir uns auf den Rückweg machen, lassen Sie uns
noch erst tiefer ins Gebirge hineingehen, dort von dem Gipfel eines Bergs, den ich kenne, ist eine Aussicht, die ich, eh die
Sonne untergeht, zeichnen und Ihnen, lieben Freunde, als ein
Gastgeschenk und ein Andenken dieses Tages zurücklassen
will. Die Sonne steht nicht mehr hoch, es hat sich ein kleiner
Wind erhoben, und Sie können ohne Beschwerde gehen,
Juliane.« –

Jene waren es wohl zufrieden, man machte sich auf den
Weg, und im Gehen sagte Florentin: »Jene Aussicht habe ich
aus einem ganz besondern Grund zum Abzeichnen ersehen.
Man sieht von dort ein Haus, das mich durch seine Bauart
und eine Ähnlichkeit in der Lage an eine lustige Geschichte
erinnert, die ich euch noch erzählen will. Ihr mögt euch meiner dabei erinnern, wenn ich fern bin, und ihr die Zeichnung
beschaut in friedlichen Tagen.

Als ich in Venedig war, ließ ich mich in einer der schönen
Nächte mit einigen jungen Leuten auf dem Golfo herumfah-
ren. Wir machten Musik, und waren voller Mutwillen und
Lust. Einer unter ihnen hatte eine gute Freundin, die in
einem Landhause nicht weit vom Ufer wohnte, es fiel ihm
ein, ihr eine Musik unter ihrem Fenster zu bringen, und er

bat uns ihn zu begleiten: wir willigten ein, und stiegen ans Land. Die Musik ward gebracht, und so gnädig aufgenommen, daß man uns alle einlud ins Haus zu kommen, um Erfrischungen einzunehmen. Der gute Freund ging sogleich hinein, wir andern entfernten uns bescheiden, nachdem wir einen Ort bestimmt hatten, an dem wir uns wieder zusammenfinden wollten. Wir zerstreuten uns; was die andern anfingen weiß ich nicht, ich ging am Ufer des Golfo entlang, freute mich über die entzückende Aussicht, die in glänzendem Mondlicht vor mir lag, und hörte dem Gesang der Gondeliere zu, und der verschiedenen Musik auf den Gondeln, die hin und her schwammen. So fortwandelnd, sah ich mich auf einmal vor einem Gitter, das ein anmutiges Blumen-Parterre umschloß, von dem die Gerüche die Luft um mich her durchwürzten. Am andern Ende des Parterres, dem Gitter gegenüber, war ein Haus sichtbar mit einem Balkon, der nur wenig von der Erde erhöht war, auf demselben standen die Türen offen, die nach einem Zimmer zu führen schienen, aus dem ein helles Licht schimmerte, und der Gesang einer weiblichen Stimme, von einer Guitarre begleitet, erscholl. Das Ganze zog mich hinlänglich an, um mich etwas näher umzusehen. In einem Augenblick sprang ich über das Gitter, und stand dicht vor dem Balkon, wo ich das ganze Zimmer hinter demselben übersehen konnte.

Es war ein niedlich gebauter Salon, der so geschmackvoll und zugleich prächtig dekoriert war, als ich es selten gesehen habe. Besonders zog meine Blicke ein schöner Fußteppich an, mit grünem Grund, auf den zerstreute Rosen eingewirkt waren, der sich gegen die glänzenden mit Gold verzierten Wände sehr schön ausnahm. Das Ganze ward von einem kristallnen Kronleuchter zauberisch beleuchtet. Eine schöne junge Frau, im leichtesten zierlichsten Gewande, die schwarzen Haare oben auf dem Kopfe zusammengeknüpft, ging singend auf diesem Teppich mit leichtem Fuß umher, in ihrem Arm ruhte die Guitarre, die sie mit vieler Anmut spielte. Einige große Spiegel an der gegen mir überstehenden

Wand vervielfachten das Bild der reizenden Gestalt im Vor-
überschweben. Ich war wie festgebannt, ich konnte mich
nicht satt sehen. Sie legte die Guitarre hin, und zog eine
Schelle, ein Lakai in reicher Livree trat herein und brachte
Erfrischungen, sie setzte sich nun auf den Sofa dicht am offnen Balkon und verzehrte einige Orangen, die sie erst mit
großer Zierlichkeit schälte. Die unbedeutendste Bewegung
gefiel mir an ihr. Ich mußte es wagen, sie zu sprechen, das
war gewiß. Ohne mich lange zu besinnen, sang ich halb leise
einige Verse auf dieselbe Melodie, die sie soeben gesungen
hatte. Ich konnte sie genau dabei beobachten: erst war sie
erschrocken, dann staunte sie, zuletzt ward sie aufmerksam,
ich hörte auf und seufzte tief. Einen Augenblick besann sie
sich, dann trat sie auf den Balkon heraus; sie sprach einige
Worte, aus denen ich merkte, daß sie mich für einen andern
nehmen mußte. Ich antwortete so, daß sie nicht sogleich aus
dem Irrtum gerissen ward. Als ich hoffen durfte, daß die
Unterhaltung sie genugsam interessierte, gab ich ihr zu verstehen, daß ich ihr unbekannt sei. Sie war aufgebracht, ging
zurück, sprach aber doch immer weiter durch die offen
gebliebene Türe; es währte nicht gar lange, so hatte ich sie
wieder durch Bitten und Schmeicheleien auf den Balkon
gezogen. Sie wollte meinen Namen wissen, ich sagte ihn ihr,
sie schien einiges Zutrauen zu gewinnen als sie ihn hörte. Sie
hatte schon viel zu meinem Vorteil gehört, sagte sie, und
schon lange gewünscht mich persönlich zu kennen. Was
konnte sie mir Erfreulicheres sagen? Auch war unsre Bekanntschaft mit diesen wenigen Worten so gut als befestigt.
Meine Rolle war etwas schwierig, ich mußte durchaus sie
schon gesehen, gekannt, geliebt haben, sonst wäre mein Eindringen ganz unverzeihlich gewesen, auch sprach sie ganz so,
als ob mir alle ihre Verhältnisse bekannt sein müßten, da ich
doch nicht das mindeste, nicht einmal ihren Namen wußte,
und sie zum ersten Mal sah.

Gewandtheit und Dreistigkeit halfen mir glücklich durch.
Nach einigen kleinen Debatten erhielt ich Erlaubnis, sie den

folgenden Abend an demselben Ort wieder zu sehen. Ich mußte nun zurück, ich fand meine Gefährten am bestimmten Ort wieder, und schiffte mich mit ihnen ein. Auf meine Erkundigung erfuhr ich von ihnen, wer meine schöne Unbekannte sei. Die Nachrichten waren gut und erfreulich. Aus einem großen Hause, vom Kloster an einen Mann vermählt, der alt genug war, ihr Großvater zu sein; sie lebte größtenteils auf dem Lande, wo ihr Gemahl sie dann und wann besuchte. Sie liebte ihn nicht, war keine Feindin der muntern Gesellschaft, ... kurz ich fand keine Ursache zu verzweifeln.

Die folgende Nacht fand ich mich wieder vor dem allerliebsten Balkon ein. Dasselbe Licht, derselbe Glanz. Ich stand nicht lange, als sie heraustrat, sie sprach freundlich mit mir, ich bat um Erlaubnis zu ihr hinauf zu kommen, sie verweigerte es nur schwach, ich ward dringender, sie nachgebender; mit einem Sprung war ich auf dem Balkon zu ihren Füßen. Das Geständnis ihrer Liebe entzückte mich. Nun saß ich ihr gegenüber, auf demselben Teppich, von demselben Kronleuchter beleuchtet. Sie saß wieder auf demselben Sofa, schälte Orangen, die sie mit mir teilte, ich war wie berauscht, meine Sinne waren gefangen. Einige Stunden waren schnell verscherzt, nun verlangte sie, ich sollte wieder fort; dieser leichte Anstrich von Sprödigkeit, mich nicht länger bei sich zu behalten, konnte mir nicht sehr imponieren, ich bestand darauf nicht fortzugehen, und es ward mir erlaubt zu bleiben. Doch mußte ich wieder hinaus auf den Balkon, um dort zu warten, bis sie mich wieder rufen würde, und ihre Frauen erst fortzuschicken. Die Lichter wurden ausgelöscht, ich mußte lange draußen stehen, es fing an zu regnen, ich ward verdrießlich, Langeweile war mir von je her unter jeden Umständen unleidlich. Endlich kam eine Gestalt, die mich bei der Hand nahm, nicht die bekannte, es war eine vertraute alte Kammerfrau, sie führte mich durch einige finstre Zimmer, jeder Umstand fiel mir unangenehm auf. Endlich öffnete sie eine Tür und ging zurück. Die Gebieterin kam mir entgegen, sie war im nachlässigen Nachtgewande, sehr schön, das Zimmer äußerst prächtig, der Schein einer Lampe erleuchtete es nur dämmernd; alles war köstlich, unvergleichlich, aber es war nicht jenes Zimmer, jene Erleuchtung, jene Spiegel, jener schöne Teppich; mich umgab nicht der süße Blumenduft, es war nicht dieselbe Grazie, die umherschwebte. Ich sehnte mich nach dem Schimmer, nach der Luft jenes kleinen Tempels, der mich zuerst so freundlich begrüßt und meine Phantasie gefangen genommen hatte. Das ganze reizende Bild war mir entrückt, meine Wünsche mir fremd geworden. Ich setzte mich neben die schöne gütige Dame, und sprach einiges mit ihr, wahrscheinlich waren es höchst gleichgültige abgeschmackte Phrasen, die die Dame sehr betreten machten, und ebenso gleichgültig beantwortet wurden. Es gab einen Augenblick der sonderbarsten verlegensten Stille, ich fühlte das Unschickliche, wollte durchaus wieder in meine vorige Stimmung kommen, die Anstrengung gelang mir schlecht, ich ward völlig verdrießlich, und ... schlief endlich ein! Als ich erwachte, schien der Tag hell ins Zimmer hinein; ich fand mich allein, noch auf demselben Sofa: es währte einige Minuten eh ich mich entsinnen konnte, wie ich in dieses Zimmer gekommen, und was mit mir vorgegangen war? Aber mit welcher Beschämung fiel mir nun mein ganzes Abenteuer und mein unerklärlich albernes Benehmen ein. Die Türen waren alle offen, kein Mensch kam mir in den Weg, ich schlich mich unbemerkt aus dem Hause, und eilte aus der Gegend, so schnell als möglich. Ich war überzeugt, daß meine Geschichte so höchst lächerlich, als sie wirklich war, und gewiß mit den unvorteilhaftesten Zusätzen, in Venedig herumkommen würde, und traute mich gar nicht, mich die erste Zeit wieder dort sehen zu lassen. Ich verließ also Venedig auf einige Monate, und zog aufs Land. Das war die Zeit, von der ich Ihnen erzählt, die ich unter Hirten auf dem Lande gelebt habe.« –

»Dies ist gegen die Abrede, Florentin«, sagte Juliane, »diese Geschichte gehörte noch zu ihren Konfessionen!« –

Eilftes Kapitel

Die Zeichnung war beinahe ganz angelegt, als die Sonne sich auf einmal hinter eine dicke Wolke verbarg, die ein plötzlicher Wind von Abend her am Horizont heraustrieb; es donnerte in der Entfernung. Unsere Wanderer rafften sich auf, um vor dem nahenden Gewitter noch ein Dorf zu erreichen, von dem sie nicht weit entfernt waren. Das Wetter zog sich aber schneller zusammen, als sie dahin gelangen konnten. Ein Wirbelwind jagte den Staub wie eine dichte Wolke über ihnen empor, der Donner kam näher, die Blitze wurden stärker, einzelne große Regentropfen fielen. Juliane ward ängstlich, sie lief aus allen Kräften, bald versetzte der Sturm ihr den Atem, der Staub verdunkelte, und verletzte ihre Augen. Sie fürchtete ebenso sehr auf freiem Felde zu bleiben, als Schutz unter einem Baume zu suchen. Ihre Füße waren vom Laufen auf den spitzen Steinen wund geworden, und sie stieß allenthalben an.

Ein starker Blitz, dem der Donner gleich nachfolgte, fiel vor ihnen nieder, Julianens Knie wankten, sie fiel halb ohnmächtig zu Boden. Die beiden Freunde nahmen sie abwechselnd in ihre Arme, und trugen sie fort. Das Gewitter war nun ganz nahe, Blitz und Donner wechselten unaufhörlich, der Regen strömte in Güssen herab.

In der Verwirrung verfehlten sie den rechten Weg zum Dorfe, sie irrten, für Julianens Gesundheit besorgt, ängstlich umher; endlich erblickten sie, indem sie an einem Bache hinauf gingen, am jenseitigen Ufer eine Mühle, die einsam im Tale lag, von Bergen umschlossen. Eine Brücke ging nicht hinüber, sie riefen laut; aber der Sturm und das Rauschen des Bachs war lauter als ihre Stimmen. Endlich gelang es ihnen nach vielem Winken und Rufen bemerkt zu werden; einige Müllerburschen kamen mit einem Kahn zu ihnen herüber, nahmen die beiden Freunde und die vor Angst und Müdigkeit halb tote Juliane ein und brachten sie nicht ohne Mühe über den vom Regen angeschwollenen Bach nach der Mühle.

Sie waren vom Müller und von seiner Frau nicht gekannt, wurden aber gastfrei aufgenommen. Eduards erste Sorge war trockne Wäsche und Kleider für Julianen zu verschaffen. Eine neue Verlegenheit entstand. Sie mußten Julianens Geschlecht der Müllerin entdecken, diese war erstaunt und getraute sich nicht, ihnen zu glauben. Nach vielen Bitten und Beteurungen ließ sie sich endlich bewegen, Wäsche und Kleider für Julianen herzugeben, und ihr bei der Umkleidung hülfreich zu sein, denn die Arme war so erschöpft, daß sie kaum zu stehen vermochte. Während sie umgekleidet und zu Bette gebracht ward, war in der daran stoßenden Stube ein Kaminfeuer gemacht worden; Eduard und Florentin waren dabei beschäftigt, ihre Kleider zu trocknen. Die Müllerin trat aus der Kammer, und berichtete ihnen, die Jungfer wäre eingeschlafen! Sie sah die jungen Leute mit mißtrauenden neugierigen Blicken an. Sie konnte sich das Verhältnis auf keine rechtliche Weise erklären, indem diese junge schöne Person, von deren Geschlecht sie nun völlig überzeugt war, mit den beiden Männern stehen müsse. Sie hatte allerlei Vermutungen, schmiedete sich irgend einen Zusammenhang, den sie ihnen in nicht gar feinen Wendungen deutlich zu verstehen gab. Zuletzt sagte sie etwas ängstlich: sie habe zwar ihre Hülfe nicht versagen dürfen, aber weder sie noch ihr Mann würden gern Leute beherbergen, die sich zu verbergen Ursache hätten; und mehr solcher Redensarten die eben keine günstige Meinung von ihren Gästen verrieten.

Die beiden belustigte ihre Besorgnis, und sie vermehrten sie mutwillig durch geheimnisvolle Bitten, sie nicht zu verraten. Florentin trieb tausend kleine Possen um sie her und suchte sie durch Schmeicheleien und artigen Scherz freundlich zu erhalten. Sie schien dafür auch gegen ihn besonders gefällig, und Eduard zog sie deshalb auf. Bald war sie so dreist gemacht, daß sie sich einige zweideutige Späße über Julianen erlaubte, deren Stand sie weit entfernt war zu ahnden. Sie drang immer mehr mit Fragen in sie, die aber nicht ernsthaft beantwortet wurden. Der Müller war unterdessen seinen Geschäften nachgegangen, und hatte seiner Frau die Sorge für die Wanderer überlassen.

Juliane erwachte nach einem kurzen Schlummer und hörte zu ihrer nicht geringen Beschämung die Zweifel und den Argwohn der Müllerin. Sie gab ein Zeichen, daß sie erwacht sei, Eduard eilte zu ihr ans Bett, um sich nach ihrem Befinden zu erkundigen; sie bat ihn, diesen für sie sehr verdrüßlichen Auftritt zu endigen, und die Frau über ihren Irrtum ernsthaft aufzuklären; sie hatte zwar anfangs gewünscht, unbekannt zu bleiben, lieber wollte sie aber diesen Vorsatz aufgeben und ihren Namen entdecken, um den Vermutungen und den Zudringlichkeiten der Frau ein Ende zu machen. Eduard ging sogleich wieder hinaus, und verkündigte ihr nun, wen sie unter ihrem Dache bewirte. Juliane rief sie zu sich, und bestätigte, was Eduard gesagt hatte; aber die Frau wollte ihnen durchaus nicht glauben. Alles was sie zu ihrer Beglaubigung vorbringen mochten, schien eben dem Argwohn der guten, etwas einfältigen Frau nur neue Nahrung zu geben; »das machen Sie mir nicht weis«, rief sie, »daß meine gnädige Herrschaft zu Fuß, ohne Bedienten und verkleidet ausgehen wird!« Florentin lachte ausgelassen über diese tolle Begebenheit, Juliane mußte trotz der Verwirrung auch lachen. Die Müllerin lief hinaus und holte ihren Mann. Dieser sah kaum Julianen etwas genauer an, als er sie gleich erkannte: er hatte sie oft gesehen, wenn er in seinen Geschäften aufs Schloß gekommen war, in der Männertracht aber, blaß und ohnmächtig, mit nassen herunterhängenden Haaren, beim Eintritt nicht wiedererkannt; er bat sie sehr wegen des Verdachts seiner Frau um Verzeihung, suchte diese, so gut als er vermochte, zu entschuldigen, und verließ sogleich das Zimmer wieder.

Die Müllerin war beschämt und verwirrt, sie erbot sich zu allen Diensten mit der größten Bereitwilligkeit, und erkundigte sich nach den Befehlen der jungen Gräfin. Vor allen Dingen bat Juliane, ihr einen Boten zu verschaffen, den sie aufs Schloß schicken könnte, um ihren Wagen heraus zu holen, weil sie gleich nach Hause fahren wolle. Die Nacht war aber unterdessen völlig hereingebrochen, das Gewitter hatte zwar aufgehört, aber der Sturm war noch stark und der Regen strömte gewaltig herab, dabei konnte man in der Finsternis nicht einen Schritt vor sich sehen. Der Müller entschuldigte sich, daß er jetzt niemand über den Bach könne fahren lassen, es wäre beinahe unvermeidliche Lebensgefahr dabei, da er vom Regen sehr angeschwollen sei, und der Sturm den Kahn gegen die Pfähle schleudern möchte. Bis zu Tagesanbruch müßte sie also geduldig warten. Man erkundigte sich, ob nicht noch ein andrer Weg als der über den Bach nach dem Schloß führte? Es ging allerdings noch einer durch das Gebürge, dieser führte aber so weit herum, daß der Bote doch nicht vor dem andern Morgen anlangen würde.

Juliane befand sich in unbeschreiblicher Angst, wegen der Angst ihrer Eltern. Sie zitterte und weinte, ihre Phantasie füllten die schreckhaftesten Vorstellungen. Eduard war bereit, sich selbst über den Bach zu wagen, nur um sie desto eher zu beruhigen; hierin willigte sie aber auf keinen Fall ein. – »Wollen Sie mich hier allein lassen«, rief sie, »und sich selbst in Gefahr geben? das würde ja meine Angst noch vermehren!« Sie versprach endlich, geduldig den Tag abzuwarten. Nun wollte sie versuchen aufzustehen, sie fühlte aber eine solche Mattigkeit und so große Schmerzen an ihren Füßen, daß sie sich entschließen mußte, im Bette zu bleiben.

Die Müllerin hatte ein Abendessen bereitet. Eduard und Florentin setzten sich vor das Bett; auf eine solche Ermüdung fehlte es unsern jungen Wanderern nicht an Eßlust, und wären die Speisen auch nicht so niedlich und sorgfältig zubereitet gewesen, es würde ihnen dennoch gewiß trefflich geschmeckt haben; an diesen hatte aber die Müllerin wirklich ihre ganze Kunst verschwendet, um ihre Gäste nach Würden zu bewirten, die sie anfangs zu ihrer großen Beschämung so verkannt hatte.

Es gelang den beiden Freunden, Julianen auf Augenblicke ihre Unruhe vergessen zu machen, und sie etwas zu erheitern.

Sie fanden aufs neue Gelegenheit über ihre Schönheit zu erstaunen. Die Blässe und die Mattigkeit in Blick und Stimme verlieh ihr neue Reize, und kontrastierte auf eine interessante Weise mit der Kleidung, die die Müllerin ihr geliehen hatte, die tüchtig und für das Bedürfnis gemacht, ihren zarten Gliedern nirgend anpassen wollte. Florentin wollte sie durchaus in dieser Umgebung zeichnen, damit sie sich künftig in ihrem höchsten Glanze der Nichtigkeit aller menschlichen Pracht erinnern möge. »Denn«, setzte er hinzu, »wahrscheinlich wird diese Begebenheit doch die anstrengendste und abenteuerlichste sein, die Sie in Ihrem ganzen künftigen Leben erfahren werden.« –

In den Blicken der beiden Liebenden leuchtete die innigste Zärtlichkeit hervor. – Darf er so kühn unser künftiges Leben verspotten? schien Juliane mit ihrem beseelten Blick zu fragen; und in Eduards Augen las sie die Versicherung der ewigen Liebe, des unvergänglichen Glücks. Er hatte seinen Arm um sie geschlungen, sie lehnte das holde Gesicht an seine Schultern; die Seligkeit der Liebe hielt ihre Lippen verschlossen, sie sprachen nicht, und sagten sich doch alles.

Florentin war hinausgegangen und hatte sich an die Haustüre gelehnt. Er hörte auf die Wogen des Bachs, der sich reißend fortwälzte, und sprudelnd und schäumend über die Räder der Mühle hinstürzte; auf das Brausen des Windes im Walde, und das friedliche Klappern innerhalb der Mühle. Es klang ihm wie vernehmliche Töne. Wie ein Wettgesang des tätigen zufriedenen Landmanns und des mutigen, ehrsüchtig drohenden Kriegers tönten Mühle und Waldsturm; der Bach rauschte in immer gleichen Gesängen ununterbrochen dazwischen, wie die ewige Zeit, allem Vergänglichen, allem Irdischen trotzend, und seine Bemühungen verhöhnend.

Er hörte im Wohnzimmer des Müllers laut reden, er schlich sich aus einem Anfall von Neugierde unter das offene Fenster, und hörte ein Gespräch zwischen dem Müller und seiner Frau an, das sie über ihre Gäste führten; diese Erscheinung mochte ihnen wunderlich genug vorkommen. – Der

Müller konnte, wie es schien, die Sitte nicht billigen, die die
vornehmen Leute einführen, inkognito zu reisen. »Man
kennt sie nicht!« rief er, »am Ende werde ich noch in jedem
wandernden Gesellen einen verkleideten Prinzen, oder eine
Prinzessin vermuten müssen, und mich in acht nehmen, daß
ich ihm nicht zu nahe trete.« – Die Müllerin war ganz besänf-
tigt, und wollte ihn mit dieser Sitte aussöhnen: »Sie hören
und sehen doch«, sagte sie, »wenn sie so reisen, manches, was
sie sonst nimmermehr erfahren würden, und daß die vielen
Umstände und Weitläuftigkeiten wegfallen, ist bequemer für
sie, und auch für unsereinen.« – »Nun«, sagte der Müller
wieder, »manches brauchen sie auch nicht zu erfahren, und
dafür, daß wir keine Umstände mit ihnen machen dürfen,
machen sie auch wieder mit uns keine.« – »Nun, Vater, du
wirst dich noch einmal um den Kopf reden, ich dächte doch,
wir hätten nicht zu klagen.« – »Wer spricht davon? ich
meinte nur.« – »Ja dir macht man's nimmermehr recht! mit
deinem häßlichen Mißtrauen machst du einen auch mit so
argwöhnisch; hätte ich mich nicht beinahe ganz erschrecklich
gegen die junge gnädige Herrschaft vergangen? und wer war
schuld als du?« – »Ich will alles verantworten, was ich spreche, aber das können nicht alle, und darum müssen sie sich
wohl in acht nehmen!« – »Ach und es ist doch gewiß eine
liebe allerliebste Herrschaft! ich würde mich in meinem
Leben nicht zufrieden geben, wenn ich sie beleidigt hätte.« –
»Beleidigt hast du sie doch, aber sie hat es dir wieder verzie-
hen!« – »Ja so gütig ist sie, und so herablassend, wie eine Heilige, und dabei so zart und so schön! Vater, wenn du das so
gesehen hättest, wie ein Wachsbild, man kann sie doch gar
nicht genug ansehen!« – »Und die beiden jungen Herren sind
wohl auch so gütig wie die Heiligen? Ja ihr Frauen!« – –
»Nun, was fällt dir wieder ein? du hast immer ganz besondere Gedanken.« – »Ja vorzüglich der eine, der ist nun vollends lauter Güte! nicht wahr?« – »Welchen meinst du denn,
Väterchen?« – »Nun den, du weißt wohl, du hast ihn mir ja
so schlau gezeichnet.« – »Ich versteh dich nicht, mein

Schatz!« – »Sieh doch nur seine grüne Jacke an, der linke Ärmel ist ja ganz weiß! wo sollte er denn das wohl her haben?« – »Weiß? der linke Ärmel? Wie soll ich's denn wissen? In der Mühle macht man sich leichtlich weiß.« – »Ja besonders, wenn die Müllerin so leicht rot wird!« – »Es muß auch alles zusammentreffen, um dich argwöhnisch zu machen.« – »Behüte, lieber Schatz«, sagte der Müller laut lachend, und küßte sie, »ich bin nicht im geringsten argwöhnisch, wenn ich deutlich alles sehe und höre, wo man mich nicht vermutet.« – »Nun, wenn du alles gesehen hast, so wirst du auch wohl gesehen haben« – »Daß du dich wacker gesträubt hast, als er einen Kuß von dir verlangte. Ja mein Kind, siehst du, daher ist er weiß am Ärmel!« –

Florentin gefiel die leichte gutmütige Art, womit der Müller über die kleine Begebenheit scherzte. Er selbst war gemeint; er hatte sich mit der jungen artigen Müllerin einige Schäkereien erlaubt, um sie bei guter Laune zu erhalten, als ihre Gäste ihr noch unbekannt waren, und er ihr mit immer neuen Forderungen für Julianen viel Mühe machen mußte.

Er trat vom Fenster zurück und pfiff und rief den beiden Hunden, um sich vom Müller bemerken zu lassen. Dieser kam ans Fenster und nötigte ihn, noch ein wenig in die Stube zu kommen. Florentin ging hinein und unterhielt sich mit ihm; der heitre, grade Sinn des Mannes und sein guter Verstand gefielen ihm immer besser. Florentin nahm, während er sprach, mit der größten Unbefangenheit die Bürste vom Nagel, die unter dem Spiegel hing, und bürstete sich ruhig das Mehl vom Ärmel; die Müllerin lief ganz beschämt aus der Stube, aber der Müller lächelte und ließ sich nicht im geringsten aus der Fassung bringen. Er sprach viel von seinem Stande und seinem Geschäft. Seine sparsamen, ruhigen Worte, und die Überzeugung der Wichtigkeit, mit denen er die Sorgen und Freuden davon schilderte, ohne irgend einen andern Stand im Leben unnötig, und mit affektierter Verachtung mit dem seinigen zu vergleichen, gab ihm eine Würde, der Florentin mit Ehrerbietung begegnen mußte. Er gedachte dabei mit einem Gefühl von Beschämung an die Unruhe, mit der er selbst sich umtrieb, um einen Zweck zu finden, der seinem Leben Wert und Bestimmung gäbe.

Der Müller bemerkte endlich, es wäre nun wohl Zeit für ihn, sich zu Bett zu legen; Florentin bot ihm eine gute Nacht, und war im Begriff hinauszugehen, als Eduard hereintrat, und in Julianens Namen den Müller und seine Frau ersuchte, die Nacht mit den beiden Herren durchzuwachen, sie selbst wollte versuchen zu schlafen, sie wäre aber so ängstlich, daß sie gewiß nicht würde schlafen können, wenn nicht alles im Hause wachte. Sie ließ die Frau bitten, bei ihr im Zimmer zu bleiben, und den Müller, ja sobald der Tag anbräche, jemand aufs Schloß zu schicken. Die Müllerin ging sogleich zu ihr, und der brave Mann war ebenso willig, den Befehlen der jungen Gräfin zu gehorchen.

Florentin bemerkte etwas ungewöhnlich Heftiges und Leidenschaftliches an seinem Freunde. Er ließ sich in kein Gespräch mit hineinziehen, gab zerstreute oder gar keine Antwort, und ging hastig, und mit ungleichen Schritten in der Stube auf und ab. Florentin glaubte sogar in seinen Augen Spuren von vergoßnen Tränen wahrzunehmen. Diese Äußerungen waren bei dem sonst sanften stillen Eduard etwas befremdend, doch beunruhigten sie seinen Freund nicht weiter; er hielt es höchstens für Zeichen eines kleinen Zwistes zwischen ihm und Julianen, von denen, welche die Liebe ebenso schnell zernichtet, als sie sie erzeugte. Er redete ihn an und äußerte fein spottend, seine Vermutung; Eduard blieb aber ernst und trübe, und bat ihn kurz darauf, mit ihm hinaus ins Freie zu gehen. Die Nacht war kalt und stürmisch, er bestand aber darauf dennoch hinauszugehen, und Florentin begleitete ihn.

Sie saßen schweigend neben einander auf der Bank vor dem Hause. Florentin unterbrach die Stille zuerst: »Immer höre ich doch wieder diese Töne des Waldes, des Stroms und der Mühle mit derselben angenehmen, gleichsam anregenden Empfindung. Beinah möcht ich glauben, daß ich eigentlich für das beschränkte häusliche Leben bestimmt bin, weil alles dafür in mir anspricht, nur daß ein feindseliges Geschick wie ein böser Dämon mich immer weit vom Ziele wegschleudert!« – »Glaub mir«, sagte Eduard, »es weiß selten einer, was er soll.« – »Ja wohl«, fiel Florentin ein, »und es dauert lange, bis er weiß, was er will!« – »Es ist auch beinahe alles einerlei, und alles Tun ist das rechte. Nur daß man etwas tue!« – »Ja wohl! und darum will ich eilen. Ich will fort! Vielleicht habe ich schon zu lange verweilt.« –

Eduard antwortete nicht, Florentin hörte ihn seufzen. »Was ist dir, Eduard?« fragte er ihn mit herzlicher Liebe, »du hast Schmerz, warum verhehlst du ihn mir?« – »Nein, ich will ihn dir nicht verhehlen«, rief Eduard aus. »Sieh, Florentin! eine Seele, wie die deinige, einen Freund, wie du bist, suchte ich, seitdem Freundschaft mir ein Bedürfnis ist, und das ist sie, seit ich mich meiner selbst bewußt bin. Unverhofft fand ich dich; ich vermutete gleich in den ersten Stunden, du seist der, den ich suchte, und diese Vermutung fand ich in der Erzählung deiner Schicksale mehr als einmal bestätigt. Und nun soll ich dich, kaum gefunden, wieder verlieren! Halte es nicht eines Mannes unwürdig, wenn ich dir mein Leid darüber gestehe. Ich kann dich nicht wieder lassen, es ist mir in manchen Augenblicken ganz unmöglich zu denken, daß ich dich wieder lassen soll! Ich bin sehr reich, ich weiß es, vielleicht ist es Unrecht, mehr zu verlangen, als ich besitze: aber ich bin in der Freundschaft unersättlich, und an dich fühle ich mich mit unnennbaren Banden geknüpft!« – »Ich begreife dein Gefühl, mein Freund! dies sei dir Bürge, daß ich dessen wert bin; du bist mir teurer, als ich es sagen kann. Daß du bei allen Gütern, die dir nie fehlten, selbst in dem Besitz der Geliebten noch Raum für Freundschaft hast, und dir den Sinn dafür erhieltest, macht dich mir verwandt und ewig wert. Wie kann dich aber eine Trennung so wehmütig ergreifen, die doch eben durch keine besonders unglücklichen Umstände bezeichnet ist? Wie selten dürfen Freunde ihren Lauf bei einander beginnen und vollenden? Ist das Band, das

Freunde verknüpft, durch die Trennung gelöst? Muß nicht,
in der Welt zerstreut, von ihnen ausgeführt werden, was sie
vereint beschlossen? O, daß ich Armer, Einsamer, dich
Reichbegleiteten trösten soll! Verzeih meinem Zweifel, ich
kann nicht glauben, daß meine Trennung von dir, diesesmal
allein die Ursach deiner Traurigkeit ist.« – »Es kann sein;
aber wie es auch sei, Florentin, ich mag, ich werde dich nicht
lassen! Höre, ich gehe mit dir; ich teile deine Unternehmungen, ich will die Stelle deines Manfredi ersetzen, ich ver-
schmähe jedes andre Schicksal, als das deinige. Was mir fehlt,
besitzest du so groß und frei! Du wirst auch in mir manche
gute Gabe finden. Vereint, ungetrennt, wollen wir ersinnen
und ausführen, fechten, leben und sterben, sterben für die
Freiheit! Ich gehe mit dir nach Amerika!« – »Wie ist dir? Wie
ist dir? Du schwärmst!« – »Nein, ich lasse dich nicht wieder,
ich gehe mit dir!« – »Was kann ich dir anders zurufen, als
Juliane! O Eduard, mir ist dieser ganze Auftritt wie ein
Traum. Welches Rätsel! du bist durch irgend einen Vorfall
aufgebracht, ja gereizt bis zum Wahnsinn. Mit Fragen will ich
dich nicht quälen. Aber ich beschwöre dich, sei gefaßt, sei
ruhig, und wenn du es vermagst, so entdecke mir, was dich so
erschüttern konnte. Erinnere dich, was du so rasch verlassen
willst! Mich laß aber ziehen, mir ein Glück zu erringen, für
das und mit dem du geboren wardst, erfreue dich damit, und
bleibe in Frieden.« – »So bleibe du bei mir, Florentin! nur
noch ein Jahr bleibe bei mir, dann ziehe ich mit dir, wohin du
willst!« – »Ach, Eduard! du solltest mich nicht halten wollen!« – »Was du nicht sagen kannst«, fiel Eduard ein, »weiß
ich längst, mein Freund! Du liebst Julianen, ich weiß es,
aber –« – »Wer? wer darf das sagen?« – »Bleib ruhig, Florentin, es blieb mir nicht unbemerkt.« – »Du hast dennoch
falsch gesehen –« – »Kannst du so dein eignes Gefühl verleugnen, und was hast du zu fürchten? Ich fürchte nichts von
dir, sei überzeugt! ich kenne dich, dir ist die Freundschaft
heilig. Du wirst dich für den Freund aus aller Kraft deiner
Seele zu bekämpfen wissen. Auch wird deine Leidenschaft

sich bald in das reinste Freundschaftsgefühl auflösen. Und dann, von beiden Freunden geleitet, soll Juliane des schönsten Daseins sich zu erfreuen haben. Keine Lücke bleibe in ihrem Herzen, ihre Liebe bedürfende Seele sei ganz glücklich im Genuß. . . .« – »Gemach, mein guter Eduard! gemach! So gelassen wolltest du wirklich drein sehen, wie der Freund seine Tage unter Prüfungen der Selbstüberwindung hinschleichen ließe, sein wärmstes Leben, sein lebendigstes Gefühl ertötete, und mit halbverschloßnem mißtrauenden Herzen keinen fröhlichen Augenblick verlebte? Ich gestehe dir aufrichtig, diese heroische Tugend darf ich nicht zu der meinigen zählen. Wäre der Fall so, wie du ihn wähnst, so wäre, aufs schnellste entfliehen, für mich das Ratsamste, und das, was ich gewiß zuerst tun würde. Aber es ist nichts von dem allen. Wahr ist es, Julianens Schönheit überraschte mich: sie ist ein anmutiges Wesen, mit immer neuen, immer lieblichen Bildern erfüllt ihre holde Gestalt die Phantasie, aber –« – »Ach, wenn du ihre Seele kenntest, so weich! zugleich so voller Kraft und Liebe, ihren Charakter, die herrlichen Anlagen!« – »Ich verkenne Julianen nicht. Wäre sie aber auch für mich bestimmt, ich zweifle, daß ich ganz glücklich sein würde.« – »Freund, wer mit diesem Engel nicht leben könnte, der –« – »Der verdient gar nicht zu leben, willst du sagen. Leicht wahr! ich spüre selbst so etwas! indessen . . . versteh mich, mein lieber Freund! Gräfin Juliane, Erbin eines großen Namens, eines großen Reichtums, aus den Händen der höchsten Kultur kommend, im Zirkel der feinen Welt schimmernd, der Anbetung von allen, die sie umgeben, gewohnt, und Florentin, der Arme, Einsame, Ausgestoßne, das Kind des Zufalls.« – »Wilder, seltsamer Mensch! warum nennst du dich so? und warum dünkst du dich noch immer allein? in unsrer Mitte allein?« – »Habe Geduld mit mir, ich darf mich nicht entwöhnen, allein zu sein; muß ich nicht fort?« – »Was treibt dich, ich beschwöre dich? Vertraue dich nicht ohne Not dem eigensinnigen Glück, bleibe bei mir!« – »Ich will's versuchen lieber Freund, aber ich stehe nicht

dafür, ich muß, ich muß doch endlich dahin, wo meine Bestimmung mich ruft.« –

Eduard wollte noch etwas sagen, als die Müllerin zu ihnen
heraus kam. Juliane ließ ihnen sagen, sie möchten in ihr Zimmer kommen, und ihr Gesellschaft leisten, sie könnte
unmöglich schlafen.

Alle, auch der Müller, den sie drum hatte bitten lassen, versammelten sich nun bei ihr; sie war vom Bett aufgestanden,
und saß in einem bequemen Stuhl beim Kaminfeuer; die
Kleider der Müllerin hatte sie noch an.

In der erhellten Stube sah Florentin nun deutlich die Zerstörung auf Eduards Gesicht, und in seinem Wesen; kaum
daß diese sich etwas legte, da Julianens zärtlich beredter Blick
sich nicht von ihm wandte und ihn um Verzeihung zu flehen
schien. Sie rief ihn zu sich, und sprach leise und beruhigend
mit ihm. Florentin war gewiß, daß etws Ernsthaftes zwischen ihnen vorgegangen sein mußte, während er sie allein
gelassen hatte. Es war ihm klar, daß es Eifersucht sei, was das
schöne reine Verhältnis der Liebenden zerstöre. Eine ängsti-
gende Unruh drückte sein Herz, da es ihm einfiel, daß er
selbst vielleicht, unglücklicher- oder unvorsichtigerweise,
Ursach dazu gegeben habe. Er überdachte noch einmal jedes
Wort, das ihm Eduard vor der Tür gesagt hatte, er mußte ihn
bewundern, daß er, bei einer Leidenschaft, die ihm selbst so
fürchterlich und so zerreißend schien, mit so viel Feinheit
und Aufopferung fühlte und sich äußerte. Sein Glaube an
Eduards schöne edle Seele erhielt eine neue Bestätigung, die
ihn mehr als jemals anzog; auf diese Weise fühlte er sich von
widersprechenden Gefühlen durchstürmt, und alles, was er
in sich beschließen konnte war: bald, sehr bald fortzugehen.

Während daß er in sich gekehrt, und in seine Gedanken
verloren da saß, waren die übrigen in einem allgemeinen
Gespräch begriffen. Juliane erzählte: das Brausen des Waldes
und des Wassers hätten sie entsetzlich zu fürchten gemacht;
es wäre ihr nicht möglich gewesen einzuschlafen, obgleich sie
die Augen fest verschlossen und sich die Decke über den

Kopf gezogen habe, um nichts zu hören. »Als spräche des Waldes und des Wassers Geist drohend zu mir herüber«, sagte sie noch schaudernd, »so war mir; jeden Augenblick fürchtete ich, sie würden mir in sichtbaren Gestalten erscheinen; alle alten Romanzen und Balladen, die ich jemals gelesen habe, sind mir zu meinem Unglück grausend dabei eingefallen. Sie hätten es nur hören sollen, Florentin!« – »O ich habe auch die Geister zusammen sprechen hören, aber mich nicht vor ihnen gefürchtet, mir klang es freundlich und vertraulich; es sind mir freilich keine Balladen und Romanzen dabei eingefallen.« – »Wissen Sie uns keine Geistergeschichte zu erzählen?« fragte sie den Müller, »in Gesellschaft mag ich sie gar gerne hören; der Kreis wird gleich eng und vertraulich dabei.« – »O wir wissen genug«, sagte die Müllerin, da es der Mann ablehnte zu erzählen: »aber sie sind alle gar zu fürchterlich und erschrecklich, so daß ich es nicht wagen möchte, sie der gnädigen Gräfin jetzt zu erzählen –« – »Ich bin der Meinung unsrer guten Frau Wirtin«, fiel Eduard ein; »es möchte Sie zu sehr beunruhigen, da Sie ohnedem bewegt und angegriffen sind.« – »Gut«, sagte Juliane, »wenigstens müssen Sie mir aber erlauben, Ihnen etwas zu erzählen; es fällt mir eben eine Geistergeschichte wieder ein, die weder schreckhaft noch fürchterlich und doch merkwürdig ist.« Sie setzten sich insgesamt um sie her, und versprachen ihr Aufmerksamkeit. Sie erzählte nun folgende Geschichte.

Zwölftes Kapitel

»Meine Tante Clementine hatte in ihrer Jugend eine Freundin, von der sie sich oft Monate lang nicht trennte. Diese Freundin war verheiratet, ihren Namen habe ich nicht erfahren, die Tante nannte sie nur immer Marquise. Sie lebte glücklich mit ihrem Gemahl, den sie sehr liebte, und von dem sie ebenso wiedergeliebt ward. Sie waren schon fünf oder sechs Jahre verheiratet ohne Kinder zu bekommen, wie sie

beide es sehnlichst wünschten. Dem Marquis war es sehr
wichtig einen Erben zu haben, weil der Besitz großer Güter
an diese Bedingung geknüpft war. Die gute Dame fürchtete
für die Liebe ihres Gemahls, und sparte weder Gelübde noch
Gebete, um sich das ersehnte Glück von allen Heiligen zu
erflehen. Sie wallfahrtete nach allen wundertätigen Bildern,
und nach den gerühmten Bädern. Meine Tante die sie auf vielen dieser Reisen begleitete, war Zeuge ihres Grams, der endlich so tief wurzelte, daß man und nicht ohne Grund, anfing,
für ihre Gesundheit besorgt zu werden: denn nicht allein,
daß der Schmerz vergeblicher Erwartung sie nagte, sie ward
auch größtenteils dadurch untergraben, daß sie unzählige
Gebräuche des Aberglaubens anwandte, und von jeder guten
Gevatterin oder jedem gewinnsüchtigen Betrüger sich Ver-
ordnungen und Arzneien geben ließ.

Die Vorstellungen ihrer Freunde gegen diese Verblendung
waren vergeblich. Um diesen endlich zu entgehen, brauchte
sie meistens die Mittel heimlich, oder unter mancherlei Vorwand. Unterdessen versuchten jene alles Ersinnliche, um sie
aufzuheitern, meine Tante verließ sie in dieser Zeit fast gar
nicht.

In der Weihnachtsnacht waren die Freundinnen in der Kirche, die Marquise betete länger und eifriger als jemals und
konnte sich, der häufigen Erinnerungen und Bitten ihrer
Freundin ungeachtet, gar nicht losreißen. Sie gab vor, da
diese sich über den vermehrten Eifer verwunderte, sie hätte
viele Dankgebete zum Himmel zu schicken für die glückliche Errettung ihres Gemahls, der tags vorher von einer Reise
zurückgekommen, auf der er mancherlei Gefahren ausgesetzt gewesen war.

Die Tante wagte es nun nicht mehr sie wieder zu stören, da
sie sie an den Stufen des Altars und zu den Füßen eines Wun-
derbildes tief hinabgebeugt, weinen und laut schluchzen
hörte, denn sie wußte aus Erfahrung, daß sie durch eine
Unterbrechung auf viel Tage unruhig gemacht wurde. Sie
erwartete also, teils mit Geduld, teils mit ihrer eignen

Andacht beschäftigt, bis die ihrer Freundin geendigt wäre. Da diese ihr doch endlich zu lang dünkte, rief sie ihr zu; da sie aber ohne zu antworten und ohne sich zu bewegen liegen blieb, so beugte sie sich zu ihr hinunter, hob den Schleier von ihrem Gesicht und fand sie ohne Bewußtsein, kalt und in tiefe Ohnmacht gesunken.

· Mit Hülfe einiger zunächst stehender Menschen führte meine Tante sie aus der Kirche, und half sie in den Wagen heben, der vor der Kirchtür hielt. Sie hatten einen ziemlich großen Weg nach ihrem Hause zu fahren, während dem gelang es ihr, sie durch alle Hülfe, die in dem Augenblick möglich war, wieder zu sich selbst zu bringen. Als sie wieder sprechen konnte, fragte sie die Tante um die Ursache ihrer sonderbaren Heftigkeit, und bat sie so dringend und unter so zärtlichen Liebkosungen, ihr Herz gegen sie zu öffnen, daß sie nicht länger widerstehen konnte. Sie vergoß in den Armen ihrer Freundin einen Strom von Tränen, und nachdem diese ihrem Herzen Luft gemacht hatten, erzählte sie ihr: sie hätte soeben einen Vorsatz ausgeführt, den sie schon seit länger als einem Jahre in ihrem Herzen gehegt habe, zu dessen wirklicher Ausführung sie noch niemals Kräfte genug in ihrer Seele gefühlt hätte; aber heute Nacht hätte sie diese in ihrem heißen Gebete zur heiligen Jungfrau errungen. Sie hätte es glücklich vollbracht, doch sich so angestrengt, daß sie gleich darauf ihre Besinnung verloren habe. Dieselbe, an deren Altar sie die augenblickliche Kraft wie einen Strahl vom Himmel in ihrer Seele empfangen, möge es ihr vergeben, daß gleich darauf ihren Körper diese Schwäche befallen, und daß sie auch jetzt noch sich der Tränen nicht enthalten könne. – Meine Tante erwartete mit ungeduldiger Unruhe das Ende dieser Vorrede und das, wohin sie führen sollte. Endlich sammelte sich ihre Freundin und erzählte ihr: sie habe das Gelübde abgelegt, und würde es unverbrüchlich halten, sich freiwillig von ihrem geliebten Gemahl zu trennen, wenn sie länger als das nächste Jahr ohne Kinder bliebe; ihr Gemahl sollte sich alsdann eine andere Gattin wählen,

mit der er glücklicher wäre, sie selbst aber wollte ihr Leben
unter eifrigen Gebeten für sein Wohl in einem Kloster
beschließen. – Sie kamen bei diesen Worten vor dem Hause
an, und wurden aus dem Wagen gehoben, noch ehe meine
Tante ein Wort über dieses traurige Gelübde hatte vorbringen können. Der Marquis kam ihnen entgegen, voll Besorgnis wegen ihres ungewöhnlich langen Ausbleibens. Die beiden Frauen sprachen kein Wort, er sah sie verwundert an, und
nahm an der blassen Gesichtsfarbe seiner Gemahlin und der
bekümmerten Miene meiner Tante gleich wahr, daß ihnen
etwas Außerordentliches müsse zugestoßen sein. Er führte
sie ins nächste Zimmer, und ließ nicht eher ab, bis er die Ursache ihrer Bestürzung erfahren. Sie erlaubte es endlich meiner
Tante, dem Marquis ihr Gelübde zu entdecken. Dieser suchte
sich ungeachtet seines heftigen Schreckens zu fassen, und bat
sie, sich zu beruhigen; sie ließ aber nicht eher mit Tränen und
Bitten nach, bis er ihr versprach, sie durch keine Gegenvor-
stellung, und keine heimliche Veranstaltung an der Ausführung ihres Gelübdes zu verhindern. Nun erfolgte eine Szene
von zärtlichen Vorwürfen, von Liebe, Großmut und Aufopferung, die man sich wohl leicht vorstellen kann.

   Die Nacht war unterdessen beinahe verstrichen, die Marquise fühlte sich sehr ermüdet, und bat meine Tante sie nach
ihrem Zimmer zu begleiten, weil sie trotz ihrer Müdigkeit
nicht würde schlafen können, und sie ihr noch einiges sagen
wollte. Ihr Gemahl führte sie die Treppe hinauf, ein Gitter
verschloß einen ziemlich langen Gang, an dessen Ende das
Schlafzimmer der Dame lag. Der Marquis zog an der Klin-
gel, die Kammerfrau trat aus dem Zimmer, um zu öffnen, er
wollte eben wieder die Treppe hinuntergehen, als die Marquise ausrief: ›Ach seht! seht hin! was kömmt da für ein eng-
lisch schönes Kind.‹ Man sah hin durch das Gitter, wo sie
hinzeigte, sah aber nichts als die Kammerfrau, die mit einem
Licht in der Hand den Gang herunter kam, und die Gittertür
aufschloß. – ›Was hast du da für ein schönes Kind?‹ fragte sie
sie hastig. Die Kammerfrau sah sie an, ohne zu antworten. ›O

seht doch das Engelskind!‹ rief die Marquise wieder, tat einige Schritte vorwärts, und beugte sich freundlich, wie zu einem Kinde herab. Entsetzen und Erstaunen bemeisterte sich der Anwesenden, denn sie sahen kein Kind. Die Marquise ging mit offnen Armen noch einige Schritte, als wollte sie etwas umfassen, wankte, und sank mit einem lauten Schrei nieder.

Sie ward zu Bette gebracht. Als sie wieder zu sich selbst kam, fragte sie, ängstlich die Antwort erwartend, ob denn die andern nicht das Kind am Fuße des Bettes stehen sähen? Da man nun an der Stelle, die sie bezeichnete nicht das geringste wahrnahm, und sie am Achselzucken und am bedauernden Zureden der andern merkte, daß man sie für krank hielt, und als ob ihr nicht geglaubt würde, daß sie wirklich das sähe, was sie zu sehen vorgab, beschrieb sie mit der größten Genauigkeit und ganz gelassen die Gestalt des Kindes, das sie zu ihren Füßen an das Bett gelehnt stehen sah. Es schien ihr in einem Alter von drei Jahren, trug ein leichtes weißes Gewand, Arme und Füße waren nackt, um den Leib hatte es einen blauen Gürtel von hellglänzendem Zeuge, dessen Enden hinter ihm niederflatterten. Das Köpfchen sei mit himmlischen blonden Locken, wie mit den zartesten Strahlen umgeben, das mit den kindlichen Wangen, dem frischen Munde und den lachenden blauen Augen wie ein wundersüßes Engelsköpfchen aussehe. Das ganze Figürchen umschwebe hinreißende Anmut; kurz, sie beschrieb es so umständlich, daß man gar nicht mehr zweifeln durfte, sie sähe es in der Tat vor sich; da sie es aber anfangs hätte umarmen wollen, wäre es zurückgewichen, daher sei ihr Schreck und die Ohnmacht gekommen, denn es hätte sie überzeugt, daß sie eine Erscheinung sehe.

Ihre Freunde durften keinen Widerspruch wagen, aus Besorgnis sie aufzubringen, und man geriet in große Verlegenheit. Der Arzt wurde herbeigeholt, er fand sie in heftiger Wallung, sonst aber keine Spur von irgend einer Krankheit. Er verordnete vorzüglich Ruhe. Sie wollte versuchen zu schlafen, rief aber in dem Augenblick: ›O seht doch, wie es sich freundlich gegen mich neigt, und nun geht es, das liebe Gesichtchen immer zu mir gewendet, zurück. Seht, dort setzt es sich im Winkel nieder, es winkt mir mit den Händchen, ich solle schlafen!‹ – Man bat sie, die Augen zu verschließen, damit sie Ruhe fände. Die Bettvorhänge wurden niedergelassen, und nachdem sie etwas Kühlendes getrunken hatte schlief sie ein.

Bei ihrem Erwachen, nachdem sie einige Stunden ruhig geschlafen hatte und es unterdessen völlig Tag geworden war, hoffte man, ihre Erscheinung würde verschwunden sein; aber zum Erstaunen blieb diese, wie in der Nacht. Kaum erwachte sie, so zog sie die Vorhänge zurück und sah auch sogleich das Kind mit muntern freundlichen Gebärden auf sich zukommen. Sie unterhielt sich nun auf die vertraulichste und liebreichste Weise mit ihm, und versicherte, es gäbe ihr durch sehr ausdrucksvolle Mienen verständliche Antwort. Sie gebot ihm, sich vom Bett zu entfernen; es ging zurück; drauf winkte sie ihm wieder, und es kam näher; dann gebot sie ihm, ihr etwas zu reichen, da machte es, wie sie versicherte, eine Gebärde mit Kopf und Schultern, als wollte es ihr zu verstehen geben, dies sei über seine Macht.

Sie stand auf, ging im Zimmer herum, das Kind lief beständig vor ihr her, immer rückwärts, das Gesicht zu ihr gewendet. Man war in der schrecklichsten Besorgnis wegen dieser bleibenden Erscheinung; man hielt es für eine völlige Zerrüttung der Sinne und der Gesundheit; und man drang einigemal in sie, sich den Händen eines Arztes zu übergeben. Sie war aber nicht zu bewegen Arznei zu nehmen, weil sie sich so wohl fühlte, als sie seit lange nicht gewohnt war. In der Tat blühte sie zum Erstaunen aller Bekannten, in kurzer Zeit, ordentlich neu auf. Sie ward wieder munter, sie konnte wieder gehörig Speisen zu sich nehmen und ruhig schlafen, sie nahm wieder an der Gesellschaft frohen Anteil, und schien sogar ihres traurigen Gelübdes nicht mehr zu gedenken. Ein paar Mal sprach sie nur mit ihrem Gemahl davon, aber mit der größten Geistesruhe; sie versicherte ihn, sie verlasse sich völlig auf sein Versprechen, ihr in der Erfüllung nicht entgegen zu sein. Die Erscheinung des Kindes verließ sie keinen Augenblick. Es begleitete sie bis an die Gittertüre, so oft sie ausging; sobald die Tür zugemacht war, sah sie es den Gang wieder zurück nach ihrem Zimmer schweben; wenn sie wieder kam, fand sie es ebenso am Gitter ihr entgegen kommen. Dabei war es, wie sie vorgab, immer traurig, wenn sie es verließ, und vergnügt, wenn sie es wieder sah. Bei Nacht trug es eine Kerze in der Hand, und am Tage einen Blumenkranz. Außer jenem Bezirk hatte es sie nie verfolgt. Man beredete sie ein anderes Zimmer zu beziehen, dazu war sie aber auch nicht zu bewegen. Sie weinte, wenn sie nur daran dachte, es von sich zu stoßen, und der Marquis ließ es sich endlich gefallen, weil er hoffte, sie würde doch nun ihrer Vision zu Gefallen nicht ins Kloster gehen. Sie liebte die kleine Gestalt mit wahrer mütterlicher Leidenschaft; sie ward oft in Gesellschaften unruhig, und sehnte sich nach dem Kinde hin, wenn sie es einige Stunden verlassen hatte. Man hörte sie in ihrem Zimmer mit ihm sprechen. Sie hatte ein kleines Bett dem ihrigen gegenüber stellen lassen, darein legte es sich, wenn sie es ihm sagte, auch sah sie es des Nachts, wenn sie von ungefähr aufwachte, drin liegen, aber es erwachte in demselben Moment mit ihr. Ebenso machte sie ihm in einer Ecke des Zimmers eine Spielanstalt, mit einem kleinen Tisch und Stühlchen, sie sah es sich dazu niedersetzen; die Spielsachen berührte es aber nicht, es spielte nur mit den Blumen, die es in der Hand hielt, oder es saß still ihr gegenüber und lächelte sie mit großen Augen an. Nur wenn sie es fassen wollte, dann ward sie erinnert, daß es eine bloße Täuschung sei, dann wich das Luftbild von ihren Händen zurück, und ließ sich ebenso wenig ergreifen, als die farbige Gestalt des Regenbogens.

Nach einiger Zeit ereignete sich etwas, welches das Wunderbare dieser Erscheinung zugleich erklärte und vergrößerte. Die Marquise fühlte nämlich deutliche Zeichen, daß sie

guter Hoffnung sei. Die Freude des Ehepaars war ohne
Grenzen, als sie dessen endlich gewiß waren. Im Taumel der
Freude, ihr Gebet erhört, und sich des trostlosen Gelübdes
entbunden zu sehen, eilte sie nach demselben Altare, vor
welchem sie es damals abgelegt hatte, und gelobte nun an der
Stelle ihr Kind, statt ihrer, dem Kloster zu weihen! Der Marquis war mit diesem Gelübde beinahe so unzufrieden, als mit
dem vorigen, doch mußte er es geschehen lassen. Einen Knaben hoffte er mit Golde loszukaufen.

Neun Monate nach dem Tage der ersten Erscheinung ward
sie glücklich von einer Tochter entbunden. Während ihrer
Niederkunft sah sie die Erscheinung an ihrem Lager unbeweglich stehen, in dem Augenblick aber, daß ihr Kind zur
Welt kam, war jene verschwunden, und sie hat sie niemals
wiedergesehen.«

Juliane endigte hier ihre Erzählung, und ihre Zuhörer
dankten ihr einstimmig für das Vergnügen, das diese ihnen
gemacht hatte. – »Wenn ich mir jemals wünschen könnte,
eine Erscheinung zu sehen«, sagte der Müller, »so wäre es
eine solche!« – »Behüte mich Gott und alle heilige Engel vor
Geistern!« rief seine Frau, indem sie andächtig ein Kreuz
machte; »sie mögen auch sein, oder Gestalt haben, was und
wie sie wollen! sie bedeuten gar zu selten etwas Gutes.« –
»Eine sehr niedliche Geschichte!« sagte Eduard; »besonders
gefällt mirs, daß sie so wunderbar, und doch so einfach, so
wahrscheinlich ist; man versteht sie vollkommen, ohne durch
eine besondere prosaische Auflösung gestört zu werden, wie
es sonst bei wirklich erlebten Wundern gewöhnlich der Fall
ist.« – »Und Sie sagen gar nichts dazu, Florentin?« fragte
Juliane; »Sie sehen so gedankenvoll aus, haben Sie etwa gar
nicht zugehört?« – »Ich habe wohl zuhören müssen«, sagte
dieser, »die Geschichte zwang mich ordentlich zur Aufmerksamkeit. Mir war, als wären mir sowohl die Begebenheiten,
als die Menschen darin nicht fremd; unwillkürlich schob sich
mir bei jedem eine bekannte Person unter; so wie man, wenn
man ein Schauspiel liest, sich die Schauspieler denken muß,

von denen man es einst hat spielen sehen. Und was ich sonst nicht leicht fühle, mich hat ein leises Grauen dabei überfahren.« – »Grauen?« fragte Juliane, »diese Wirkung hatte sie doch auf mich gar nicht, da mich sonst schon bei dem bloßen Gedanken an eine Geistergeschichte schaudert; man sollte es aber schon an Ihnen gewohnt sein, daß die Dinge allezeit auf Sie ganz anders wirken, als auf andere ehrliche Leute. – Doch sehen Sie, der Tag bricht an«, fuhr sie fort, »nun dächte ich, während unser guter Herr Wirt Anstalten trifft, daß der Bote aufs Schloß geht, und die Frau Müllerin uns noch ein Frühstück bereitet, so singen Sie etwas, Florentin! Ich kann nicht verhehlen, ich bin voller Unruhe und Ungeduld, Musik wird am ersten fähig sein, diese zu täuschen.«

Der Müller und seine Frau gingen hinaus, um zu tun, was sie verlangt hatte. »Nun fangen Sie an«, sagte Juliane, »die Guitarre werden Sie nicht brauchen können, sie hat wahrscheinlich sehr von der Nässe gelitten.« – »Es tut nicht viel«, sagte Florentin, »sie wird noch immer gut genug sein, Takt und Tonart ungefähr drauf zu bemerken, mehr braucht es nicht. Doch was verlangen Sie für ein Lied?« – »Singen Sie, was Sie wollen, nur etwas Neues und Kluges!« – Nach einem kurzen Besinnen sang er folgende Strophen:

»Mein Lied, was kann es Neues euch verkünden?
Und welche Weisheit, Freunde, fordert ihr?
Der Hohen meine Jugend zu verbünden,
Dies, wie ihr wißt, gelang noch niemals mir.
Noch Neu, noch Alt wußt ich je zu ergründen;
Das Schicksal gönn' im Alter Weisheit mir.
Wir irren alle, denn wir müssen irren,
Gelassen mag die Zeit den Knäul entwirren.

Der Waldstrom braust im tiefen Felsengrund,
Gar schroffe Klippen führen drüber hin,
Die furchtbar hängen überm finstern Schlund;
Wer strauchelt, dem ist sichrer Tod Gewinn!

Ein Müder wankt am Geist und Gliedern wund
Daher, schaut bang hinab, kalt graust der Sinn:
Am Felsen spielt ein Kind, sorglos bemühet
Ein Blümchen pflückend, das am Abgrund blühet.

Oft mühten sinnreich Dichter sich und Weise,
Das Leben mit dem Leben zu vergleichen.
Am glücklichsten geschah's im Bild der Reise!
Ein Tor eröffnet Armen sich, wie Reichen;
Früh ausgewandert auf gewohntem Gleise
Sieht er die Dämmrung kaum dem Licht entweichen,
So treibt der Wahn, ihm dürf's allein gelingen,
Rastlos in nie erreichte Fern zu dringen.

Es türmen Felsen sich in seinen Wegen,
Des Mittags Strahlen glühn auf seinem Haupt,
In Wüsten Sands muß sich der Fuß bewegen,
Ein Ungewitter naht, der Sturmwind schnaubt,
Wo kommt ein sichres Dach dem Blick entgegen?
Es seufzt nach Ruh, wem stolzer Mut geraubt;
In später Nacht, nach tausendfältger Not
Kömmt er ans Ziel – und dieses ist – der Tod!

Der Jüngling tritt, von Ahndung fortgezogen,
Zur Schwelle hin, die in das Leben führt.
An seiner Schulter tönt der goldne Bogen
Der Göttin, so die Welt ihm hold verziert,
Der Phantasie, die ihn auf kühnen Wogen
Sanft fortreißt, ihn mit bunten Bildern rührt.
Wenn er dann so nach schönen Träumen hascht,
Wird unbewußt vom Glück er überrascht.

Gebt acht, gebt acht, Gelegenheit ist flüchtig.
Nicht leicht ihr Stirnenhaar im Flug zu fassen.
Obgleich zu nützen sie ein jeder tüchtig,
Dem's klug gelang, sie nicht entfliehn zu lassen,

So ist dem Würdigen sie nie so wichtig,
Daß er von ihr sich mag bestimmen lassen.
Doch was hilft Mut, was mächtiges Bestreben
Dem Schiff, das tollen Stürmen preisgegeben?

So mancher hat gefunden, was zu suchen
Er gleichwohl nicht verstand, was zu gewinnen
Vergebens er, und mühvoll wird versuchen;
Mißlingen droht dem treulichsten Beginnen.
Wie viele hört man dann ihr Los verfluchen
Und klagen: ›Glück! o mußtest du zerrinnen?‹
Was traut ihr müßig auf des Glückes Gunst?
Natur sei Vorbild, Leben eine Kunst!

Wer hebt des Künstlers Mut in Kampf und Leiden
Als ferne Ahndung hoher heilger Liebe?
Was lehrt ihn schellenlaute Torheit meiden
Als eignes Glück der süßen zarten Liebe?
Wo ist ein Port für Hohn und böses Neiden,
Als in den Armen frommer, treuer Liebe?
Und wird des Helden Stirn in Myrtenkränzen
Der Nachwelt schöner nicht, als Lorbeer glänzen?«

Florentin war von seinem eignen Gesange nach und nach
so begeistert, daß ihm Reime und Gedanken je mehr je leichter zuflossen, und die beiden wären es nicht müde geworden, zuzuhören, wenn er auch noch länger fortgesungen hätte. Die Müllerin unterbrach aber seinen Gesang und ihre Aufmerksamkeit, indem sie das Frühstück herein brachte. Zu gleicher Zeit kam auch der Bote mit der Nachricht zurück, der Wagen und die Bediente der Gräfin würden in weniger als einer Stunde anlangen. Er hatte am jenseitigen Ufer einen Reitknecht vom Schloß zu Pferde angetroffen, der ihn bei seiner Überfahrt erwartete. Dieser hatte ihn gefragt, ob er nicht etwa drei Herren in Jagdkleidern gesehen hätte, denen zwei Hunde gehörten, die er vor der Tür der Mühle liegen

sähe? Da er nun gleich gesagt, daß sie alle drei in der Mühle eingekehret seien, und dort übernachtet hätten, und daß er eben abgeschickt sei, um den Wagen vom Schloß zu holen, so habe ihm der Reitknecht befohlen, nur wieder zurückzugehen, und der Herrschaft zu sagen, daß er sogleich den Wagen, der im Dorfe warte, nach der Mühle schicken würde.

Juliane hatte wieder ihre Kräfte gesammelt; die Nachricht, daß sie in kurzer Zeit abgeholt würde, machte sie völlig heiter und gut gelaunt. Um Eduards Stirn schwebte eine Wolke, die Julianens ganze Heiterkeit nicht völlig zerstreuen konnte. So oft sie ihre Ungeduld, nach Hause zu ihren Eltern zu kommen, äußerte, stieg sein Unmut beinah bis zur Bitterkeit. – »Mein geliebter Freund«, sagte Juliane, »es hilft Ihnen zu nichts, daß Sie Ihre Vorwürfe nicht aussprechen, sie sind sichtbar auf Ihrer Stirn geschrieben; aber wie sie auch erscheinen sind sie sehr ungerecht; Sie sollten die angenehmen Stunden nicht mit Mißmut endigen!«

Das Frühstück war kaum verzehrt, als der Wagen mit der Kammerfrau der Gräfin Eleonore kam, die ihr Wäsche und Kleider mitbrachte. Juliane erkundigte sich nach ihren Eltern. Sie hatten die Nacht in erschrecklicher Angst zugebracht, erzählte die Kammerfrau: der Graf wollte sich trotz dem Ungewitter selbst aufmachen, um sie aufzusuchen, durfte aber die Gräfin nicht verlassen, die sich sehr übel befinden, und bei jedem starken Blitz ohnmächtig ward. Im ganzen Schloß blieb alles die Nacht über auf, und sobald das Gewitter nur etwas nachgelassen, mußte die Kammerfrau mit dem Wagen nach dem Dorfe fahren, weil sie vermuteten, daß die jungen Leute nach dieser Seite zu gewandert wären, der Reitknecht mußte unterdessen zu Pferde das Gebirg und die Gegend durchsuchen. Er war auch gleich, nachdem er dem Kutscher die Mühle bezeichnet, aufs Schloß zurückgeritten, um es zu melden, daß sie glücklich gefunden wären.

Juliane war gerührt über die Angst, die sie ihren Eltern gemacht hatte, und eilte sich umzukleiden, um so schnell als möglich wieder zu ihnen zu kommen. Florentin und Eduard beschlossen, zu Fuß zurückzugehen, sie konnten auf dem weit nähern Fußweg doch noch früher als der Wagen auf dem Schlosse ankommen. Sie nahmen freundlich Abschied von ihren guten Wirten, die es als eine Beleidigung ansahen, als man davon sprach, ihnen ihre gehabte Mühe und Unkosten zu bezahlen. Juliane zog einen kleinen Ring vom Finger und gab ihn der Müllerin zum Andenken, um einigermaßen ihre Erkenntlichkeit zu bezeigen.

Der Graf und Eleonore kamen ihrer Tochter eine große Strecke entgegen, die beiden Freunde ergötzten sich die Freude zu sehen, mit der sie empfangen ward, und mit der sie aus dem Wagen in die Arme ihrer Eltern stürzte, als ob sie Jahre lang getrennt gewesen wären. Juliane wurde mit Fragen bestürmt und mußte es feierlich ihrem Vater versprechen, niemals wieder seine Einwilligung zu einer ähnlichen Unternehmung zu fordern.

So endigte die abenteuerliche Wanderung. Obgleich ihnen keine andere als gewöhnliche Begebenheiten zugestoßen waren, so war sie ihnen doch wichtig geworden. Sie hatten auf diesem kurzen Wege, den sie mit einander gewandert, tiefere Blicke in ihr Inneres zu tun Gelegenheit gefunden als sie in einem Jahre langen Nebeneinandergehen in der großen Welt vermocht hätten. Juliane hatte die Erfahrung ihrer Abhängigkeit gemacht, und mußte es sich gestehen, daß sie es nicht so unbedingt wagen dürfe, außer ihren Grenzen, und ohne ihre Bande und ihre erkünstelten Bequemlichkeiten fertig zu werden.

Dreizehntes Kapitel

Die Zeit des Aufschubs war verstrichen, es waren nur noch drei Tage bis zu dem für die Vermählung festgesetzten, und man erwartete jede Stunde die Ankunft der Gräfin Clementine.

Unter verschiedenen Anverwandten und Freunden, die sich

nun allmählich auf dem gräflichen Schlosse einfanden, kam auch einer ihrer Nachbarn, auf den sich schon alle längst gefreut hatten, weil er ihnen durch seine Eigenheiten viel zu lachen gab. Er war vormals Oberstwachtmeister, hatte aber bei seinem herannahenden Alter den Abschied genommen, und lebte nun auf seinen Gütern, wo er Ökonomie trieb, seine Besitztümer verbessern, und seine Bauern aufklären wollte: zu dem Ende las er alles, was in diesem Fache geschrieben ward, und versuchte alle Menschenfreundlichkeit lehrende Theorieen zu realisieren. Da er nun den größten Teil seines Lebens sich mit Ideen ganz anderer Art beschäftigt hatte, so konnte es nicht fehlen, daß er alles falsch anfing, seine oft gute Absicht verfehlte, und sich nur selten nützlich, desto häufiger hingegen lächerlich machte. Da seine Verbesserungen gewöhnlich mehr darauf hinausgingen, ihn zu bereichern, als wie er vorgab das Gute wirklich gemeinnützig zu machen, und er bei allen Vorkehrungen, die er traf, seine Bauern zu bilden, sich doch niemals vorstellte, daß sie klug genug wären, seine eigentliche Absicht einzusehen, und aus eben dem Grunde nicht allein sie nicht beförderten, sondern ihr auch noch auf alle ersinnliche Weise entgegenarbeiteten, so lebte er in ewigen Verdrüßlichkeiten und Zänkereien. Übrigens war er, was man einen recht guten tätigen Mann nennt. Niemals hat wohl jemand, bei so vielen Anspruch auf Gravität und Würde, mehr Anlaß zum Lachen und Bedauern gegeben, als der gute Oberstwachtmeister. Er brachte bisweilen seine Lächerlichkeiten mit einer solchen Naivetät vor, daß man geneigt war zu glauben, er wolle sich selbst parodieren: so geschah es denn oft, daß seine Hörer ohne alle kränkende Absicht laut auflachten, wo er eigentlich die ernsthafteste Aufmerksamkeit hatte erregen wollen.

Bei seinem jetzigen Besuche brachte er das Gespräch auf die ökonomischen Einrichtungen des Grafen, und konnte seine Verwunderung nicht genug darüber bezeigen, daß diesem alles so wohl, so leicht und ohne alle Widerwärtigkeiten gelinge, während er mit aller Arbeit es nur bis zum Streit und zur Verwirrung zu bringen wisse. Er hatte auf seinem Wege nach dem Schloß sich mit einem alten Landmann aus dem Schwarzenbergischen Dorfe in eine Unterredung eingelassen, der die eingeführten Neuerungen und Verbesserungen seiner Herrschaft nicht genug loben und segnen konnte. Dieses unverdächtige Lob hatte ihn ganz wild gemacht; er polterte und sprudelte nun eine Anrede an den Grafen heraus, wo neben recht kräftigen derben militärischen Ausdrücken, die Worte Bildung und Verfeinerung äußerst drollig hervorstachen, und endigte mit dem Anliegen: der Graf solle ihm Unterricht in der neuesten Verbesserungsmethode geben.

Um ihn etwas zu besänftigen, und ihn von seiner Mutlosigkeit zu heilen, erinnerte ihn der Graf an seine Verschönerungen des Parks, des Gartens und des Wohnhauses. –

»Ja, ja«, sagte er mit Selbstzufriedenheit, »das ist freilich etwas! Es hat mir doch auch, muß ich sagen, viel Arbeit und Kopfbrechen und viel schweres Geld gekostet. Nun freilich! so etwas wie mein Ermenonville, meinen otaheitischen Pavillon, meine chinesischen Brücken, dergleichen haben sie noch nicht ausgeführt, das ist wahr! Apropos, ich muß Ihnen doch erzählen: ich habe von meinem Neffen, der vorigen Sommer von seiner Reise um die Welt zurückgekommen, eine ganz vortreffliche und genaue Zeichnung von den ägyptischen Pyramiden erhalten, die ich, sobald ich mit meinem Vesuv zustande bin, ebenso nachzuahmen gedenke; unter uns, ich hoffe, es soll gewiß ein Meisterwerk und ein seltnes Stück werden. Dabei habe ich den Gedanken, in diesen Pyramiden ein Monument für mein seliges Lottchen zu stiften. Ich habe auch schon den Platz mit Trauerweiden und wilden Rosen bepflanzen lassen, und der Neveu will die alten Inschriften, die er mitgebracht hat, hinein besorgen. Dahin will ich mich dann in melancholischen Stunden in die Einsamkeit begeben, mich meinen Gedanken überlassen, und das Andenken meines lieben seligen Lottchens feiern.

Jetzt meinte ich aber nur die Ökonomie, Ihre Verbesserung des Ackerbaues, und das ehrbar folgsame Betragen

Ihrer Bauern. Sehen Sie, das war's, dahin bringe ich's mit aller
Arbeit nicht. Wie ich es mir sauer werden lasse, das werden
Sie wohl nicht glauben; wie ich mich Tag und Nacht damit
beschäftige die Bestien auszubilden; und wie sollt' es einen
nicht dreifach ärgern, wenn man dahinter kommt, daß sie
ihrem Wohltäter Gutes mit Bösem vergelten, und lügen und
betrügen, wo sie nur immer können. Blutsauer habe ich's mir
werden lassen! Ja sollten Sie sich vorstellen, ich bin so weit
gegangen: als ich neulich etwas von ihnen verlangte, wobei
ich, wenn es mir gelungen wäre, auf ein paar tausend Täler-
chen jährlich mehr hätte rechnen können, mußten nicht
allein meine Töchter, bei einem Fest, das ich veranstaltete,
mit ihnen tanzen, ja ich ging so weit, daß ich sie selbst in
ihren eignen Häusern überraschte, mich mit ihnen zu Tische
setzte, und von ihrer miserabeln (Gott verzeih mir die
Sünde) Kocherei aus einer Schüssel mit ihnen verzehrte! Ich
tat nicht anders, als ob es mir ganz vortrefflich schmeckte,
dankte ihnen, und unterhielt mich mit ihnen, als ob sie
meine Kameraden wären. Ich sage das eben nicht darum, als
ob es so besonders tugendhaft von mir wäre, ich weiß recht
wohl, daß es gegen die Aufklärung und gegen die reine
Menschlichkeit liefe, wenn ich anders handelte, aber ich vermutete, die Halunken würden von meiner Herablassung
gerührt sein, und in alles einwilligen, was ich von ihnen verlangte, es wäre denn doch ein Beweis ihrer verfeinerten Sitten und ihrer edlen Herzen gewesen. Aber mir nichts, dir
nichts! sie blieben bei ihrem starren Eigensinn, es fehlte
nicht viel, so hätten sie sich gegen mich zusammengerottet,
bloß aus Egoismus, weil mir, wie sie sagten, allein der Vorteil
zufließe, und sie freilich wohl ein wenig mehr Arbeit und
einen kleinen Zeitverlust dabei gehabt hätten. Anfangs
wollte ich's nun doch mit Gewalt durchsetzen, aber sie waren
so undankbar, mir mit einem Prozeß zu drohen! Ich ließ es
gut sein und war zufrieden; aber geärgert hat es mich, daß ich
aus der Haut hätte fahren mögen! Nun, Herr Graf, sagen Sie
mir nur, Sie richten ja aus, was Ihnen beliebt! Tun Sie denn

noch mehr?« – »Bei weitem nicht so viel, als Sie, Herr Obristwachtmeister«, sagte der Graf beruhigend. »Aber Sie haben selbst sehr richtig bemerkt, ich bin so glücklich, einen Schlag sehr guter Leute auf meinen Gütern zu besitzen, die mir allenthalben kräftig die Hand bieten. Ich suche nur zu verhüten, daß sie nicht durch zufälliges Unglück bis zu dem schauderhaften Elend gebeugt werden, so sie Hülfe in der Niederträchtigkeit und Vergessenheit ihres Elends in der Völlerei zu suchen haben. Sie werden erfahren haben, wie meine Schwester für die Kranken sorgt. Auf eine ähnliche Weise werden sie jedesmal unterstützt, wenn es nötig ist. Da sie nun für die ersten Bedürfnisse nicht so hart und unablässig zu sorgen brauchen, so kommen sie von selbst und ganz ohne Zwang darauf, ihren Zustand immer mehr und mehr zu verbessern. Sie tun mir also zu viel Ehre an, Herr Obristwachtmeister, wenn Sie mir allein alle Verbesserungen und manches ungewöhnlich Gute zuschreiben, das Sie auf meinen Gütern bemerken wollen. Sehr viele, ja die meisten Ideen dazu, kommen von meinen Landleuten selbst; sie kennen den Boden, den sie bearbeiten müssen, durch ihre Erfahrung am besten, daher sind sie am ersten imstande und berechtigt, sich die vorteilhafteste Behandlungsart zu ersinnen; ich reiche ihnen nur hülfreich die Hand, wenn etwa die Ausführung ihre Mittel übersteigt. Der Vorteil des Gelingens gehört ihnen unbezweifelt, so wie auch billig der Schaden des Irrtums oder des Verfehlens, der jedoch ihre ganze Bestrafung ausmacht.« – »Das Wichtigste«, fing Eleonore an, »hat mein Gemahl Ihnen noch nicht erwähnt, Herr Obristwachtmeister: ich meine den abgeschafften Frondienst. Die Leute haben nun, was ihnen so wichtig ist, Muße, ihre eignen Geschäfte desto besser zu besorgen.« – Der Obristwachtmeister hatte, während der Graf gesprochen, mit komischer angestrengter Aufmerksamkeit zugehorcht, um etwas zu lernen, auch einigemal Beifall genickt, indem er die Umstehenden nach der Reihe anguckte. Als aber Eleonore vom Abschaffen des Frondienstes anfing, sprang er ungeduldig

auf. »Gut, daß Sie davon anfangen, Frau Gräfin! ich hatte es
mir schon längst vorgenommen, Ihnen meine Meinung darüber zu sagen. Sie haben Ihren Bauern den Frondienst erlas-
sen, der jedem Gutsbesitzer von Gott und Rechts wegen
zukömmt, dadurch haben Sie aber allen Ihren Nachbarn vielen Schaden zugefügt. Herr Graf! es ist nicht ein jeder gesonnen, seinen gerechten Vorteil so mutwillig zu verschleudern,
und nun wird uns alles erschwert. Nein, erlauben Sie mir,
daß ich's Ihnen sage, daran taten Sie sehr unrecht! Eine alte
Gerechtigkeit muß man nicht aufheben. Unsere Vorfahren
haben den Frondienst eingerichtet, und das waren auch keine
Narren; die Nachkommenschaft sollte nur mehr Respekt vor
ihren Einrichtungen haben! Einzelne Verbesserungen, ja einzelne lasse ich mir gefallen, aber das Ganze darf nicht nieder-
gerissen werden! Alle Teufel! bei der Ordnung muß es bleiben. Und nehmen Sie mir's nur nicht übel, Herr Graf, auf
diese Weise geht es Ihren Bauern freilich herrlich und in
Freuden, da Sie sich das Ihrige entziehen! Aber damit wäre
mir noch gar nicht gedient, meine Bauern sollen sich nicht
aus Eigennutz vervollkommnen, und meinen Willen ihres
eignen Vorteils wegen vollziehen, sondern aus reiner Liebe
und Dankbarkeit sollen sie mir meinen Willen tun. Weltlichen Vorteil sollen sie gar nicht vor Augen haben, sondern
Moralität, feine Ausbildung des Kopfs und des Herzens!
Lieben sollen mich die Halunken!« – In diesem Ton fuhr der
gute Obristwachtmeister noch ein Weilchen fort, zur großen
Belustigung der Gesellschaft, die über diesen Freund der
Kultur sich nur mit Mühe das laute Lachen enthielt. Eleonore mußte einigemal das Gesicht wegwenden; der Graf versuchte es, ihn zu unterbrechen, und ein anderes Gespräch auf
die Bahn zu bringen, aber das ging nicht so leicht. Er kramte
mit großem Eifer alles durcheinander aus, und schwieg nicht
eher, bis man zu Tische ging, wo er sich dann wieder beruhigte. Beim Anblick der mannichfaltigen Flaschen ward er
vollends wieder friedlich und freundlich gesinnt, vergaß Kultur, Ökonomie und Moralität, ließ es sich trefflich schmek-

ken, und prüfte so lange die einheimischen und fremden Weine gegen einander, bis man ihn nach einem andern Zimmer führte, wo er den Rest des Tages ruhig verschlief.

»Wie gefällt dir die herrliche Karikatur?« fragte Eduard. – »Dieses ist einer der umfassendsten Geister, die es gibt«, erwiderte Florentin; »er vereinigt in sich alle die Narrheiten, die man sonst in der ganzen Welt ausgebreitet findet; jedes Rätsel, das uns in ihr verwirrend und ängstigend entgegenfährt, ist aufs belehrendste in ihm allein aufgelöst!« – Juliane bedauerte spottend die armen Fräulein, die aus ökonomisch-politisch-menschenfreundlicher Absicht mit den unwilligen, aufgebrachten Bauern tanzen mußten, und stellte die Not, sich nach ihrer Weise fügen zu müssen, sehr komisch und lebhaft vor. Sogar Therese und die Knaben übten ihren Mutwillen an dem ehrlichen Obristwachtmeister, bis der Graf ihnen endlich Einhalt tat, der sich bei diesen Gesprächen erinnert hatte, daß seinen Bauern am Vermählungstage ein Gastmahl auf dem Schloß bereitet werden müsse, und war verwundert noch keine Anstalten dazu machen zu sehen. – Eleonore gestand ihm: sie hätte es zwar nicht vergessen, könnte sich aber immer nicht entschließen etwas anzuordnen, was noch jedesmal ihr Mißfallen erregt, so oft sie dabei gewesen. – Der Graf erwiderte: es lasse sich schwerlich etwas Gegründetes gegen eine so ehrwürdige Sitte einwenden, die von jeher in seinem Hause stattgefunden, und die er nicht gern ohne Grund abschaffen würde. – »Verzeih mir, mein Bester!« sagte Eleonore, »aber ich konnte mir nie weder Gutes, noch Erfreuliches dabei denken, wenn ich diese Leute an einer langen Tafel, schnurgerade gereiht sitzen sah, Zwang und staunende Langeweile auf allen Gesichtern, die Männer an der einen, die Frauen auf der andern Seite; zufällig Feinde sich nah, Freunde und Liebende getrennt, fremd, ängstlich, unbehaglich! Von der Dienerschaft, wo nicht gar von der herrschaftlichen Familie selbst bedient, fühlten sie sich in nicht geringer Verlegenheit, so oft ihnen etwas gereicht ward, und nahmen sich dann natürlich so ungeschickt und link dabei, daß die übermütigen Lakaien sich berechtigt glaubten, sie hohnlachend zu verspotten. Irgendein Lächeln, oder das Ansehn von Superiorität, das man doch nicht unterdrücken kann, und das nur auffallender wird, je mehr man's unterdrücken will, macht ihnen vollends diesen ostensibeln Akt von Herablassung zur Pein. Es kann nicht fehlen, daß das demütigende und zugleich erniedrigende Bewußtsein sich nicht in ihre Herzen schleiche: sie seien unter dem Vorwand eines Gastmahls bloß zur Dekoration für die Vornehmen bestimmt, die sich an einer ländlichen Szene erlustigen wollten. Dürften diese ehrlichen Leute freimütig ihre Meinung sagen, so würden sicherlich die meisten, wie Sancho Pansa bei den Ziegenhirten, ihrem Herrn für die unbequeme Ehre danken, in seiner Gesellschaft zu speisen; von denen, die es nicht ausschlügen, hätte ich auch nicht die beste Meinung.« – Eleonore wandte ihre ganze Beredtsamkeit an, den Grafen zu bewegen, daß er diesen alten Gebrauch abstellen, und den Bauern auf eine andere Art ein Andenken des fröhlichen Tages vergönnen möchte, aber der Graf wollte nichts davon hören. »Es sind noch Leute darunter«, sagte er, »die sowohl am Tage unserer Vermählung, als bei Julianens Geburt sind bewirtet worden, was würden diese glauben und glauben machen, wenn wir es bei dieser Gelegenheit unterließen? Entweder, daß unsere Freude nicht von Herzen gehe, oder daß wir die Gebräuche unserer Vorfahren nicht mehr ehren. Es darf nicht unterbleiben! Doch bleibt dir, Liebe, die ganze Anordnung unumschränkt überlassen. Die Mißbräuche, die du ganz richtig angemerkt hast, werden sich vielleicht vermeiden lassen.«

Das Gespräch ward durch Briefe von der Gräfin Clementine an den Grafen und an Julianen unterbrochen. Beide entfernten sich. Eleonore beratschlagte währenddem mit Eduard und Florentin wegen des Auftrags, den ihr der Graf gegeben. Es ward endlich unter ihnen etwas verabredet, und Florentin eilte sogleich, die nötigen Anstalten dazu zu treffen, die Kinder begleiteten ihn.

Der Graf kam zurück, und als er Eleonoren mit Eduard allein antraf, sagte er ihnen: sie dürften nun nicht mehr auf Clementinens Gegenwart bei der Vermählung rechnen, sie hätte es völlig abgeschrieben. Eleonore bat ihn, ihr etwas Näheres aus dem Briefe mitzuteilen, weil sie auf des Grafen Gesicht einige Sorge wahrnahm, die sie beunruhigte.

»Ich befürchte«, sagte er, »daß Clementine von einem ernsthaftern Grund zu kommen abgehalten wird, als der ist, den sie vorschützt. Wenn sie nur nicht wieder krank ist, und es uns verbirgt!« – Eleonore suchte ihn zu beruhigen; sie erinnerte, daß ihre fast niemals weichende Kränklichkeit ein ganz ruhiges Verhalten oft notwendig mache, gefährlich schien es doch nicht zu sein, da sie beide Briefe eigenhändig geschrieben hätte. Sie schlug dem Grafen einen verlängerten Aufschub vor, er unterbrach sie aber mit einiger Ungeduld: – »Es scheint auch Clementinens Wunsch zu sein«, sagte er; »aber, meine Liebe, ich kann weder dir, noch jener hierin nachgeben. Ich werde es nicht länger aufschieben, ein so heilig gegebenes Versprechen zu erfüllen, und ich selbst sehne mich zu lebhaft, dich, Eduard, als meinen Sohn zu umarmen. Es bleibt bei dem bestimmten Tage, gleich nachher wollen wir zusammen Clementinen besuchen, mich verlangt recht danach, sie zu sehen.« – Er ging mit Eleonoren in den Garten, wo er ihr noch einiges aus dem Briefe mitteilen wollte.

Juliane war traurig, ihre geliebte Tante nun nicht erwarten zu dürfen. Sie überlas ihren Brief immer wieder aufs neue. Eduard suchte sie bei sich in ihrem Zimmer auf, und wollte sie durch seine zärtlichen Liebkosungen erheitern. Sie fühlte seine Liebe, konnte sich aber dennoch nicht aus ihrer trüben Stimmung reißen, und bat ihn endlich, sie allein zu lassen. Er ging fort und suchte Florentin auf; er wollte nicht mit seinem Unmut allein sein. Juliane schrieb folgenden Brief an Clementinen.

Juliane an Clementina

Ihr letzter Brief hat mich nicht so froh gemacht, wie sonst alles, was von Ihnen kommt. Sie selbst erwartete ich, liebe Tante, wie soll ich mir nun an einem Briefe von derselben Hand genügen lassen, die ich selbst so gern mit Küssen überdeckt hätte, auf deren Segen ich hoffte!

Ich habe jetzt Sorgen, meine Tante! wie soll ich sie aber aussprechen? Wenn ehedem eine kindische Sorge mein Gemüt traf, dann wußten Sie es zu erraten, ich war durch Ihre Hülfe davon befreit, ehe ich sie zu nennen wußte. Aber jetzt wird es bedeutender, ich fürchte mich vor den ernsthaften Anstalten. Man kömmt und geht; Einrichtungen werden gemacht, andere zerstört; Vater und Mutter haben lange geheime Unterredungen, dann wird oft Eduard dazu gerufen. – O hätte ich es gedacht, daß es so viel Mühe, und mir so viel Angst machen würde! – Und alles ist weit schlimmer geworden, seit Ihren Briefen, Tante! Nachdem sie gelesen waren, fielen lange Unterredungen vor; der Vater war sehr bewegt, meine Mutter weinte. Ich saß unbemerkt an meinem Fenster, da konnte ich sie sehen, sie gingen auf der Terrasse auf und ab. Ich durfte um nichts fragen, denn es schien, als machten sie mir absichtlich aus dem Inhalt des Briefs und des Gesprächs ein Geheimnis, aber es beunruhigte mich. Was kann vorgehen? Ich habe Ihren Brief unzähligemal durchgelesen, um vielleicht in ihm selbst einen Aufschluß zu finden, aber umsonst! – Meine teure Clementine schreibt von Pflichten, die mir nun aufgelegt werden, denen ich vielleicht nicht gewachsen sei. Was sind das für Pflichten? gibt es noch andere, als die ich kenne: daß ich Eduard einzig und bis in den Tod lieben soll? Und wenn es nur diese sind, wie sollten sie mir zu schwer sein? Kann man zu lieben aufhören? gibt es eine andere Glückseligkeit, als treu zu lieben bis in den Tod? – Einst sagten Sie mir: das schönste Glück auf Erden für eine Frau wäre, wenn der Gatte zugleich ihr Freund sei. Sie sprachen mir aus der Seele, meine geliebte

Clementine; und wenn dem so ist, so dürfen Sie sich mit Ihrem Kinde freuen; Eduard ist gewiß der Freund seiner Juliane; er liebt mich ja, und kann man lieben, ohne der Freund der Geliebten zu sein?

Aber, was ihm nur fehlen mag? er ist nicht allein besorgt und nachdenklich, wie ich es bin; er ist traurig, voll Mißmut bis zur ungerechten Klage: ich liebe ihn nicht so, wie er hoffte, von mir geliebt zu sein. Ich weiß seine Zweifel nicht zu beruhigen, und meine eigne Unruhe wird immer größer. Vielleicht zerstreut sich dieser Nebel um uns, wenn wir erst in Ruhe uns selber werden leben, wenn erst der Lärm, die Wichtigkeit, die Feierlichkeiten vorüber sind.

Ich hätte vielleicht größers Recht zu klagen, als Eduard, daß ihn nicht so ganz genügt an seiner Freundin, daß er noch eines Freundes zu seinem Glücke bedarf. Jetzt wünschte ich aber selbst so sehr als er, daß Florentin bei uns bleiben möchte. In diesen Stunden der Mißverständnisse ist er unser guter Engel; die bösen Geister weichen vor seiner Gegenwart. Es ist ein ganz herrlicher Mensch, liebe Clementine! Eduard hängt mit der brüderlichsten Freundschaft an ihm und ich liebe ihn wie einen ältern Bruder. Ich fühle es wohl, was ich ihm schon jetzt verdanke, und was er uns beiden werden könnte! Aber alles unser Bitten vermag nicht, ihn zurückzuhalten. Eduard hat eine Vermutung, die ich Ihnen einmal mündlich mitteilen werde; ich halte sie aber nicht für gegründet, und auf keinen Fall ist es so ernsthaft, als er glaubt.

Diesen Morgen war ich lang allein mit Florentin. Wir überraschten uns beide mit der gegenseitigen Frage: »was fehlt Eduard?« jeder von uns glaubte den andern im Verständnis. Er wußte aber so wenig und ist so unruhig über diese Erscheinung, als ich selbst. Zum ersten Male habe ich ihn mit vollem Zutrauen begegnet; ich gestand ihm meine kleine Eifersucht, und daß ich für Eduards Liebe besorgt bin; aber er gab mir Unrecht, er warnte mich, nicht in die gewöhnliche Schwäche der Frauen zu verfallen und Achtung

für die Freundschaft der Männer zu haben. Es waren Ihre
Worte, Clementine. Ich mußte voll staunender Achtung vor
ihm stehen, denn so tiefe Blicke in mein Inneres hat niemand
noch, außer Ihnen, getan; solche Dinge hat mir noch kein
Mensch sonst gesagt. Er hat mich aus den tiefsten Winkeln
meines Herzens, da wo ich selbst nicht hinzudringen wagte,
herausgefunden. Es war beinah zu hart, mein Stolz empörte
sich endlich gegen seine Beschuldigungen. »Sie kennen freilich meine S c h w ä c h e n«, sagte ich ihm, »aber Sie wissen
doch nicht, was ich zu t u n imstande bin.« – »Das glaube
ich«, sagte er: »wenn Sie das nur in der Tat tun wollten, was
Sie zu tun imstande sind; wenn Sie nur nicht das, was Sie
sind, verleugnen, um wie die andern zu scheinen.« – Drauf
sprach er noch viel über Eduard und mich; so süß tröstete er
mich nun, sprach mir so beredt, als ob er für sich selbst spräche, von Eduards inniger Liebe, wußte mir so fein alle seine
Feinheiten herzuzählen. – Ich konnte nicht länger sorgen,
alle meine Bangigkeit war fast verschwunden bei seinem
freundlichen Trost. »Nur vergessen Sie nicht«, sagte er, »was
ich Ihnen gesagt; wenn Sie es auch jetzt nicht verstehen, einst
werden Sie es doch verstehen lernen.« – Ich fühlte eine Träne
über mein Gesicht rollen, als ich ihm die Versicherung gab;
seine Worte, seine Stimme, die wie eine scheidende Prophezeiung klang, hatten mich tief bewegt. Er küßte sanft mir die
Träne vom Gesicht; ich konnte es nicht wehren, er war selbst
zu sehr gerührt. – »Auch ich werde diesen Augenblick nicht
vergessen«, sagte er; »s o sehe ich Sie niemals wieder.« – Darauf verließ er mich.

Aber Clementina, warum sind Sie nicht bei mir? wo soll
ich Mut hernehmen die ernste Stunde zu überstehen? mußten Sie gerade jetzt Ihr Mädchen verlassen?

Ich vergesse alles, wovon ich Ihnen sonst schreiben
könnte. Mein Herz ist so voll! von mir selbst voll! muß es,
wird es nicht bald besser werden? Leben Sie wohl Clementina, teure geliebte Freundin! Segnen Sie Ihre Juliane.

Vierzehntes Kapitel

Es war ein heiterer herrlicher Morgen; ein großer, von hohen schattigen Bäumen umgebener Platz im Park, den man aus dem Kabinett der Gräfin übersehen konnte, und der von der andern Seite die Aussicht ins freie Feld ließ, war zur festlichen Bewirtung der Landleute eingerichtet. Unter den Bäumen rings um den Platz standen Tische von verschiedener Größe; jeder Familie war einer angewiesen, dessen Größe der Anzahl der Personen angemessen war. Es durfte keiner aus Mangel an Raum zurückgelassen werden. Jede Hausmutter sah sich im Kreise der Ihrigen, und sorgte nach ihrer gewohnten Weise für ihre Bequemlichkeit. Stühle standen umher, geräumige Lehnsessel für die Alten. Glänzend weiße Tücher waren über die Tische gedeckt. Frauen und Töchter stellten geschäftig das nötige Gerät umher, kein Lakai, keine Livree war zu erblicken. Gelassen sorgte jede für die Ihrigen, brachte sorgsam das ererbte, lang geehrte Glas, das gewohnte Messer des Hausvaters, damit er keine häusliche Bequemlichkeit vermisse. Mit Braten, Wein und Kuchen waren die Tische reichlich besetzt, mit Blumen anmutig verziert. Die Mitte des Platzes, ein frischer dichter Rasen, war zum Tanz für die jungen Leute bestimmt; da konnten die Alten ruhig an ihren Tischen sitzend dem Tanze zusehen.

Früh war Eleonore hinausgegangen, um selbst noch einmal nachzusehen, ob alles nach ihren Befehlen eingerichtet sei, und ob nichts mangle? Nach und nach kamen alle zusammen in festlichem Anzuge. Junge Mädchen mit Bändern und Blumen geschmückt, versammelten sich, Therese an ihrer Spitze, um Julianen einen blühenden Myrtenkranz zu überreichen. Jetzt kamen auch einige Abgeordnete aus Eduards und des Grafen nah liegenden Gütern. Jeder Tisch war für einige Gäste berechnet, sie fanden also leicht einen Platz. Sie suchten sich sogleich ihre Verwandte oder Bekannte heraus, und wer keine zu finden hatte, wurde von allen eingeladen, er wählte selbst seinen Wirt; die freundlichste Hausfrau,

das netteste, sittsamste Töchterchen zählten die meisten
Gäste, und entschieden die Wahl auf den ersten Blick. Der
Graf hatte einige Söhne aus dem Dorfe unter seinem Regi-
mente, diesen hatte er heimlich Urlaub gesandt, nach ihrer
Heimat zurückzukehren und sich mit ihren Mädchen zu ver-
binden, die schon längst auf diese Erlaubnis geharrt hatten.
Jetzt kamen die muntern Soldaten unvermutet zwischen den
Bäumen hervor, und begrüßten die freudig erschreckten
Eltern und die errötenden Bräute, die sich unter den versammelten Mädchen befanden, und welche heute ihre Aussteuer
von Eleonorens Händen erwarteten. Herzlich froher lauter
Willkommen schallte von allen Seiten; Umarmungen, Glück-
wünsche und Händeschütteln gingen im kunstlosen Reihen-
tanz durcheinander, bei dem der freiere militärische Anstand
und die hellen Farben der Uniformen lustig abstachen gegen
das einfältige friedliche Betragen der Einwohner.

Der Graf und Florentin kamen dazu; er bezeigte Eleonoren seine Zufriedenheit, und lächelte vergnügt bei dem schönen Anblick. – »Sehen Sie, Florentin«, sagte Eleonore, »wie
das alles lacht und lebt!« – »Mir ist«, sagte Florentin, »als
sähe ich eine Szene von Teniers lebendig werden! Es wäre
noch der Mühe wert zu leben, wenn es immer so auf der Welt
aussehen könnte!« – »Mutter«, rief Therese, »wo bleibt denn
Juliane? ich werde ungeduldig. – »Es ist wahr«, sagte Eleonore, »sie müßte schon hier sein, und wo bleibt Eduard?« –
»Sie waren schon diesen Morgen mit ihm aus, Florentin«,
sagte der Graf, »ich sah Sie beide zurückkommen, was hatten
Sie schon so früh vor?« – »Die Gesellschaft trennte sich
gestern sehr früh, wir blieben noch zusammen, ein Buch, das
wir vor einigen Tagen zu lesen angefangen hatten, zog uns so
fort, daß wir nicht eher aufhören konnten, bis es geendigt
war; es war nun nicht mehr Zeit sich niederzulegen, wir gingen hinaus, und erwarteten den Morgen.« – »Seit einigen
Tagen«, fing der Graf wieder an, »habe ich ein nachdenkli-
cheres, trüberes Wesen an Eduard bemerkt, als ihm gewöhnlich ist. Hat er Ihnen etwa die Ursache vertraut, Florentin?

oder haben Sie sonst Gelegenheit gehabt zu bemerken, was
ihn drückt? Sie müssen uns kein Geheimnis daraus machen,
es ist vielleicht nicht unmöglich seinem Verdruß abzuhelfen,
oder irgend einen geheimen Wunsch zu erfüllen. Warum verbirgt er sich uns?« – »Mir ist nichts bekannt, Herr Graf, als
was Sie selbst bemerkt haben, nämlich daß er nicht so heiter
als gewöhnlich ist.« – »Haben Sie sonst keine Vermutung?« –
»Die steigende Ungeduld, vielleicht die Erwartung!« –
»Unmöglich! sein Glück ist so nah, so sicher.« – »Vielleicht
ist es etwas ... mir hat er ... wirklich ... ich weiß nicht ...
Wenn Sie mir erlauben, so will ich jetzt die Gräfin Juliane
aufsuchen.« – Er ging zurück auf das Schloß. Die Fragen des
Grafen hatten ihn verwirrt. Entdeckt hatte Eduard sich ihm
nicht, aber er war fest überzeugt, eine geheime Eifersucht,
die er gerne unterdrücken möchte, marterte ihn, er war bis
zur Peinlichkeit reizbar geworden; Juliane heiterte ihn freilich oft wieder auf, aber nur auf kurze Zeit, dann war irgend
eine Kleinigkeit wieder imstande, ihn zu beunruhigen. Wie
ein Gespenst trat es Florentin vor die Seele, er sei die Ursache dieser Zerstörung. Auch das, was in jener Nacht in der
Mühle vorgegangen war, konnte er sich auf keine andere
Weise sonst erklären.

Auf dem Korridor nach Julianens Zimmer sah er eine Tür
geöffnet, die er bis jetzt immer verschlossen gefunden hatte;
er trat hinein, es war das neu eingerichtete Schlafzimmer für
Julianen, in dem die Kammerfrauen eben noch einiges ordne-
ten. Ein Basrelief mit Figuren in Lebensgröße über dem
Kamine zog sogleich seine Augen auf sich. Es war eine Psyche, welche die Lampe in der Hand, den schlummernden
Gott der Liebe mit staunendem Entzücken beschaute. Es
war in edlem Stil gearbeitet, und von vollendeter Ausführung, Florentin betrachtete es mit innigem Vergnügen, und
glaubte die Hand des Meisters darin zu erkennen; er freute
sich es so unverhofft erblickt zu haben. Das ganze Zimmer
war übrigens mit glänzender Pracht eingerichtet. Als er es
eben verlassen wollte, und noch einen Blick umherwarf, fiel

ihm das große Prachtbette auf, das dem vortrefflichen Kunstwerk gegenüber stand. Am Oberteil des Lagers sowohl, als
zwischen den stolzen Federbüschen, die auf den reich mit
goldnen Quasten verzierten schweren seidnen Vorhängen
prangten, breiteten sich mit großer Würde die Wappen,
gleichsam der schwebenden, beinahe entkörperten Psyche
erdrückend entgegen. – Wir wagen es nicht zu bestimmen,
was dem Florentin für Bemerkungen eingefallen sein mögen,
aber er lachte laut auf.

Juliane und Eduard begegneten ihm, als er zur Tür heraustrat. – »Ich war im Begriff Sie beide aufzusuchen, Sie werden
im Park erwartet.« – »Von wem? sind meine Eltern dort?« –
»Sie wünschen im Park zu frühstücken, eh die Gesellschaft
zu groß wird, auch werden Sie eines erfreulichen Anblicks
genießen.« – Sie eilten hinunter.

Eine jubelnde Symphonie von vielen Instrumenten, die
zwischen den Bäumen versteckt waren, empfing sie. Juliane
trug ein weißes Kleid von der feinsten Gaze, das in leichten
Falten bis zu den Füßen herab fiel, unter der Brust war es
von einer Reihe Smaragden zusammengehalten, ihre Haare
in eigner Pracht, ohne allen Schmuck aufgesteckt; feine
goldne Kettchen zierten Hals und Arme, auf dem schönen
Busen wiegte sich ein Stern von Diamanten. So schwebte sie
aus dem Schatten der Bäume hervor, herrlich geschmückt,
doch leicht und kunstlos. Augen und Herzen flogen ihr entgegen. Eine selige Heiterkeit verklärte ihr Gesicht beim
Anblick der frohen Menge. Ihre Eltern an der andern Seite
des Platzes erblickend, wollte sie sogleich zu ihnen herüber-
fliegen; ihre eiligen Schritte aber wurden von Kindern
gehemmt, welche sie mit Blumenketten umgaben und fest-
hielten; zugleich näherte sich ihr mit Gesang der Trupp junger Mädchen. Sie hob Theresen zu sich hinauf, küßte sie, und
ließ sich den blühenden Kranz von ihr auf die Locken drük-
ken. Mit nassen Augen lächelte sie beim Gesang der Mädchen, die einen Korb mit den schönsten Blumen zu ihren
Füßen niedersetzten. Kaum hatte sie sich in den Armen ihrer

Eltern von der freudigen Rührung erholt, als die beiden Knaben, Julianens Brüder, einen kleinen Wagen ganz von Rosen durchflochten herbeizogen, die Kinder zwangen sie scherzend hinauf, sie setzte sich unter eine Art von Rosenthron. Therese stand ihr auf dem Schoß, der Blumenkorb zu ihren Füßen, so ward sie im Triumph und Freudengeschrei fortgezogen; das Ganze sah so reizend und zauberisch aus, daß man einen Feenaufzug zu sehen glaubte.

So ging es fort nach einem stillen entfernten Teil des Parks, wo das Frühstück bereitet war. Zwischen den Büschen standen blühende Orangenbäume, die einen balsamischen Duft verbreiteten. Wo man hinsah, erblickte man Julianens und Eduards Namen aus Blumengehängen. Die Bäume waren durch eben solche Blumengehänge verbunden, und das Ganze bildete einen vollen bedeutenden Blütenkranz. Von verschiedenen Seiten in kleiner Entfernung ließen sich Oboen und Waldhörner bald wechselnd, bald zusammenstimmend hören, und wenn sie schwiegen, erschallte ganz von ferne die fröhliche Musik bei den Landleuten herüber. Jedes Geräusch war entfernt, alle saßen schweigend und horchend, jedes schien beschäftigt, die Freuden mit allen Sinnen in sich aufzunehmen. Florentin verglich im stillen den Eindruck dieses kleinen Tempels mit dem des prangenden Schlafgemachs, das er gesehen, und es ist leicht zu erraten, welches er sich von beiden am liebsten zum Allerheiligsten im Heiligtum der Liebe ausersehen hätte.

Von tausend süßen Gefühlen durchströmt, das Herz pochend von liebevoller Ahndung, lehnte Juliane das glühende Gesicht an den Busen ihrer Mutter, Eduards Lippen ruhten auf ihrer Hand, die er mit den seinigen umschlossen hielt. – »Meine Juliane, mein angebetetes Mädchen!« sprach er im Entzücken der Liebe: »werde ich dich jemals so glücklich machen können, als du in den Armen der Mutter bist?« – »Sie bleibt in den Armen ihrer Mutter«, sagte Eleonore, sie sanft an sich drückend, »auch wenn sie die Ihrige sein wird! Sie rauben sie uns nicht, lieber Eduard!« – »Mögt ihr beiden

das höchste Glück jedes das seine im andern finden«, sagte
der Graf, indem er sie umarmte, »ihr seid mein kostbarstes
Kleinod. Gott verleihe euch seinen reichsten Segen in dem
meinigen!« – Die Rede des Grafen schien erst bestimmt zu
sein, noch mehreres zu enthalten, er brach aber mitten darin
ab, und sah nach seiner Uhr mit einiger Bedenklichkeit. »Ich
hätte sehr gewünscht«, fing er wieder an, »noch einige Zeit in
diesem vertraulichen Kreise zu verweilen, aber ich sehe soeben, daß wir keine Zeit mehr zu versäumen haben: Juliane,
Du mußt an Deine Toilette denken, wir müssen uns ja noch
alle umkleiden.« – »Bleibt die Gräfin Juliane nicht so, wie sie
da ist?« fragte Florentin; »das werden wir bedauern müssen;
sie ist so schön in diesem Anzuge, daß keine Veränderung
vorteilhaft für sie sein kann.« – »Es ist wahr«, sagte der Graf,
»aber hier darf nicht die Rede von der Schönheit der Kleidung sein, sondern von der Schicklichkeit. In dieser kann sie
nicht öffentlich getraut werden, heute müssen wir notwendig
in Gala sein. Wenn uns nur die Fremden nicht überraschen,
wir haben zu lange verweilt.« – »Nun laßt uns zurück
gehen«, sagte Eleonore, »wir finden wahrscheinlich schon
einige versammelt. Auch unser wunderlicher Obristwachtmeister wird wohl schon aufgestanden sein; es wird mich
belustigen zu sehen, was er zu unserm Volksfeste sagen wird;
ich wette, er findet etwas gegen die Humanität darin zu
tadeln.« – Man trennte sich. Jeder ging auf sein eignes Zimmer. Eleonore fand, daß sie noch eine Stunde übrig hatte, sie
verschloß sich in ihr Kabinett und schrieb folgenden Brief an
Clementinen, die in der allgemeinen Freude von allen
schmerzlich vermißt ward.

Eleonore an Clementinen

Mitten aus dem festlichen Getümmel, und in unruhiger
Besorgnis, jeden Augenblick abgerufen zu werden, schleiche
ich mich in meine Kammer, um Dir einige Worte zuzurufen:
ich will meinem Herzen diese Freude nicht versagen, ich will

zu Dir reden, will mir einbilden, Du säßest neben mir, und ich sähe es dem lieben Gesicht an, wie Dein Herz die Freuden des meinigen teilt.

Aber auch schelten muß ich mit Dir, Du Übervernünftige! Wie? Juliane wird zum Altare geführt, und Du bist nicht bei ihr? wie magst Du es nur verantworten? Du weißt wohl, wie ich Dein Tun und Deinen Wandel verehre; dennoch glaube ich nicht, daß Du die Art und Weise von uns Weltkindern so sichtbar verachten darfst: es ist wohl ebenso verdienstlich von mir, daß ich mich aus dem Getümmel losreiße, um an Dich zu schreiben, als daß Du das Haus der Fröhlichkeit nicht besuchen willst, um den armen kleinen Geschöpfen Deiner Pflege unter Deinen Augen Hülfe und Nahrung reichen zu lassen. Denkst Du nicht daran, wie notwendig Du auch hier bist? Wer unter uns soll wohl Julianen das Beispiel der Sammlung und Frömmigkeit geben, das sie von ihrer Tante erhalten würde? Es werden viele gedankenlos um sie stehen, und sie wird umsonst die Augen suchen, an deren frommen Andacht sie sonst gewohnt war, die ihrigen zum Himmel zu erheben! Wird nun nicht die wichtigste Angelegenheit ihres Lebens fast leichtsinnig vollendet werden?

Die böse Nachricht, daß wir Dich nicht erwarten dürfen, betrübte uns alle, und wie sehr Juliane anfangs darüber trauerte, kannst Du wohl denken; bald wußte sie sich aber zu beruhigen, da wir ihr von Deiner eigentlichen Besorgnis nichts mitteilten, und sie so gewohnt ist, alles gut und recht zu finden, was von der Tante kömmt. Jetzt atmet ihre Brust wieder in ihrer natürlichen leichten Unbefangenheit. Du nennst es gewiß nicht blinde mütterliche Eitelkeit, wenn ich mich im Herzen freue, die Holdseligkeit des lieben Mädchens zu sehen, diese stolze zarte Schönheit, die aus ihrem Innern strahlend sie umgibt: Ja Du Teure! Du würdest, wenn Du sie so vor Dir sähest, leuchtend und glühend im vollen Ausdruck ihres Glücks, Du würdest nicht länger unzufrieden sein, daß ihr Vater eilt, sie mit dem Geliebten zu

vereinigen, daß sie trotz aller Deiner Gründe so früh vermählt wird. – Juliane ist beinah noch Kind, sagst Du, vieles
liegt unentwickelt und tief verborgen in ihr, das nicht geahndet wird, am wenigsten von ihr selbst, sie fängt kaum an, sich
selbst zu erkennen, sie wird aus einem Kinde zur Gattin, und
wird gewiß einst auf die übersprungene Stufe ihres Lebens
mit Wehmut zurücksehen. – Das ist sehr wahr, Liebe; nicht
weniger aber ist es wahr, daß Juliane vielleicht ihre Bestimmung ganz verfehlen möchte, wenn sie den ersten vernehm-
lich ausgesprochnen Wunsch ihres Herzens unterdrücken
müßte. Du weißt, wie sehr Juliane mir in vielen Stücken ähnlich ist, da mein Gemüt von jeher in schwesterlicher Liebe
vor Dir aufgeschlossen lag, so wie auch das ihrige von der
zartesten Kindheit an. Du wirst es nicht vergessen haben,
daß auch die Mutter, wie jetzt die Tochter, sich nur spät und
langsam erkannte; wie nur ihre frühe glückliche Bestimmung
verhinderte, daß nicht das lang verborgne Feuer heftiger Leidenschaftlichkeit verderblich um sich gegriffen. Was anders
bewahrte sie vor jeder Gefahr, die ihr aus ihrem Innern
drohte, als die Zufriedenheit mit ihrem Lose, die sie an den
Pforten der Selbsterkenntnis empfing; als die ruhige Liebe in
ihrem Herzen; als der Gatte, die Schwester, die Kinder! Ihr
kostbaren Reichtümer! Meinem Glück verdanke ich meine
Tugend!

Auch das ist wahr, daß Eduard uns von Jugend auf mehr
Beweise eines liebenden Gemüts und der feinen Ausbildung,
als eines selbstständigen Sinns gegeben; aber eben dies sein
liebendes Gemüt, dächte ich, müßte uns Bürge sein. Wie
hängt er doch mit inniger Liebe an der Geliebten seiner
Jugend! Wie ist er ihr durch alle Wandelbarkeit seines Lebens
so wahrhaft treu geblieben! Seine Liebe war gleichsam der
dauernde Grund, auf welchem die bunten Farben des Lebens
wie lose Fäden hin und her gewebt waren. Es fehlt ihm vielleicht nichts weiter, als die bestimmende Vereinigung mit der
Geliebten, um ihn ganz fest zu halten. Ich habe Sinn für
häusliche Freuden an ihm wahrgenommen; ich kann an nie-

mand verzweifeln, dem dieser Sinn nicht fehlt. Laß uns nur nicht weiter mit unserer Vorsorge dringen wollen! Unsre Hoffnung ist, sie dauernd glücklich zu sehen. Doch wer enthüllt uns die Zukunft? Dürfen wir uns erlauben, Böses zu verüben, um ein künftiges Gut zu sichern? Das wäre ja sogar gegen Deinen eignen Grundsatz.

Du weißt doch, daß Eduard seinen Plan, gleich nach der Vermählung mit Julianen auf Reisen zu gehen, aufgegeben hat, zu unsrer großen Freude. Die Kleine konnte sich nicht entschließen, uns zu verlassen, er hat sich auf ihr unablässiges Bitten entschlossen, noch einige Jahre bei uns zu leben, eh er seine weitern Plane ausführt. Sie bleibt also immer noch in unserer Mitte, er raubt sie unserm Kreise noch nicht, er selbst ist ein teures Mitglied desselben geworden. Wir wollen nun alles aufbieten, um ihn seinen neuen Entschluß nicht bereuen zu lassen. Fest soll sich an Fest ketten, und eine Lust die andere verdrängen. Wärst Du nur hier, die bange Sorge würde bald von Dir weichen! Dein Bruder ist in der besten Laune von der Welt; Du weißt, wie liebenswürdig er in seiner Heiterkeit sein kann; und überhaupt sind wir so fröhlich und ausgelassen wie die Kinder, haben alle Sorgen weit abgeworfen.

Nun ernstlich an meine Toilette, Juliane ist sicher schon fertig; der Lärm wird immer lauter, ich darf doch nicht zuletzt erscheinen. Bald siehst Du uns bei Dir, ich habe Dir viel zu erzählen von den lieblichen Festen, die hier begangen werden, vorzüglich von einem hier im Park, meinem Fenster gegenüber. Dies wird Dir gefallen, es ist ganz in Deinem Sinn; das kömmt daher, weil ich nichts anordne, ohne in meinem Sinn den Deinigen zu Rate zu ziehen.

Eleonore

Funfzehntes Kapitel

Florentin war allein geblieben. Er ging auf den Platz im Park: er war leer, die Leute waren hinausgegangen auf den Weg zur Kirche, dort wollten sie, in zwo Reihen geordnet, die herrschaftlichen Wagen durchfahren lassen. Er ging verdrüßlich ins Schloß zurück. Auf Gängen und Treppen war alles voller Tumult und Gedränge von wichtig tuenden, mit nichts lärmend beschäftigten Menschen. Allenthalben begegneten ihm fremde Gesichter. Unmutig floh er auf sein Zimmer. Das Gerassel der Wagen zog ihn ans Fenster. Eine lange Reihe von vier- und sechsspännigen Equipagen, mit goldbedeckten Lakaien behangen, leerte sich, eine nach der andern. Unerträgliche Figuren wurden maschinenmäßig aus den glänzenden Kasten gehoben, und ins Schloß gefördert. Florentin schauderte bei dem Anblick. Endlich ward er von den prächtigen Kleidungen erinnert, daß er sich wohl auch noch anders anziehen müsse, und nun fiel es ihm erst ein, daß ihm die wesentlichen Stücke zum gehörigen Anzug mangelten. Halb verlegen, halb lustig, war er noch unschlüssig, was er zu tun habe, als ihn ein Bedienter zu Julianen rief. Er fand sie in ihrem Zimmer völlig angekleidet.

»Kommen Sie her, Florentin«, rief sie ihm entgegen, »ich will nicht allein bleiben. Haben Sie die Mutter nicht gesehen? Ist Eduard nicht bei Ihnen? Es kömmt auch kein Mensch zu mir. Aber wie Sie mich anstaunen! Nicht wahr, es kleidet mich nicht?« – Sie war mit fürstlicher Pracht gekleidet. Sie blitzte und funkelte vom köstlichen Geschmeide und reicher Stickerei. An der Stelle des frischen Morgenkranzes war eine kleine Krone von Juwelen gesetzt, die Arme und der freie Hals waren mit den auserlesensten Perlenschnüren geschmückt, und diesen angemessen schimmerte der übrige dazu gehörige Schmuck.

»Wundert Sie mein Erstaunen?« fragte Florentin, »Sie sind blendend, Juliane!« – »Aber ich gefalle Ihnen nicht, nicht wahr?« – »Ich suche vergebens den leichtfüßigen schalkhaften Knaben im Walde; wo ist die gedemütigte Übermütige

hin, im geliehenen Wams und kurzen Rock? Wo sind die
Umrisse der gewohnten Gestalt vom heutigen schönen Morgen?« – »Ich glaube es Ihnen gern«, sagte Juliane. »Der Himmel behüte mich auch vor einer Existenz, wo ich oft so
gekleidet sein müßte; ich glaube, am Ende könnte man das
Lachen dabei verlernen.« – »Ja es mag wohl ernsthaft
machen, aber was zwingt Sie dazu?« – »Wir haben herzlich
gewünscht, diesen Tag mit Festen ganz anderer Art zu begehen; aber Sie wissen, der Vater läßt nicht leicht eine alte Sitte
abändern; um ihm nun seine Freude auf keine Weise zu stören . . . wären nur erst diese Tage vorüber!« – »Sie werden
durch sie auf alle künftige glücklich!« – »O über alles glücklich werde ich sein! ohne diese Hoffnung müßte ich der glänzenden Last erliegen. Es ist schön von Ihnen, daß Sie meine
augenblickliche schlechte Laune durch diese Erinnerung ver-
scheuchten. Wie man doch oft so undankbar sein kann!« –
»Üble Laune ist freilich am ersten dazu aufgelegt.« – »Lieber
Florentin, Sie müssen ein Andenken von mir nehmen, um
sich dieser Stunde und meines Glücks zu erinnern.« – Sie
suchte einen Augenblick unschlüssig in einigen Schubladen.
– »Nehmen Sie diese Brieftasche, die Stickerei darauf ist von
mir, dies mag ihr einigen Wert in Ihren Augen verleihen.« –
Er kniete nieder vor ihr und küßte ihre Hand: – »So empfange ich den Dank aus Euren Händen, schöne Jungfrau;
wäre mir doch der erste Dank bestimmt, so dürfte ich ihn
von den holden Lippen einsammeln!« – Die Tür ward geöffnet, Eduard trat herein, Florentin stand auf. – »Was hast Du
vor, Florentin?« – »Anbetung, mein Freund!« – »Tolle Possen! und noch nicht anders gekleidet? Fort, fort, es kömmt
Gesellschaft.« –

    Florentin ging hinaus. Auf der Treppe begegnete ihm der
Jockey, der ihn noch vom ersten Augenblick an, da er ihn im
Walde gesehen, zugetan war. – »Sattle mir gleich den Schimmel, mein guter Heinrich«, sagte er ihm leise, »reite ihn
durch das Hintertor hinaus, vor das Dorf, und erwarte mich
dort, daß dich aber niemand sieht; sage es auch niemanden!
Hörst du?« – »Verlassen Sie sich auf mich.«

Er sprang fort; Florentin ging wieder auf sein Zimmer. –
»Du hältst es nicht aus«, rief er unmutig; »was soll dir das
widersinnige Wesen? Immer wieder die alte Weise: wieder
einige bessere Menschen, die vom Haufen der Gewöhnlichen
bestimmt werden! Halte es nicht aus! ... aber die wenigen
Stunden noch; es ist kindische Ungeduld, ... nicht einen
Augenblick will ich mir selbst zur Last sein ... Was werden
sie aber dabei denken? ... Gut gefragt, wer steht mir in
irgend einem Falle für die Gedanken der Menschen? ... Es
ist aber ungesittet, wenn ich gehe ... es ist aber unwürdig,
wenn ich bleibe. Eduard! wirst du mich verstehen? wirst du
dein schwankendes, zweifelndes Gemüt bald beruhigen
können? ... Wie hat sich aber auch die Szene verändert! Wie
sind die lieblichen Farben der Morgenröte hingeschwunden,
und haben dem lärmenden Tage Platz gemacht! Wie werden
vom schweren Geschütz der Konventionen deine zarten
Freuden zertrümmert, göttliche Liebe! Alles ist zerstört!
Julianens holde Gestalt durch ein Gewicht angefesselt, ver-
zerrt; das eigne, schöne, bewegliche Leben von versteinerndem Kristall umstarrt. Eduard! was will der blasse Mond-
schimmer der heimlichen Kränkung auf deinem Gesicht,
worauf der Sonnenschein der glücklichen Liebe sonst
glänzte? O es ist wahr, daß Friede und Freude bald entfliehen, wo ich verweile. Fort will ich, fort muß ich! Alles wird
bald gut werden für dich, Eduard. Nur der Verbannte wird
oft seine Arme umsonst nach einem Freunde ausstrecken,
und sie ohne Trost wieder sinken lassen. Aber fort, fort;
allein will ich den Fluch tragen, der über mich verhängt
ist!« –

Während diesen bald hastigen, bald zögernden Worten
war er, indem er sich zu gleicher Zeit zur Reise anschickte, im
Zimmer unruhig auf und ab gegangen. Jetzt war er ganz rei-
sefertig und stand in der geöffneten Tür, den Hut in der
Hand; er besann sich, es war ihm, als müßte er Abschied nehmen. Zu Eleonoren will ich noch einmal gehen, dachte er, ich
finde sie vielleicht noch allein.

Eleonore war mit ihrem Putze ganz fertig, und siegelte

eben den Brief an Clementinen, um ihn noch fortzuschik-
ken. – »Mich dünkt, es ist jemand im kleinen Korridor«,
sagte sie zur Kammerfrau, »sieh zu.« – Florentin ward ihr
gemeldet, und trat gleich darauf selbst hinein. – »Was ist
das?« rief die Gräfin; »Stiefel? Sporen? Was wollen Sie in diesem Aufzuge?« – »Geben Sie mir Ihren Segen, teuerste Gräfin, ich will fort!« – »Träumen Sie? oder träume ich? ich verstehe Sie nicht –« – »Gütige Eleonore, fragen Sie nicht, Ihre
segnende Hand lassen Sie mich zum Abschied küssen.« –
»Was ist Ihnen, ums Himmels willen, was ist Ihnen widerfahren? wo wollen Sie hin?« – Die Kammerfrau kam wieder
hinein: »Gnädige Gräfin werden erwartet, es ist geschickt
worden –« – »Den Augenblick! Florentin, Sie dürfen nicht
so rätselhaft sein, was wird mein Gemahl sagen?« – »Ihnen
überlasse ich meine Verteidigung, Eleonore, und deswegen
komme ich eigentlich zu Ihnen, leben Sie wohl, ich darf Sie
nicht länger aufhalten.« – »Aber wo wollen Sie hin? Wir
sehen Sie doch wieder?« – »Soll ich einst noch so glücklich
sein? Der Ort, wohin ich gleich zuerst eilende, ist Ihnen
bekannt.« – »Mein Gott! freilich, Sie reisen zu Clementinen.
Wollen Sie uns dort erwarten? Sobald es hier wieder ruhig
ist, werden wir zu ihr reisen.« – Florentin verbeugte sich:
»Geben Sie mir irgend ein Zeichen für die Gräfin Clementina
mit, das mich ihr empfiehlt.« – »Hier nehmen Sie diesen
Brief, ich hätte nicht gedacht, daß er durch Sie würde bestellt
werden, Ihrer ist nicht darin erwähnt, aber Sie sind ihr sonst
schon bekannt, Sie dürfen nur Ihren Namen nennen.« –
»Gnädige Gräfin!« rief die Kammerfrau wieder. – »Leben Sie
denn wohl, Florentin, auf Wiedersehen!« – »Leben Sie wohl,
Eleonore, Ihnen trage ich es auf, Eduard zu beruhigen und
mein Andenken bei Julianen zu erhalten!« – »Wie, diese wissen nicht?« – Florentin war wieder zur kleinen Tür hinaus,
ohne weiter zu hören, oder zu antworten. Die Kammerfrau
schloß hinter ihm zu; in dem Augenblick führte von der
andern Seite der Graf einige Damen herein.

Florentin ging durch den Park, wo er hoffen durfte, niemanden zu begegnen, und so fort zum Dorfe hin, wo er

Heinrich, mit dem Schimmel ihn erwartend, fand. Er nahm
Abschied von dem Knaben, drückte ihm eine Belohnung für
seinen Diensteifer in die Hand, setzte sich auf den getreuen
Schimmel, und fort sprengte er im Galopp, ohne sich umzusehen. Heinrich sah ihm noch nach, als er ihn plötzlich still-
halten und das Pferd herumwenden sah; er kam wieder
zurück. – »Warte noch einen Augenblick«, rief er ihm zu.
Heinrich trat hinzu und hielt das Pferd; Florentin zog seine
Schreibtafel heraus und schrieb mit Bleistift auf ein Blatt:

    »Des Schicksals Schläge stählen und geben Kraft sich auf-
zurichten, indem sie niederbeugen; aber der Menschen klein-
liche Mißverhältnisse und Mißverständnisse zerstören
grausam das Gemüt. Ich segne meinen Eintritt in Euren
Kreis, aber ich gehe, damit ihn niemand verwünsche! Lebe
wohl, Eduard, gedenke meiner. –
    Juliane, wer Sie sieht, wird Sie kennen; wer Sie kennt, muß
Sie lieben; wer Sie liebt, kann nie aufhören. Bleiben Sie
glücklich!

                                                Florentin«

    »Gib es an Eduard von Usingen, guter Heinrich, aber gib
es ihm allein. Und nun Adieu.« – Er ritt langsam fort. Er
hatte beschlossen, die Nacht in der bekannten Mühle zu bleiben, und mit Tagesanbruch vollends zur Stadt zu reiten.

Sechzehntes Kapitel

Florentin war nach einer verdrüßlichen Reise in der Stadt
angekommen. Nie war er mehr mit sich selbst uneins gewesen. Zwar gefiel ihm die Hast, mit der er das Schloß und alle
seine Reizungen, sobald es ihm Zeit zu sein gedünkt, verlassen, da es ihm nicht unbemerkt geblieben war, daß er die Empfindsamkeit des schönen Mädchens so hoch hätte hinauf spielen können, als er nur immer gewollt; dennoch konnte er sich
nicht des heimlichen Verdachts gegen sich selbst erwehren,
der Mangel an den üblichen Staatskleidungsstücken hätte ihn

so plötzlich auf und davon getrieben. Vollends lächerlich erschien es ihm, wenn er überlegte, daß die gräfliche Familie vielleicht diesen Grund als ausgemacht, und sogar als den einzig möglichen annehmen würde. Er beschloß, wenigstens in der Zukunft, sich die beschämende Ungewißheit seiner eigenen Motive zu ersparen. Sobald er daher im Gasthof eingekehrt war, trug er sogleich Sorge, eine Art von Uniform für sich zu bestellen, die man ihm des andern Tags mit allem Dazugehörigen zu liefern versprechen mußte.

So viel er von der großen Stadt im Hineinreiten gesehen, hatte sie wenig Anziehendes für ihn. Roher Lärm, nichtstuende Geschäftigkeit, prahlsüchtige Armseligkeit, leere unteilnehmende Neugierde auf den geräuschvollen Gassen, fiel ihm diesesmal mehr als jemals widerlich auf. Wahrscheinlich wäre er, ohne sich aufzuhalten, gerade zum andern Tor wieder hinaus geritten, aber es lag ihm daran, Eleonorens Brief an Clementinen selber zu bestellen.

Bald nach seiner Ankunft ging er hin. Das Haus war leicht zu finden, denn es ragte durch seine schöne Bauart vor allen benachbarten hervor. Am Eingang des Vorhofs lagen auf einer Erhöhung zwei Sphinxe. Die Ungeheuer sahen den Eintretenden so klug und prüfend an, als wollten sie seine Absicht erforschen. Florentin überfiel eine Art Grauen, als er zwischen ihnen durch, über den stillen Platz nach dem Hauptgebäude schritt.

Während er gemeldet ward, führte ihn ein Bedienter die breite steinerne Treppe hinan, durch einige Vorzimmer in einen vortrefflich dekorierten Saal, wo er ihn einige Augenblicke zu verweilen ersuchte. Florentin betrachtete einige chinesische Vasen von seltener Größe, welche an den Pfeilern zwischen den großen Flügeltüren sich befanden, die statt der Fenster auf einen Altan führten; hier standen Orangen- und Zitronenbäume in schön verzierten Gefäßen umher, deren süßer Duft sich im Saal verbreitete. Florentin trat durch eine der offnen Türen hinaus, und fand sich sehr angenehm überrascht, als er in einen weiten vortrefflichen Garten hinunter sah. Dieser grenzte in der Ferne an einen See, dessen

lachende Ufer mit weinbepflanzten Hügeln, Kornfeldern,
Gebüschen und netten einzelnen Häusern umgeben waren.
Im Garten gingen eine Menge Leute, oder saßen im Schatten
der hohen Bäume, so daß er ungewiß wurde, ob es ein öffent-
licher Garten sei, oder ob er zum Hause gehöre.

Ein herrlicher Springbrunnen trug seinen hellen Wasser-
strahl beinah bis zur Höhe des Hauses, wo er dann in vielfar-
bigen glänzenden Kristalltropfen wieder hinunterfiel und
sich in ein weites Marmorbecken sammlete; Weiden und
Akazien spiegelten mit vermischtem Grün ihr Laub im klaren Wasserspiegel. Anmutiger grünte der Rasen um ihn her,
und die Luft ward durch sein Spiel erfrischt und erquickend.
Florentin dachte an das gräfliche Schloß zurück; ein und derselbe Geist schien dieses sowohl als Clementinens Haus, nur
in einem verschiedenen Sinn, zu bewohnen. So wie dort der
alte mit dem modernen Geschmack neben einander bestand,
so kontrastierte hier der steinerne Ernst des Eingangs mit
der freundlichen Schönheit des Innern. Er ahndete Clementinens Geist, und ein Ehrfurchtsschauer durchbebte ihn bei
dem Gedanken, sie selbst nun bald zu sehen.

Indem rauschte ein weiblicher Fußtritt in dem Nebenzimmer, Florentin ging vom Altan zurück. – Es kann nicht Clementina sein, dachte er, der Schritt ist zu rasch. – Betty war
es. Er hatte es vergessen, daß er diese hier finden müßte; jetzt
freute er sich, das muntere zierliche Mädchen unverhofft
erscheinen zu sehen. Er lief auf sie zu. – »Nicht so ausgelassen!« rief sie mit komischer Gravität, »begrüßen Sie fein
ehrerbietig in mir die Gräfin Clementina. Ich komme in ihrer
Person, als bevollmächtigter Minister, und mir haben Sie Ihr
Kreditiv zu überreichen. Nun so halten Sie nur Ihre ehr-
furchtsvolle Anrede! denn Sie sehen doch ganz so aus, als
hätten Sie sich eine ersonnen, und wollten sie soeben wieder
hinunterschlucken!« – »Betty ist ja eben das Redenhalten
nicht an mir gewohnt worden«, sagte Florentin. – »Nein«,
antwortete sie, »Ihre Impromptus sind mir bekannter; aber
eben darum bin ich neugierig auf Ihre Rede! Mein Auftrag ist
aber, Sie in der Gräfin Clementina Namen hier willkommen

zu heißen, und Sie um Nachrichten vom Schloß zu bitten. Heute kann die Gräfin Sie nicht sehen; sie erholt sich erst jetzt langsam von einem sehr heftigen Anfall ihrer gewöhnlichen Krankheit.« – »So hatte der Graf doch richtig geahndet! die Briefe aber waren von ihrer Hand –« – »Sie schrieb sie mit der größten Anstrengung. Außerdem will sie sich heute ruhig verhalten, um morgen imstande zu sein, eine Musik aufführen zu hören, die sie nie versäumt. Sie, Florentin, werden nun durch mich von ihr ersucht, morgen nach dieser Musik sich bei uns einzufinden.« – »Ich werde erscheinen; doch wünschte ich auch wohl diese Musik zu hören; wo wird sie aufgeführt?« – »Gut, daß Sie fragen! ich hätte es beinah vergessen; die Tante läßt Ihnen zugleich sagen, wenn Sie etwa die Musik zu hören wünschten, so soll Sie jemand zur rechten Zeit abholen und einführen. Sie läßt es Ihnen eigentlich wissen; das ist eine Auszeichnung, merken Sie sich dies fein. Und nun geschwind, was macht man auf dem Schloß?« – »Gestern, als ich fortritt, war man eben dabei, sich den priesterlichen Segen geben zu lassen.« – »Wie? gestern? und wir haben keinen Brief? und Sie ritten fort?« – »Hier ist ein Brief für die Gräfin Clementina, von Eleonoren –« – »Geben Sie her, o geschwind! warum gaben Sie den nicht gleich zuerst? Wie wird die Tante sich freuen! nun so geben Sie doch!« –

Er zog den Brief hervor, wollte ihn aber nicht ohne einen Kuß von Betty herausgeben. Mit einer schalkhaft verdrüßlichen Miene, als ob sie ihn nur recht bald los zu werden wünschte, hielt sie ihm die Wange hin. In demselben Moment ging die Tür auf, und ein junger Offizier trat herein. Betty fuhr zusammen und veränderte die Farbe. Der Offizier begrüßte sie mit einem finstern Blick, und sah nun stumm und störrisch vor sich hin. Halb nur gefaßt, mit unsicherer Miene, stellte sie beide einander vor, den Offizier nannte sie Rittmeister von Walter. Sie gab sich Mühe, ein haltbares Gespräch auf die Bahn zu bringen, es gelang ihr aber schlecht. – »Sie müssen mir erlauben«, fing sie endlich an, »daß ich der Tante nicht länger den ersehnten Brief vor-

enthalte; auf morgen also, Florentin.« – »Ich möchte Sie bitten, mir einen Augenblick zu schenken«, sagte der Rittmeister, mehr fordernd, als bittend. – »Jetzt nicht, lieber Walter«,
sagte sie so freundlich als möglich; »aber darf ich nicht hoffen, Sie diesen Abend im Garten zu sehen?« – »Gut dann«,
antwortete er, »diesen Abend!« – Betty verneigte sich gegen
beide und eilte aus dem Saal.

Florentin erinnerte sich, von Julianen gehört zu haben, daß
Betty nächstens die Braut eines gewissen Walters würde. –
Also der Bräutigam! dachte er im Hinuntergehen, und wie es
scheint, wenig geliebt, und noch weit weniger liebenswürdig.
Arme Kleine! wahrscheinlich wirst du diesen einzigen mutwilligen Augenblick durch eine Reihe von unangenehmen zu
büßen haben! Laß sehen, vielleicht gelingt es mir, sie dir zu
ersparen, es gelingt mir vielleicht, diesen Drachen zu zäh-
men. –

Er ging denselben Weg mit ihm und redete ihn einigemal
freundlich an, wurde aber mit kurzen Antworten abgefer-
tigt, bis er es wie absichtslos fallen ließ, daß er höchstens
noch einen Tag in der Stadt zu bleiben gedächte. Sogleich
nahm der Rittmeister mehr Anteil an ihm, und erbot sich,
ihm noch vor dem Mittagsessen einige Merkwürdigkeiten
der Stadt zu zeigen: unser Florentin nahm es an. Diese Merkwürdigkeiten bestanden nun in allerlei Dingen, die (was sich
der Rittmeister nicht träumen ließ) für Florentin weder
merkwürdig noch erfreulich waren; zuletzt wurde dann mit
einigen andern jungen Leuten, die zu ihnen kamen, eine
sogenannte Partie fine zum Abend verabredet, und Florentin
dazu eingeladen. Dieser, dem es beinah leid war, sich mit
Walter eingelassen zu haben, versuchte es, von ihren gemeinschaftlichen Bekannten mit ihm zu sprechen; seine rohen
Ansichten traten aber bei dieser Gelegenheit in ein so helles
Licht, daß er Florentin je länger, je mehr unerträglich ward.
Er schwieg unmutig still, und war froh, als er wieder in seinen Gasthof gelangte, wo er den lästigen Begleiter los zu
werden gedachte; zu seinem Verdruß ging dieser aber mit

hinein und setzte sich nebst noch einigen Hinzugekommenen mit zu Tische.

Hier führte er sehr laut das Wort. Durch einige zweideutige Späße, lächerliches Gesichterschneiden, und die Dreistigkeit, durch platte Persiflage, andere in beschämende Verlegenheit zu setzen, war er bei den bekannten Tischgenossen in den Ruf eines witzigen Kopfs, und eines angenehmen Gesellschafters geraten. Man belachte und beklatschte alles, was er vorbrachte; Florentin, der Langeweile hatte, lachte nicht, und gab sich auch die Mühe nicht aus Gefälligkeit zu lachen. Waltern schien diese Gleichgültigkeit gegen sein anerkanntes Verdienst eine beleidigende Anmaßung, und um sich zu rächen, kehrte er die Spitze seines Witzes, mit nicht zu feinen Anspielungen gegen Florentin, die zur Absicht hatten, den Anwesenden einen Wink zu geben: er hätte sich diesen heute ganz eigentlich zur Tischbelustigung ausersehen. Der Plan war gut, nur nicht genau genug berechnet; Florentin, der nicht mehr in der Stimmung war, sich etwas gefallen zu lassen, hatte gar bald durch ein paar beißende Antworten das Lachen auf seiner Seite. Dieser Sieg wirkte auf Walters Witz, wie ein Platzregen auf ein Feuerwerk. Pikiert darf ein solcher Spaßmacher nicht sein, oder es ist um ihn geschehen. Von nun an glückte ihm nichts mehr. In seiner Angst ward er ziemlich grob, ohne allen Witz.

Während dem hatte ein Mann, der nicht weit von Florentin saß, diesen mit Aufmerksamkeit zu beobachten geschienen: er ward von den andern Doktor genannt. Zu diesen wandte Florentin sich jetzt, um der Unterredung mit Waltern auszuweichen. Das Gespräch kam bald auf die Musik, die den andern Tag bei der Gräfin Clementine aufgeführt werden sollte. – »Es ist eine geistliche Musik?« fragte Florentin. – »Ja«, antwortete der Doktor, »es ist ein Requiem von ihrer eignen Komposition, das jährlich auf den bestimmten Tag aufgeführt wird.« – Walter trällerte einen Gassenhauer; bei den Worten »geistliche Musik« sagte er einem neben ihm sitzenden Offizier etwas ins Ohr, und beide lachten überlaut.

Der Doktor hatte diesen Ausbruch von Lustigkeit mit
Gelassenheit abgewartet, eh er weiter sprach. – »Sie werden«,
fuhr er dann gegen Florentin fort, »ein stark besetztes Chor
von meistens vortrefflichen Stimmen hören. Es ist eine der
liebsten Beschäftigungen der Gräfin, sich dieses Chor auszubilden, von dem sie sich nicht allein ihre eignen Kompositionen vortragen läßt, sondern auch die herrlichsten alten
Sachen, die man sonst nirgends mehr hört als bei ihr. – »Für
die alte Dame«, fing der Rittmeister an, »ist diese melancho-
lische Musik erstaunlich passend, sonst aber hat sich noch
jeder honette Mensch dabei ennuyiert.« – Hier mischten sich
noch andere ins Gespräch, teils für, teils gegen diese Behaup-
tung, der Streit ward allgemein, während dem sagte Florentin zum Doktor: »Wenn Sie eben jetzt nichts Bessers zu tun
haben, so würde ich Sie bitten, einen Spaziergang mit mir zu
machen.« – »Ich war im Begriff dieselbe Bitte an Sie zu tun«,
erwiderte jener. – Es entstand eine kleine Stille, als man die
beiden aufstehen sah. Im Hinausgehen hörte Florentin ganz
deutlich, daß Walter »Glücksritter« sagte.

»Ich hatte unrecht«, sagte der Doktor, als sie draußen
waren, »in Gegenwart dieser unmusikalischen Seelen von
einer zu sprechen, die ganz Musik ist.« –

Sie gingen in einen der nahgelegenen öffentlichen Gärten
außerhalb der Stadt, wo sie sich Erfrischungen geben ließen.
Florentin konnte sich nicht enthalten, einiges über die
schlechte Tischgesellschaft zu äußern. Er fragte seinen Begleiter, ob er diesen Walter genauer kenne? – »Ich kenne
ihn«, sagte dieser. »Ich habe das Glück, zu den Freunden der
Gräfin Clementine zu gehören, und fast immer in ihrem
Hause zu sein, dort sehe ich ihn nur zu oft! Gewöhnlich
speise ich nicht an der öffentlichen Wirtstafel; darf ich sagen,
daß ich mich heute dort einfand, bloß um Ihre persönliche
Bekanntschaft etwas früher zu machen? Ich bin durch Fräulein Bettys Erzählung zu begierig geworden.« – »Ich freue
mich Ihrer Bekanntschaft«, versetzte Florentin. –

Nach einigen Fragen und Erläuterungen, ihr beiderseitiges Verhältnis mit der gräflichen Familie betreffend, rückte Florentin endlich mit der Frage heraus: Wie es komme, daß Clementine, die ihm als der Schutzgeist der Angehörigen sei bekannt gemacht worden, daß diese die Verbindung zwischen Walter und Betty wünschen, ja nur zugeben könne? »Wie! leuchtet es ihr nicht in die Augen«, sagte er, »daß Betty mit diesem Menschen höchst unglücklich werden, oder ganz zu Grunde gehen muß? wie ist es so schade um diese liebenswürdige Natur!« – »Ja wohl schade!« rief der andre, mit einem halbunterdrückten Seufzer. »Ich kenne Betty seit ihrem zwölften Jahre, ich liebe sie, seit ich sie kenne.« Das sanft ernsthafte Gesicht des Mannes errötete etwas bei diesen Worten. – »Betty hat einen würdigen Freund, wie ich sehe«, sagte Florentin nach einem kleinen Schweigen; »wie kann es zugehen, daß sie einem so schrecklichen Schicksal sichtbar entgegen gehen darf?« – »Bettys unglückliche Neigung –« – »Wär es möglich? Was kann dieses liebenswürdige Kind, im Schoß der Liebe mit aller Sorgfalt ausgebildet, was kann sie bewegen, sich diesen rohen Gefährten zu wählen? Gehört sie etwa auch zu jenen Zarten, die sich bloß an die äußere Erscheinung der Energie halten?« – »Nicht ganz so hart!« fiel ihm jener ein; »es ist ihm gelungen sie zu fesseln, oder vielmehr sie in einem Moment der Hingebung sich eigen zu machen. Es ist nicht gewiß, ob sie ihn noch liebt, ja ob sie ihn jemals liebte. Ist es die schöne wachsende Treue eines unverdorbnen weiblichen Herzens? Ist es Reue, oder Stolz? Genug sie hält sich für unauflöslich gebunden, obgleich die Gräfin, der sie sich ohne Rückhalt anvertraute, ihre Vermählung immer weiter hinaus zu schieben sucht. Walter weiß sehr wohl, wie übel er bei der Gräfin angesehen ist, daher sein Haß gegen diese unvergleichliche Frau. Es ist sehr wahrscheinlich, daß alles von ihm aus Liebe zu ihrem ansehnlichen Vermögen angelegt ward; und nur zu wohl ist ihm sein Plan gelungen!« – »So muß denn die Arme aus Schwachheit um Schwachheit ewig verloren sein? und die

Freunde könnten sie retten und sehen müßig zu, wie sie
untergeht!« – »Woher wissen Sie das?« – »Warum wendet
Clementine nicht hier ihre ganze Autorität an? hier ist es an
der Zeit, sich dem Vorurteile mit Macht entgegenzusetzen!«
– »Sie müßten die Vortreffliche freilich kennen lernen, um sie
zu verstehen. Clementine gehört zu den seltnen Seelen, die
wahre Ehrfurcht, die zarteste Scheu für die Sinnesfreiheit
andrer Personen hegen. Diese, in sich und in den sie Umgebenden, nie zu verletzen und auf das höchste auszubilden, ist
ihr größtes Bestreben. Nie hat sie aber jemand durch Autorität zum Bessern zu zwingen versucht. Sie hat nicht versäumt,
Betty das Elend vorzustellen, dem sie entgegen geht; da diese
aber fest ist in ihrem Glauben: Walter liebe sie, die Liebe
würde ihn ausbilden, und einer liebenden geliebten Frau sei
alles möglich; so erlaubt sie sich weiter keinen Schritt dagegen zu tun, weder offen noch heimlich; außer daß sie die Vermählung noch lange aufgeschoben hat, damit Betty Zeit
habe, ihren Irrtum gewahr zu werden. Auch dann noch,
wenn sie vielleicht zu spät zurück kommt, darf sie gewiß
sein, Hülfe und Schutz bei ihr zu finden, sobald sie ihn
bedarf und sucht; denn nie legt sie dem Irrtum eine härtere
Strafe auf, als die er selbst mit sich führt, und auch diese
bemüht sie sich, auf jede Weise zu lindern. Sie hätte es wohl
gewünscht, mich mit Bettys Hand beglücken zu können, da
es aber meiner innigen treuen Liebe nicht gelang, so hält sie
es mit Recht jedes jede Mittel, sie dazu zu bewegen, für uner-
laubt und unwürdig. Sie, deren große Seele jeden Schmerz
mit geprüfter Standhaftigkeit trägt, vermag nie andern
irgend eine unangenehme Empfindung zu verursachen; sie
findet es bei ihrer Reizbarkeit immer noch leichter selbst zu
dulden, als andre dulden zu sehen; auch findet sie in ihrem
Geist, und ihrer Religion, Kraft und Trost, wo andre verzweifeln würden. Doch verzeihen Sie mein Herr, ich sage
Ihnen mehr als Sie vielleicht zu wissen verlangen. Ich weiß in
der Tat nicht schicklich aufzuhören, wenn ich von dieser
erhabenen Frau sprechen darf.« – »Ich bitte Sie, fahren Sie

fort. Zum Teil bin ich schon vorbereitet; Eleonorens Freundin, Julianens zweite Mutter, kann nicht anders als ganz vorzüglich sein. Ich war allerdings begierig mehr von ihr zu erfahren, und ich wüßte nicht, wen ich lieber über sie sprechen hörte, als einen würdigen Vertrauten und Hausgenossen.« –

Florentin sprach diese Worte mit so sichtbarem Anteil, daß der andre sogleich fortfuhr: »Sie ist immerwährend krank, bald mehr, bald weniger. Sie erhält ihr Leben nur durch die strengste Diät, die geringste Abweichung bringt sie dem Tode nahe; so wie sie die Lust zu leben und eine gleichmütige heitre Laune durch immerwährende Tätigkeit erhält.

In ihren schönsten heitersten Stunden beschäftigt sie sich mit Musik; und nicht bloß zum eitlen Zeitvertreib, wie die meisten Frauen, sondern als ernstes Studium. In ihren Kompositionen atmet die Begeisterung inniger Andacht einer hohen frommen Seele; wer reines Herzens ist, wer Sinn für Harmonie hat, muß mit Entzücken von diesen Tönen sich über alles Irdische hinweg gehoben fühlen; nur ein fühlloser Barbar, nur Walter konnte so sich äußern, da von dieser Musik die Rede war.

Viel Zeit und Aufmerksamkeit nimmt ihr der Umgang mit Kindern. Sie ist fast immer von Kindern umgeben, mit denen sie sich stundenlang zu beschäftigen weiß. Sie wird von ihnen wie eine Mutter geliebt, und sie hat auch die Zärtlichkeit einer Mutter. Oft habe ich Tränen in ihren Augen glänzen sehen, wenn ein Säugling in seiner Hülflosigkeit die kleinen Ärmchen nach ihr ausstreckt, oder auf ihrem Schoß einschläft, und im Schlafe lächelt.

Clementina ist aber nicht allein die gute Fee aller schönen lieblichen Kinder; sie schenkt den unglücklichen, mitleidswürdigen noch eine besondere tätige Aufmerksamkeit. Es war ihr nämlich nicht entgangen, daß die geringere Klasse der Eltern nur wenig Sorgfalt auf ihre kranken Kinder zu wenden vermag; daß aus Mangel an der notwendigen Wartung eine große Menge davon sterben, oft als Krüppel ein

höchst elendes Leben fortschleppen müssen, den Eltern eine
Last, und von diesen dafür verachtet und schlecht behandelt
werden. Das Elend selbst muß ihnen ein Nahrungszweig
werden, indem sie es vorzeigen, um das Mitleid andrer zu
erregen, und sich selbst immer mehr dargegen abstumpfen.
Denken Sie sich, wie diese Vorstellungen eine Seele wie die
ihrige erschüttern mußten! Ich sah sie in der gewaltsamsten
Anstrengung, bis es ihr gelang, zu helfen, so weit menschliche Hülfe reicht.

Den Garten der Gräfin begrenzt ein See –« – »Ich sah ihn
diesen Morgen. Kleine Häuser, Felder und Gärten umgeben
ihn.« – »Ganz recht! Diese Häuser, diese Gärten, Felder und
Hügel sind die Zufluchtsörter der armen kleinen Wesen. O,
mein Herr, wenn Sie hier das Tun und die Art zu handeln der
Gräfin je beobachtet hätten, wie ich es täglich tun darf, Sie
würden meinen Enthusiasmus für diese Frau verstehen. Ich
darf sie in diesem ehrwürdigen Geschäft als Arzt unterstützen, und fühle mich unendlich geehrt in diesem Auftrag.
Eins der kleinen Häuser bewohne ich selber, um so viel als
möglich gegenwärtig zu sein. Oft haben wir schon die
Freude gehabt, Kinder gesund und blühend in die mütterliche Arme zurück zu führen, aus denen sie uns im tiefsten
Elende und ohne Hoffnung des Wiedersehens überliefert
waren.

Doch, eine ausgeführtere Beschreibung kann ich Ihnen
hier unmöglich geben; sie dürfte nur weitläuftig werden,
ohne Ihnen weiter etwas zu lehren. Der Geist und die Liebe,
in Plan und Ausführung, läßt sich mit Worten nicht beschreiben, diese können nur durch eigne Anschauung wahrgenommen werden. Sind Sie es zufrieden, so führe ich Sie hin.« –
»Ihre Erzählung ist vollkommen befriedigend; ich habe
berühmte Anstalten der Art gesehen, ich kenne das.« –
»Nein«, rief der Arzt, »eine ähnliche haben Sie wahrlich nie
gesehen.« – »Überdies«, fuhr Florentin fort, »möchte es der
Gräfin nicht angenehm sein, mich dort zu sehen, da sie ausdrücklich verlangte, heute allein zu sein.« – »Ich würde Sie

nicht hinführen, wenn sie selbst dort wäre; bei diesem Geschäft ist sie für niemand sichtbar, denn sie haßt jede Art von Ostentation. Auch ist es niemand außer mir erlaubt, Fremde dort hinzuführen, weil die Aufmerksamkeit für diese die notwendige Sorgfalt abzieht und zerstreut. Jetzt ist ohnedies die Zeit, in der ich dort sein muß; kommen Sie doch nur mit!«

Florentin ließ es sich endlich gefallen. Der Mann gefiel ihm in seinem schönen Eifer für das Gute, trotz der etwas starken Neigung zur Redseligkeit. Sie ist doch meistens, dachte er, Zeichen eines offnen, absichtslosen Gemüts; wenige Menschen sind mit ihren Worten zum Vorteil andrer so freigebig. – »In wenig Tagen«, fing der Doktor, indem sie gingen, wieder an, »sehen wir sie wieder mit andrer Sorgfalt beschäftigt. Sie werden vielleicht schon von einer Badeanstalt gehört haben für arme Kranke, diese ist ihr Werk und entstand wie von selbst. Es ist wenige Meilen von hier entfernt, sie selbst braucht dieses Bad zu ihrer Erhaltung seit mehrern Jahren. Ihrem mitleidenden, für jeden fremden Schmerz empfindlichen Herzen war es eine höchst peinvolle Empfindung, eine Klasse Menschen an allem Mangel leiden zu sehen, die wegen wirklicher, sehr harter Gebrechen sich am Bade einfanden, unterdessen andre im größten Überfluß lebten, die nur Vergnügen und Zeitverkürzung dort suchten. Auf eigne Kosten hat sie also jede Bequemlichkeit für die kranken Armen einrichten lassen, und zwar alles so gut, so sauber und bequem, daß sie für ihre eigne Person sich derselben jedesmal bedient. So dürfen nun die armen Geplagten nicht mehr den Abhub der Reichen kümmerlich erbetteln, und die Hülfe für ihre Schmerzen nicht erst dann erwarten, wenn jene, oft weniger Leidende befriedigt sind. Es wird alles für sie auf das pünktlichste und gefälligste besorgt; so daß sie auf jede Weise gegen den Einfluß des Übermuts geschützt bleiben. Zu diesen gehören dann auch die sonst üblichen Kollekten, die oft ganz unzweckmäßig verteilt werden; und das Schauspiel der allgemeinen Abfütterungen, die auf den Kranken, bei ihrer

gewöhnlichen Not und der täglichen schlechten Nahrung
von sehr übeln Folgen sind.« – »O«, rief Florentin, »oft war
ich Zeuge, mit welchem Überdruß, mit welcher Verachtung
man seinen Beitrag zollte!« – »Freilich«, antwortete jener,
»doch vergesse man nicht, daß dergleichen auch für viele, die
sich nicht ausschließen dürfen, oft ein lästiger Tribut sein
kann. Freiwillige Beiträge, von einzelnen, weiset die Gräfin
nie zurück; um, wie sie sagt, den Segen des Wohltuns niemand zu entziehen. Die Gabe wird augenblicklich von der
Gräfin selbst, in der Gegenwart des Gebers, den Armen zum
freien Gebrauch eingehändigt. Bekannt wird aber nichts
davon gemacht, weder mit noch ohne Namen.« – »So werden
auch wohl diese milden Beiträge selten genug sein.« – »Das
doch nicht; es gibt viel gute Menschen; und zeigt man ihnen
den rechten Weg, so gehen sie ihn auch wohl.« – In welcher
Welt, dachte Florentin, habe denn ich gelebt? –

Sie waren am Ufer des Sees angelangt, und hatten ein
Haus, ein Zimmer nach dem andern in der kleinen Kolonie
besucht. Florentin war dem Arzt gefolgt, teils aus Gefälligkeit, teils auch um dem Rittmeister desto sicherer auszuweichen, dessen Gesellschaft er mehr als jedes andre Übel verab-
scheute. Diese Rohheit bei so viel Anmaßung, die Verachtung der feinen Welt im Besitz aller mit ihr verknüpften Verkehrtheiten, sie waren ihm in der Seele zuwider. Er war sich
keiner Menschenfurcht bewußt, doch überfiel ihm etwas
Ähnliches von böser Vorbedeutung bei diesem Walter. Er
zog es also vor, mit dem guten Doktor die wohltätigen
Anstalten der Gräfin zu besuchen, obgleich er denselben
unangenehmen Eindruck befürchtete, den er schon oft bei
Besuchen der für Elende erbauten Paläste gefühlt hatte, wo
es der einzige wirklich ausgeführte Endzweck war, den
Namen und Reichtum des Stifters bis an das Ende aller
Dinge bekannt zu machen. Freudig ward er aber überrascht
beim Anblick dieser Stiftung, wo ohne allen Prunk und irdische Verherrlichung der Geist der Liebe allein, still und heilig
wirkte. – »Hat Clementine nie geliebt?« fragte Florentin. –

»Ich weiß nichts Eigentliches von ihrer Geschichte, auch weiß diese wohl niemand als Eleonore; jetzt spricht sie nie darüber. Was könnte es aber anders sein, das eine so fromme Seele beugt und erhebt, als Leiden der Liebe? So wie es nur durch die Liebe allein möglich ist, die zweckmäßigste Wohltätigkeit im schönsten Sinn zu verbreiten.« – »Nur von liebenden Frauen«, sagte Florentin, »müßte alle Wohltätigkeit kommen. Die Frauen verstehen auch am besten die Bedürfnisse einer schwachen Natur; der Mann würde die Schwachheit lieber vertilgen von der Erde, als sie im Leiden unterstützen.« – »Ei, Sie sagen das einem Arzt!« – »Jawohl; eben darum denke ich, können die Frauen vortreffliche Wärterinnen und Verpflegerinnen, weniger aber Arzt sein. Dieser muß auch die härtesten Mittel nicht scheuen, um das Übel zu verderben; jene würden aus Mitgefühl des äußern Leidens nichts Entscheidendes tun können.« – »Darin liegt etwas Wahres. Doch sind fromme Stiftungen von unglücklichen Männern errichtet worden.« – »Immer werden diese doch mehr das Gepräge des wilden, herben Schmerzens tragen, werden eigentlich mehr für Büßende als für Leidende taugen. Erinnern Sie sich des Mannes, der den strengsten aller Orden gestiftet! Auf dem Gipfel der Hoffnung seiner glühenden Liebe von einem vernichtenden Schlage getroffen, indem er die Geliebte tot unter den Händen der Wundärzte antraf, die ihnen von einer entsetzlichen Krankheit entstellten Körper öffneten, als er eben von einer Reise zurückkommend, sich durch eine geheime Tür mit Vorsicht und Ungeduld einschlich, um sie mit seiner unerwarteten Erscheinung freudig zu überraschen, verbannt er sich auf immer aus der menschlichen Gesellschaft, und bildet eine um sich her, wo aus keinem Munde je ein andres Wort erschallt, als die beständige Erinnerung des Todes. Eine Frau an seiner Stelle würde eine milde Stiftung errichtet haben.« – »Ich habe nicht geglaubt, einen so beredten Kenner der weiblichen Natur in dem Manne zu finden, den mir Betty als einen Verächter der Frauen geschildert hat.« – »Diese Ironie ist stark!« rief Florentin lachend. »Die Frauen haben freilich im Ernst weder Glück noch Unglück meines Lebens bestimmt. Hat Betty mir das abgemerkt, so werde ich auch wohl nicht Gnade gefunden haben vor ihren Augen, das ist natürlich. Ist es aber meine Schuld, wenn es so ist? Wären die Frauen alle wohltätige Engel, wie Eleonore und Clementine, sie würden der Menschheit jedes Leiden vergüten, das ihr dummes Vorurteil und selbstsüchtige Eitelkeit zufügen.« – »Sie verlangen etwas Unmögliches, diese großen Mittel –« »Verstehen Sie mich: es ist ja nicht das, was geschieht, sondern der Sinn, in dem es geschieht. Die freudige, glückliche Eleonore macht um sich her alles glücklich. Sie sammelt die Freuden des Lebens, um sie wieder zu spenden. Die erhabene, unglückliche Clementine haucht ihren eignen Schmerz in göttliche Harmonieen aus, und fühlt die Schmerzen der andern tiefer, um Trost und Hülfe zu verleihen. Die Liebe ist es und nichts als diese, die hier tröstet, wie sie dort vergnügt. Es scheint die Tugend der weiblichen Langmut immer mit ruhiger Heiterkeit die Folgen des bösen Prinzips unschädlich zu machen; sich ihm vernichtend entgegenzustellen ist mehr die unsrige. Ist unser Bestreben auch größer, so ist ihr Gelingen desto sicherer!« –

Der Doktor hatte Florentin mit großem Vergnügen eigentlich mehr sprechen sehen, als zugehört; denn so wenig auffallend Florentin gewöhnlich erschien, so wuchs der Ausdruck seiner Gestalt bis zur Schönheit, wenn er im Feuer der Rede sich selbst und alles um sich her zu vergessen schien. – »Sie sollten uns nicht so bald wieder verlassen«, sagte er; »Sie würden vielleicht in unsrer Mitte eine Laufbahn finden, die Ihnen genügte, und Ihrer würdig wäre!« – »Das doch noch nicht«, antwortete er gelassen; »das darf ich noch nicht. Zuerst will ich, um es zu dürfen, damit beginnen, daß ich wirklich trotz jeder Lockung das ausführe, was ich mir vorgenommen, und an dessen Ausführung ich schon so viel Zeit gesetzt. Sie soll nicht so ganz nur verschwendet worden sein. Sie folgen Ihrem Beruf unter den Augen der erhabenen Cle-

mentine, und werden vielleicht doch noch einst dauerndes
Glück und Lohn aus ihren bildenden Händen empfangen.
Mir aber ist es notwendig, das in großer Masse arbeiten zu
sehen, was ich, seitdem ich denken kann, in mir trage. Allenthalben, wo man sich befindet, kann man den Krieg für die
Freiheit unterstützen und verfechten. Allenthalben steht
man auf dem Schlachtfelde, wo Habsucht und Barbarei
herrscht, und so hinge man freilich, wenn auch unsichtbar,
mit jener großen Masse zusammen; wäre es mir nur nicht so
notwendig, andre Menschen, einen andern Weltteil zu sehen,
als den, der sich jetzt der kultivierte nennt. Das Schauspiel
eines neuen, sich selbst schaffenden Staats ist mir interessant.
Es häufen sich überdies immer mehr innere und äußere
Gründe, warum ich in einer übertäubenden Tätigkeit mich
selbst zu vergessen suchen muß.« –

Nach diesen Worten ward er wieder still, und in sich
gekehrt. Bald darauf gingen sie nach dem Haus des Doktors,
das wohleingerichtet, zierlich und bequem, am Ufer des Sees,
mitten in der Kolonie lag. Hier zeigte er ihm seine vortreffliche Naturaliensammlung, seine reiche auserlesene Bibliothek, die zugleich einen Schatz an seltnen Karten und Reise-
beschreibungen enthielt. Florentin sprach über diese Dinge
mit einer Sachkenntnis, worüber der Arzt erstaunte, da er
ihn dergleichen nicht zugetraut haben mochte; auch nahm er
seitdem sichtbar an Achtung für ihn zu. Er selbst erschien
hier bei seinen Heiligtümern im vorteilhaftesten Lichte. Florentin hatte niemals weniger den Mangel an Witz und überraschenden Einfällen in der Unterhaltung vermißt, als bei
diesen wahrhaft verdienstvollen Mann. Er ward nicht müde
ihn reden zu hören; auch sprach er immer besser je mehr er
Gelegenheit fand, seine tiefe Gelehrsamkeit und die mannichfaltigen gründlichen Kenntnisse anzuwenden. Seine
sonst mehr ruhige Physiognomie ward dann durch Begeisterung erhöht, besonders bei gewissen, ihm heiligen Dingen.
So sprach er das Wort Natur immer mit einer Art von Ehr-

furcht aus, so wie man im Tempel sich vor den Namen des Allerhöchsten beugt.

Eine neue Welt ging vor Florentin auf bei seinem Gespräch. Nie hatte er sich mehr belehrt gefühlt, nie hatte er größere Achtung für einen Menschen empfunden. Nur zu schnell verging ihm der Abend; es graute ihm, als er daran dachte, in die Stadt zu dem lärmenden Gasthof zurückzukehren. Es konnte ihm also nichts Erwünschteres begegnen, als da der Doktor ihm anbot, daß er die Nacht in seinem Hause bleiben möchte. Er nahm das Anerbieten eben so freimütig an, als jener es getan.

Siebzehntes Kapitel

Sie waren beim Abendbrot im Garten; von Julianen und Eduard sprachen sie viel. Florentin verbarg es seinem neuen Freunde nicht, wie sehr ihm beide wert waren. Der Doktor gab ihm einige Aufschlüsse über das Rätselhafte in Eduards Charakter, das so tief in ihm lag, daß man lange Zeit mit ihm umgehen konnte, ohne irgend etwas anderes zu ahnden, als den ausgebildeten Weltmann, der das gefühlvollste Herz mit einem hellen Kopf verbindet. »Niemand ahndet in ihm«, fuhr er fort, »diesen Abgrund von Unzufriedenheit und gefährlichen Eigensinn; seine Bildung liegt wie ein Firnis über diese scharfen Ecken, die bei weitem noch nicht durch die Erfahrung verarbeitet und abgerundet sind. Auch diese frühe Vermählung lag nicht in Clementinens Absicht, und daß sie dennoch geschieht, ist wahrscheinlich mit ein Grund ihrer letzten verstärkten Krankheit. Sichtbar hat aber der Brief von der Gräfin Eleonore sie beruhigt, denn er sagte ihr, daß es geschehen sei; niemals bereut oder beklagt sie aber eine Sache, die geschehen ist. « – Er sprach ferner von Julianen mit großem Anteil. »Sie ist Clementinens geliebtester Liebling, doch glaubte sie neulich, die kleine Therese würde vielleicht Julianen einmal übertreffen.« – »Nicht mit Unrecht«, sagte Florentin, »sie ist in der Tat ein seltnes Kind; ich habe nie so viel Ernst und Tiefe bei einem Kinde wahrgenommen als bei diesem. Ob sie aber eigentlich so wunderbar liebenswürdig, so wahrhaft bezaubernd wird als Juliane, kann man wohl noch nicht bestimmen, und auch in dieser liegt noch so vieles in tiefer Verborgenheit.« – »Clementine sagte einmal, Juliane müßte durch das Leben zur Liebe gebildet werden; aber Therese würde erst durch die Liebe, zum Leben sich ausbilden.«

Hier sahen sie Betty, nur von einem Bedienten begleitet, über den See auf einem Kahn zu ihnen kommen. Sie brachte dem Arzt die Nachricht, daß es mit Clementinen recht gut ginge, sie schliefe ruhig. Sie wäre herüber gekommen, teils ihm das zu verkünden, teils auch, da sie gehört Florentin sei bei ihm, diesen zu fragen, ob er den Rittmeister nicht irgendwo gesehen hätte? – »Er hat diesen Abend im Garten zu sein versprochen«, sagte sie, »die bestimmte Stunde ist aber längst vorüber und er ist nicht gekommen.« – Florentin erinnerte sich, daß er, des Versprechens an Betty uneingedenk, die Partie fine mit den andern jungen Leuten verabredet hatte, wozu er selbst mit eingeladen war; er schwieg aber davon, und erwiderte bloß, er hätte ihn nicht weiter als bei Tische gesehen. – »Aber Doktor«, rief Betty aus; »lernen Sie doch von Florentin, Fassung zu behalten, wenn man Sie auch stört. Sie machen ja ein so bedenkliches ungewisses Gesicht, als hätte ich Sie eben bei einer Verleumdung von mir selbst überrascht. Gestehen Sie nur, Sie haben von mir geschwatzt! Doch was liegt daran? Florentin hat doch nicht recht acht darauf gegeben, er ist viel zu sehr mit sich selber beschäftigt.« – »Halten Sie mich für so selbstsüchtig, gute Betty?« – »Ei es wäre mir gar nicht angenehm, wenn Sie es nicht wären. Sie machten dann eine Ausnahme, die Ausnahme müßt' ich respektieren, das Respektieren macht mir Mühe und die Mühe Langeweile.« – »Nun und Clementine?« – »Stille wer wird einen solchen Namen unnötigerweise aussprechen!

Hier, setzen Sie sich nieder, und erzählen Sie mir ordentlich und bedächtlich, wie es am Hochzeittage auf dem Schlosse war? War Eduard liebenswürdig? wie sah Juliane aus?« – Florentin machte ihr eine drollige Beschreibung von Julianens Putze, von dem er natürlich nichts zu bestimmen wußte als den Effekt, worüber Betty sich dann totlachen wollte, sie behauptete, ihn durchaus nicht zu verstehen. – »Nun so will ich zeichnen, wenn ich mich mit Worten nicht verständlich machen kann!« –

Er zeichnete darauf eine Karikatur hin, man lachte, und scherzte fröhlich darüber. Betty war noch lustiger als gewöhnlich; es schien als wollte sie durch die gewaltsame Anstrengung eine innere Kränkung betäuben und unterdrücken. Florentin hatte sie nur noch lieber wegen dieser Kraft; um so mehr haßte er aber den Urheber dieser Kränkung.

Es ward vorgeschlagen, Florentin sollte ihren Schattenriß machen. – »Das nicht«, sagte er, »dies Stumpfnäschen schickt sich schlecht zu einem Schattenriß, »aber zeichnen will ich Sie.« – Sie stellte sich in einer leichten angenehmen Stellung vor ihn hin. Mit wenigen Strichen war das Figürchen entworfen, im schwebenden Tanz mit beiden Händen ein Tamburin in die Höhe haltend, Gesicht und Haltung, obgleich nur in flüchtigen Umrissen, zum Sprechen ähnlich. Florentin war vergnügt mit dem Entwurf, er hatte seiner Hand nicht mehr diese Sicherheit zugetraut.

Er war noch nicht ganz fertig, als auf einmal der Rittmeister dazu kam. – »Sie haben Gesellschaft Herr Doktor«, rief er im Hereintreten; »ich begreife nun, warum ich Sie Fräulein, vergeblich gesucht und Sie mein Herr vergeblich erwartet habe; doch ich hätte es auch wohl erraten können.« – »Sie werden mich entschuldigen«, sagte Florentin, »ich hielt es nicht für ein gegebnes Versprechen; überdies habe ich den Nachmittag und Abend so angenehm zugebracht –« – »O, das glaube ich gern«, unterbrach ihn Walter; »Sie mein Herr Doktor sind immer die Gefälligkeit selbst.« – Betty war in der schmerzlichsten Verlegenheit; Florentin und der Doktor

waren es ihrentwegen nicht weniger. – »Lassen Sie doch
sehen«, fuhr Walter fort, indem er näher zum Tisch trat, wo
die Zeichnung lag; »Sie haben hier eine Akademie wie ich
sehe; die Künste werden doch immer mehr getrieben in der
Welt!« – Florentin kam ihm zuvor, als jener das Blatt in die
Hand nehmen wollte. Er verdeckte es schnell mit einem
andern Blatt. »Entschuldigen Sie«, sagte er kurz und trocken,
»es ist nicht fertig.« – »Mir können Sie es immer halb fertig
zeigen, ich bin gar kein Kenner.« – »Um desto weniger Herr
Rittmeister!« – »Es ist Fräulein Betty, ihr Porträt das habe
ich gesehen!« – »Allerdings ist es das.« – »Nun so muß ich
Ihnen dann sagen: ich habe ein Recht dazu es zu fordern.« –
»Das mag sein, aber ich habe kein Recht es Ihnen zu geben, es
gehört dem Fräulein.« – »Sie werden also entscheiden Fräulein«, rief er aufgebracht. – »In der Tat lieber Walter . . . es
war ein Scherz . . . ich bat darum –« – »Nun so wird man es
doch wenigstens erkaufen können; was ist Ihr Preis?« fragte
er, seine Börse hervorziehend. – Florentin antwortete nicht,
und legte das Blatt mit Gelassenheit in sein Taschenbuch. –
»Es ist nicht für Bezahlung gemacht, lieber Walter«, sagte
Betty wieder. – »Es muß doch auf irgend eine Weise wieder
in Ihre Hände kommen, denn weder ich, noch Sie selbst,
werden zugeben, daß Ihr Bild in der Welt mit auf Abenteuer
zieht.« – »Herr Rittmeister!« sagte hier der Doktor mit
fester Stimme, »Sie scheinen zu vergessen, daß Sie hier in
meinem Hause sind!« – »Ich werde diesem ehrwürdigen
Hause nicht länger beschwerlich fallen.« – Hohnlachend,
und aufgedunsen von wildem Zorn fuhr er zur Tür hinaus. –
»O Ihr wißt nicht, was Ihr mir tut!« rief Betty voller Angst,
und ging ihm nach.

   »Das ist zu viel!« sagte Florentin. – »Es ist entsetzlich«,
sagte der Doktor. »So habe ich ihn noch nie gesehen. Ich ver-
mute beinah, daß er einen Rausch hatte. Offenbar legt er es
aber besonders auf Sie an. Sie werden also wohl tun ihm auszuweichen.« – »Ich bin ihm ausgewichen«, sagte Florentin;
»doch wenn er mich geflissentlich sucht, so soll er mich fin-

den! Aber wie dauert mich das gute Kind, daß der schönste
Moment, die Blüte ihres Daseins unter einem solchen Einfluß verdorren muß! Kann man sie nicht losmachen? Ist es
nicht möglich, der Gräfin Clementine Licht über seine
Nichtswürdigkeit zu geben?« – »Diese ist ja nichts weniger
als im Irrtum über ihn, aber ich glaube Ihnen schon gesagt zu
haben, wie sie darüber denkt. Sie läßt jeden auf seine Gefahr
nach seiner Überzeugung handeln, und hält sich durchaus
nicht für berechtigt, vermittelst ihrer Autorität andre zu
bestimmen, nicht durch Vorstellungen, viel weniger durch
irgend ein Zwangsmittel. Betty ist es bekannt, wie die Gräfin
über Walter denkt, da sie sich aber gebunden glaubt, und in
der festen Hoffnung lebt, die Liebe würde ihn erziehen, so
hält Clementine es für einen Wink der Vorsehung, für ein
unabänderliches Verhängnis, dem sie sich nur sträflicher-
weise, und dennoch ohne Nutzen entgegen setzen würde. « –
»Glaubt Clementine nur an eine göttliche Vorsehung, und
nicht zugleich auch an die vernichtende Einwirkung des Teufels, so hat sie doch nur eine halbe Religion, das sollten Sie ihr
einmal sagen. Unbegreiflich bleibt immer die verhaßte
Schwäche (denn lassen Sie es uns ja nicht Liebe nennen) vieler, ja sogar ausgezeichneten Frauen, für Menschen, die ihnen
in jeder Rücksicht untergeordnet sind; es ist hier nicht das
erstemal, daß ich einen liebenswerten, achtungswürdigen
Mann gegen einen Wicht habe zurücksetzen sehen. Sollte
nicht etwa die Täuschung dabei zum Grunde liegen, daß die
Achtung, die sie für jenen zu haben sich gezwungen fühlen,
ihre Oberherrschaft zweifelhaft macht? oder daß sie die
Würde der Liebe nicht verstehen, und sich ihrer als eine
Schwäche vor dem Manne schämen, den sie einer gleichen
Schwäche für unfähig halten?« – »Nichts davon! Keinen
andern Grund kann es in diesem liebereichen, unbefangnen
Herzen geben, als unbestechliche Treue, die der Hingebung
folgt. Der Verführer verstand es, ihre Sinne gefangen zu nehmen; sie ahndet nicht die Möglichkeit, wie dieses hätte
geschehen können, wenn sie ihn nicht liebte. Sie ist un-

schuldig trotz ihrer Schuld, und ihre Treue höchst achtungswert!« – »Lernt sie aber nicht endlich diesen Irrtum verachten, und erkennt die Liebe; tritt an die Stelle der blühenden Unbefangenheit nicht die Reife der Achtung vor sich selber, die eine liebende Frau nur in der Liebe für einen hochverehrten Mann findet, so waren es dennoch taube Blüten, oder ein giftiger Tau hat die edle getötet. Und darum ist es eure Pflicht, sie, wenn auch unter tausend Schmerzen, vom Verderben zurückzuführen.

Und nun sagen Sie mir noch, wie kann Clementine, nach allem was ich von ihr gehört habe, in der großen Welt leben?« – »Schon seit mehrern Jahren lebt sie auch wirklich nicht in der großen Welt. Sie geht nie in Gesellschaften; schon ihre fortdauernde Kränklichkeit leiht ihr einen Vorwand sich davon auszuschließen; doch ist ihr Haus immer der guten Gesellschaft offen, auch Fremde besuchen sie; der feine zwanglose Ton, der in ihrem Hause herrscht, macht, daß es von allen gesucht wird. Die Unterhaltung der Gräfin ist leicht, und geistreich, durch diese allein ahndet man in der Gesellschaft die Frau von außerordentlichen Gaben. So oft sich Gelegenheit zeigt, gibt sie Konzerte und Bälle, wo sich immer eine Menge junger Leute einfinden, deren Vergnügen durch nichts, was die ernste Stimmung der Wirtin verraten könnte, gestört wird. Sie zieht sich freilich immer sehr bald in ihr einsames Zimmer zurück, aber ohne im geringsten die Lust zu unterbrechen, wie sie niemals irgend eine Art von Aufsehen ihrentwegen erlaubt.« – »Ich denke mir, wie oft diese Güte mag gemißbraucht worden sein, in der Welt!« – »Dem ist es auch wohl nur allein zuzuschreiben, daß der Zutritt zu ihr so erschwert worden ist, obgleich sie auf keine Weise argwöhnender ward durch den wiederholten Betrug. Die Not der Hülfesuchenden wird jederzeit von ihr selbst geprüft. Dies Geschäft überträgt sie niemals irgend einem andern; kann sie nicht selbst prüfen, so hilft sie ohne Untersuchung. Übrigens lebt sie immer allein, obgleich fast stets von Menschen umgeben; auch wüßte ich nicht, daß sie eine

Freundin hätte, der sie sich mitteilt, außer Eleonoren. Da der
erste Eindruck gewöhnlich für sie entscheidend auf das ganze
Leben bleibt, und sie wohl erfahren haben muß, daß kein
Räsonnement und keine Vernunft stark genug ist, diesen
jemals bei ihr zu vertilgen, so macht sie so selten als möglich
neue Bekanntschaften, und hütet sich gleichsam vor jedem
neuen Eindruck. Sie können es als einen ganz besondern
Vorzug ansehen, daß sie Sie zu sprechen wünscht.« –

Sie sprachen nun noch manches über Eduard und Juliane
sowohl als über Betty. Was Florentin an diesem Tage über
den verworrenen Zusammenhang ihres Betragens so unzu-
sammenhängend gehört und gesehen hatte, ging ihm wild
durcheinander im Kopfe herum. – »Dies sind also«, rief er
aus, »die zarten Verwirrungen der feinen Verhältnisse und
der tugendhaften Mißverhältnisse der gebildeten Welt! O alle
ihr Vortrefflichen, Auserkornen, ihr wißt doch mit euren an-
gestrengtesten Kräften nichts anders zu tun, als die zahllosen
Plagen zu erleichtern, die ihr euch selbst einander zufügt!
Unter meiner plumpen Hand aber zerrisse dies künstlich
gefügte Gebäude, dessen Türme sich prahlend in die Wolken
heben, während sein Fuß im Treibsande wankt. Möchte es
mir nur einst gelingen mir eine niedre, feste Hütte zu
erbauen, die Sturm und Wogen trotzt, und auch dem Rütteln
meiner eignen mutwilligen Hand widersteht!« – »Und wo«,
fragte der Doktor lächelnd, »suchen Sie Boden zu diesem
Wunderhüttchen?« – »Gewiß nicht hier, nicht von den
wurmzernagten Splittern der feinen Welt gedenke ich es mir
zusammenzubetteln –« – »Ruhig lieber Florentin, wer ge-
denkt sie Ihnen aufzudringen? Die feinere Ausbildung läßt
sich mit jenem geheimnisvollen Berg vergleichen, von dem
die Dichter unter dem Namen Venusberg viel Wunderbares
erzählen. Berauscht von einer süßtönenden Harmonie, sagen
sie, wird man hinein gezogen; wer am Eingange stehenbleibt,
ahndet nichts als Schrecknisse in der Verworrenheit, die sein
Blick nicht zu durchdringen vermag; wer aber unerschrocken
vordringt, der findet ewige Freuden; und wer sich voll Unge-

duld wieder hinauszusehnen vermag, findet doch sonst nirgend Ruhe, und unaufhaltsam zieht der Zauber ihn wieder zurück.« – »Nun mir scheint dieser Zauber doch in nichts zu liegen, als im Hochmut sich so gern etwas gar Großes zu dünken. Dies ist der Rausch, der ihre Sinne gefangen hält, daß sie in die schwindelnde Tiefe wieder zurück müssen, und in der freien Welt sich nicht zu finden wissen, wo jeder gleicher Rechte sich erfreut, und niemand sich über den andern erheben darf.« – »Nun sehen Sie, so ist es doch nur anders maskierter Hochmut, der es Ihnen so verleidet, unter den Emporstrebenden zu existieren.« – »O guter Gott, es mag wohl sein, nichts ist ansteckender als das Böse! Doch soll es mir wohl noch gelingen, die schlechten Gewohnheiten wieder abzustreifen.« – »Ich sehe, es ist heute nichts mehr mit Ihnen anzufangen, Sie sind bitter.« – »Das doch nicht! Wo ist der Tor, der auf ein sicheres, dauerndes Lebensglück rechnet? Aber lassen Sie es mich Ihnen gestehen: Bettys Schicksal, und das Ihrige, das ich so deutlich vor mir sehe, das von Eduard und Juliane, was ich nur ahnde, es hat mich verwirrt und betrübt. Aus welchen losen Fäden ist der Traum eures Glücks gesponnen!« – »Es lebt dafür in unsrer Seele etwas, das, dem ungebildeten Menschen fremd, uns über jeden Glückswechsel erhebt!« –

»Nein, Siegen oder Untergehen!« rief Florentin aus, als er allein war. – Und doch hatte die freudige Gelassenheit, mit der der Doktor die letzten Worte gesprochen, etwas in ihm erregt, das ihn nachdenklich machte. Am Ende blieb er aber freilich dennoch überzeugt: daß er seinem jetzigen Plane folgen müsse; daß es für ihn keine andre Tätigkeit gebe, als in einem neuen Leben das zu vergessen, was ihn im alten gequält hatte. Jene Ahndung war auch noch nicht aus seinem Herzen geflohen: er müsse in der Welt einen Aufschluß über seine Bestimmung und seine Geburt aufsuchen.

Den andern Tag, während der Doktor seine Geschäfte in der Stadt verrichtete, war Florentin allein zurück geblieben, weil er ohne Not nicht gern dort verweilen mochte. Der

Doktor schickte ihm sein Pferd und seine übrigen Sachen aus dem Gasthof, und kam zum Mittagsessen selbst wieder zu ihm hinaus. – Er erzählte ihm: Walter habe den Morgen schon einigemal im Gasthofe nach ihm fragen lassen; ». . . was wird er wollen?« – »Vielleicht eine Ausfordrung«, sagte Florentin. – »Leicht möglich, daß er sich von Ihnen beleidigt hält!« – »Sie sehen«, sagte Florentin, indem er auf seinen Degen zeigte, »ich habe eine Vorbedeutung gehabt. – Die Uniform ist überhaupt gar nicht übel; gewisse Menschen haben Respekt vor einer Uniform, weil diese das einzige ist, wodurch sie selbst sich Respekt zu schaffen wissen.«

Während sie noch am Tisch saßen, kam folgendes Billet:

»Florentin wird es nicht vergessen haben, daß er zur Musik abgeholt wird. Die Tante freut sich sehr, ihn diesen Abend zu sehen. Bereiten Sie ihn darauf vor, lieber Freund, daß er Waltern hier finden wird, und bitten Sie ihn in meinem Namen, des gestrigen fatalen Auftritts nicht weiter zu gedenken. Es war ein Mißverständnis. Walter hat seinen Irrtum eingesehen, und es wird nur auf Florentin ankommen, daß uns der Abend Friede und Freude bringt.

Betty«

»Es war also eine Aussöhnung!« sagte Florentin. – »Ich traue dem nicht so ganz«, sagte der Doktor; »wegen einer Aussöhnung hätte er sicherlich nicht so oft nach Ihnen fragen lassen.« – »Ich wollte nur, Betty wäre nicht dabei zu schonen, mir ist er im innersten Herzen fatal.« – »Lassen wir ihn jetzt. Die Gräfin ist heiter und sehr wohl; ich mußte ihr viel von Ihnen erzählen, sie hörte jedes Wort mit ganz besonderem Interesse an. Es sind auch Briefe vom Schloß diesen Morgen gekommen. Juliane und Eduard befehlen Ihnen ja hier zu bleiben, bis sie herkommen.« – »Wollen sie kommen? wann?« – »Vielleicht noch heute, in den nächsten Tagen aber gewiß.«

Achtzehntes Kapitel

Am Eingange des Hauses ward Florentin nach einem Seitenflügel gewiesen. Er trat in einen hochgewölbten Gang; zwischen den Säulen gingen mehrere Personen still hinauf, nach dem Ende des Ganges, wo sich eine große Flügeltüre öffnete. Es war alles feierlich ernst; die Schritte hallten von dem Boden wider; die Idee eines Wohnhauses war verschwunden, es war der Eingang zum Tempel. Jetzt öffneten sich die Flügeltüren für ihn, ein hoher Dom empfing ihn. Er hörte noch die letzten Worte der Messe, die Versammlung erhob sich von ihren Knieen, einige einzelne verweilten noch in tiefer Andacht.

Der Orgel gegenüber befand sich ein Monument. Florentin ging näher hinzu, um es zu betrachten. Auf einem Sarkophag ruhte ein Genius in Gestalt eines Kindes, die Fackel entsank verlöschend seiner Hand; es war nicht gewiß, ob er tot oder schlafend abgebildet war. Auf den Seiten des Sarkophags zeigten sich in halb erhobener Arbeit die Horen, die traurend, mit verhülltem Angesicht, eine nach der andern hinschlichen; über dem Monument befand sich das Gemälde der heiligen Cäcilia, der Beschützerin der Tonkunst und Erfinderin der Orgel. Florentin erschrak fast, als er seine Augen zu dem Bilde aufhob; es war die göttliche Muse, die in lichter, freudenreicher Glorie des großen Gedankens, über Tod und Trauer siegend schwebte.

Das Gemälde jener heiligen Anna, das ihn, als er es zuerst gesehen, so ergriffen hatte, war nur ein schwacher Abglanz dieser Herrlichkeit. Im Anschauen verloren, vergaß er es völlig, daß es Clementinens Porträt sei, von dem er schon so viel gehört hatte. Nichts was an Menschen und Menschenwerk erinnert, war seiner Seele dabei gegenwärtig, nie hatte er die Göttlichkeit der Musik so verstanden, als vor diesem Angesicht.

Die Sonne warf im Untersinken noch einen blendenden Strahl durch die hohen Fenster, die weißen Kerzen schim-

merten blaß hindurch, alle Gegenstände leuchteten auf eine
seltsame Weise, und bewegten sich wie Geister. Der Strahl
fiel gerade auf das Gesicht der heiligen Cäcilia; Farben und
Züge waren verschwunden, es war nur ein blendender
Glanz; Florentin hätte in die Knie sinken mögen vor dieser
Herrlichkeit. –

Die Betenden standen auf; zuletzt erhob sich langsam von
den Stufen des Altars die Gräfin Clementine. Es war eine
edle schlanke Gestalt, etwas über die gewöhnliche Größe.
Ein schwarzes glänzendes Kleid floß in reichen Falten bis zu
ihren Füßen herab, und bedeckte die Arme bis zur weißen,
feinen Hand. Auf der linken Seite trug sie ein Kreuz von
Diamanten; ein langer schwarzer Schleier verhüllte Kopf
und Haare, so daß man nur die erhabene Haltung wahrnehmen konnte, auch das Gesicht war ganz davon verdeckt; in
der einen Hand, die sich auf Betty stützte, hielt sie ein weißes
Tuch, die andre trug herabhängend eine Rolle. So wankte sie,
sichtbar ermattet, vor Florentin vorüber, ohne ihn wahrzunehmen, ihre Augen blieben fest am Boden geheftet. Neben
dem Monument war ein halbvergitterter Sitz; dort setzte sie
sich; Betty und einige junge Mädchen, die ihr gefolgt waren,
bemühten sich geschäftig um sie her; diese entfernten sich,
und Clementine blieb allein. Sie hatte ihren Schleier aufge-
schlagen, und sah die Blätter durch, die nun aufgerollt vor ihr
lagen. Ihr Gesicht zeigte mehr als Reste ehmaliger erhabener
Schönheit; die Züge standen im reinsten, edelsten Verhältnis,
aber eine Marmorblässe bedeckte sie. Waren ihre Augen
unter den schöngewölbten Lidern gesenkt, so schien sie mit
der leuchtenden Stirn, den bleichen, mit den Spuren des
Grams nur leicht gezeichneten Wangen, und den feinen, fest
geschloßnen, farblosen Lippen, nicht mehr dem Leben dieser Erde zu gehören. Aus diesen Zügen schien das Leben entwichen und ganz nach den großen Augen entflohen zu sein,
die in ihrem schwarzen nächtlichen Glanze, wenn sie sie
langsam erhob, wie einsame Sterne durch den umwölkten
Himmel funkelten.

Florentin konnte die seinigen nicht von ihr abwenden, sie bemerkte ihn aber nicht, war auch überhaupt bloß mit den Blättern beschäftigt und sah sich nach niemand um. Indem er sie aber immer schärfer ansah, dünkten ihm ihre Züge je länger je mehr bekannt. Die Szenen seiner Kindheit wurden wieder lebendig vor ihm; die Erinnerung an Manfredi drängte sich ihm besonders wieder auf, und alle Begebenheiten jener Zeit.

Nach einer kurzen feierlichen Stille erschollen wie vom Himmel nieder die Stimmen der unsichtbaren Sänger! Begleitet von den Tönen der allmächtigen Orgel, schwoll der Gesang des heiligen Chorals in tief ausströmenden Akzenten, wälzte sich an der hohen Kuppel hinauf, und zog die Andacht des tiefsten Herzens wie in einer Weihrauchsäule mit sich zum Himmel auf. Wie zum ersten Male hörte Florentin diese himmlische Musik wieder, die er in seiner Jugend so oft gehört zu haben sich erinnerte. Niemals hatte er aber sich so davon durchdrungen gefühlt als jetzt. Er wußte nicht, ward sie hier vollkommner noch ausgeführt, oder war sein Gemüt empfänglicher dafür geworden?

Der schwebende Nachhall des Chorals erstarb in einen leisen Hauch; da erscholl die Posaune durch Herz und Gebein rufend, und nun begonnen die Chöre bald abwechselnd sich einander antwortend, bald vereinigt vom Aufruf einer einzelnen Stimme geweckt, zur mächtigen, alles mit sich fortreißenden Fuge anzuwachsen, bis Himmel und Erde in den ewigen, immer lauter werdenden Wirbel mit einzustimmen schienen, und alles wankte und bebte und zusammenzustürzen drohte. Die Brust des Knaben auf dem Sarkophag schien sich vom gewaltigen Gesange zu heben; staunend erwartete Florentin, er würde sich aufrichten und seine Stimme mit einmischen in die Stimme der ganzen Welt für die Ruhe der Seelen, und mit der heiligen Cäcilia, die ihre Lippen zu öffnen schien, beten für die Erlösung der Büßenden.

Clementine war wie in Entzückung gehoben; ihre Augen ruhten entweder auf der Rolle, die sie rasch umblätterte, oder sie wendete sie glänzend freudig in die Gegend, wo die Stimmen der Sänger herabkamen; dann ruhte sie wieder wie verloren in sich selbst, sanfte Tränen gleiteten langsam über das heilige Gesicht herab, die sie weder zu hemmen noch zu verbergen bedacht war.

Florentin war aus der Menge ihr gegenüber getreten, um sie genau mit der heiligen Cäcilia vergleichen zu können, zu der sie in ihrer Begeistrung ein wahrhaftes Urbild war. Die Musik war beinah zu Ende; zu Anfang des herrlichen sanft aushauchenden Schlußchors kam Betty wieder zu Clementinen, die ihr einige freundliche Worte sagte. Betty sah sich hierauf in der Versammlung umher; da sie Florentin erblickte, grüßte sie ihn freundlich. Clementine schien sie etwas zu fragen, worauf jene eine bezeichnende Bewegung mit der Hand machte, gegen Florentin. Clementine stand auf und suchte ihn mit den Augen; zufällig wichen einige vor ihm Stehende zurück, so daß er deutlich vor ihr stand. Einige Augenblicke blieb sie, weit hervor sich beugend, in derselben Stellung, ihre Augen fest mit sichtbarem Erstaunen auf ihn geheftet; eine schnelle Röte überflog den Marmor ihres Gesichts, dann erblaßte sie wieder, ihre Augen schlossen sich, und sie sank ohnmächtig zurück. Betty faßte sie in ihre Arme, einige andre eilten ihr zur Hülfe, sie wurde hinaus getragen, Betty folgte. Bald darauf war auch die Musik geendigt, deren Schluß Florentin nicht vernommen hatte. Betäubt eilte er hinaus und in den Garten.

Der Abend senkte sich dämmernd nieder. Der große Garten war voller Menschen. Fröhliches Lachen und muntere Gespräche ertönten von allen Seiten. Auf dem Rasen tummelten sich liebliche Kinder; hier saß eine Gruppe, die zu einer Guitarre sang; dort waren andre um eine Flasche Wein versammelt. Auf den versteckteren Plätzen im dichteren Gebüsch wandelten liebende Paare in süßer Vertraulichkeit; der ganze Garten war ein fröhliches liebliches Bild eines kummerfreien vergnügten Lebens, für jedes Alter und jedes Gemüt.

In einer andern Stimmung wäre Florentin dieser Anblick höchst erquickend gewesen; jetzt suchte er aber einen einsamen Ort, um sich zu sammeln; er war unruhig und zerstreut. – Warum, dachte er, warum ist diese Clementine und alles was sie umgibt, grade mir wie eine Erscheinung, da sie doch unter den übrigen Menschen wie eine längst bekannte Mitbürgerin wandelt? warum wird jede ferne Erinnerung wieder wach in mir? was tut sich die Vergangenheit, dies längst verdeckte Grab, gegen mich auf? warum kann ich nicht mit den andern des gegenwärtigen Augenblicks froh werden? – Er suchte endlich dem Eindrucke der Musik die Unruhe zuzuschreiben, die immer noch in seiner Seele widerhallte.

Aus dem geöffneten Gartensaal kam ihm der Doktor entgegen. – »Die Gräfin ist erst jetzt wieder zu sich selbst gekommen«, sagte er, »und ist noch sehr ermattet. Die Anstrengung war zu groß für sie. Da ihr jede Bewegung und auch das Sprechen untersagt ist, so hat sie mir aufgetragen, sie bei Ihnen zu entschuldigen, daß sie nicht zur Gesellschaft herunter kömmt; sie ist heute nicht imstande, Sie zu sehen, sie hofft, Sie würden noch einige Tage länger hier verweilen.« – Hier kamen Betty, der Rittmeister und noch einige andre zu ihnen. Der Doktor entfernte sich, die Gräfin hatte ihn zu sprechen verlangt.

Dem Rittmeister schien sein Versprechen, sich gesitteter gegen Florentin zu betragen, entweder zu reuen, oder unmöglich zu halten, er war widerwärtiger als jemals gegen ihn. Während Betty zu erwarten schien, daß es zwischen ihnen zu einem Gespräch kommen sollte, fing der Rittmeister an in seiner gewöhnlichen Manier Florentin um seine Uniform zu befragen; dieser antwortete kurz ab, mit sichtbarer Verachtung. Endlich stand Walter auf und ging mit den andern in eine Ecke des Saals, wo er auf eine beleidigende Weise bald halblaut mit ihnen flüsterte, dann überlaut lachte. Die arme Betty war wie auf Kohlen. – »Ich kenne Sie heute gar nicht«, sagte sie leise zu Florentin, »wie zeigen Sie sich

so widerspenstig?« – »Das nicht«, sagte er, »aber auf der
Folter bin ich; dieser Walter und ich sind notwendig Feinde.
Auch weiß ich selbst nicht, wie ich verstimmt bin; erst die
Musik –« – »Sie scheint Ihnen also keinen angenehmen Eindruck gemacht zu haben?« fragte sie, ihn laut unterbre-
chend. – »Sie mißverstehen mich, Betty!« – Er suchte die
unangenehme, drückende Gegenwart der übrigen zu vergessen, und erzählte ihr ganz so, wie er es fühlte, und als ob
er allein von ihr gehört würde, den Eindruck, den die erhabene Musik auf ihn gemacht hatte. – »Fragen Sie mich um
keine einzelne Stelle«, fuhr er fort, »deren entsinne ich mich
keiner einzigen; aber mein Gemüt war gelöst von allem
Kummer dieses Lebens. Wie auf Engelschwingen fühlt' ich
mich durch die allmächtigen Töne der Erde entnommen
und sah eine neue Welt sich vor meinen Augen auftun.« –
Walter kam hier wieder zu ihnen und störte die Unterredung und Florentins Begeisterung. Man sprach von andern Dingen, und zuletzt vom Monument in der Kapelle.
Florentin erkundigte sich nach der Veranlassung. – »Die
Tante«, sagte Betty, »hat es, so viel ich weiß, nach ihrer
Angabe für sich verfertigen lassen, das ist aber schon sehr
lange her, vielleicht noch eh ich geboren ward. Es ist ihr heilig, eine nähere Veranlassung hat sie aber keinem von uns
mitgeteilt.« – »Schade nur«, rief der Rittmeister, »daß die
ganze Stadt von dem heiligen Geheimnis sehr wohl unterrichtet ist.« – »Ich weiß nicht, was Sie damit sagen wollen?«
sagte Betty schüchtern. – »Wie sollten Sie das wissen können, Liebe?« erwiderte er; »es ist ja auch schon, wie Sie selber bemerkten, eine sehr alte Geschichte.« – Betty schien
aufgebracht und verlegen wegen dieser Ausfälle. – Sie ist
gerettet, dachte Florentin, wenn sie erst zum deutlichen
Gefühl, sich seiner zu schämen, zu bringen ist! – Er fragte
nun absichtlich nach manchen Dingen, die sie interessieren
mußten und ließ sich geduldig vom Rittmeister, durch boshafte, witzig sein sollende Anmerkungen, hämische Verdre-
hungen und unmäßiges Lachen unterbrechen. Ihm war es

recht, je mehr jener sich selbst herabsetzte. Betty sprang endlich ungeduldig auf, nahm Florentin am Arm, und lief nach
den Garten hinaus; die übrigen folgten, Walter mit sichtbarem Grimm.

Es war stiller in dem Garten geworden, nur einzelne Personen wandelten in der Entfernung in den hohen Gängen,
bis auch diese sich allmählich verloren. Sie stiegen eine Terrasse hinauf, die mit hohen Bäumen besetzt war, und dem
Hause gegenüber den Garten am Ufer des Sees begrenzte. In
der Mitte der Terrasse stand ein kleiner runder Tempel auf
weißen Marmorsäulen mit Rosen- und Jasminbüschen
umgeben. Von hier hatte man die freie Aussicht über den jenseits liegenden, bekannten See, mit seinem Kranz von wohltätigen Pflanzungen. Darüber hinaus ging der Blick in weite
Ferne, bis dunkel am Horizont das bläuliche Gebirge ihn
begrenzte. Der Mond stieg eben herauf, und schien eine
hochrote verzehrende Flamme durch die fernen Dünste, bis
er sich plötzlich völlig hinauf geschwungen hatte, und rein
und silberhell seine Bahn betrat.

Tief im Herzen ward nun Florentin die Gegenwart der
rohen Gesellen zuwider. Anfangs war er zwar willens gewesen, sich mit ihnen zu belustigen, aber er war es nicht
imstande. Im Freien, in einer schönen Gegend, dünkten ihm
verhaßte Personen noch verhaßter als im Zimmer. –

Er erkundigte sich bei Betty, ob der Garten immer, so wie
heute, für jedermann frei wäre? – »Immer«, sagte sie; »hier
ist der beliebteste, besuchteste Spaziergang der Einwohner,
und der liebste Spielplatz der Kinder. Man kömmt und geht,
wenn man will, und jeder genießt der unumschränktesten
Freiheit.« – Einer von den Begleitern bezeigte seine Verwunderung, daß die Gräfin weder Beschädigung noch Unordnung befürchte bei dieser allgemeinen Freiheit. – »Miß-
brauch der Freiheit, sagt die Tante, ist bei weitem nicht so
sehr zu befürchten, als Schadloshaltung für den Zwang! Sei
es nun dies oder die allgemeine Achtung und Liebe für sie,
kurz es ist noch niemals etwas Verdrüßliches vorgefallen, so

viel ich weiß.« – »Es kömmt darauf an«, fuhr Walter wieder dazwischen, »was man so dafür annehmen will oder nicht, gegen gewisse Dinge dieser Art ist man auch ziemlich nachsichtsvoll.« – »Ist denn«, fing Florentin wieder an, »der Gräfin die Menge niemals lästig? sehnt sie sich niemals nach einer einsamen Stille? Im Garten, dächte ich, müßte man diese gern suchen.« – »Nein, sie liebt es, grade hier viel fröhliche Menschen zu sehen und zu begegnen. Recht einsam, sagt sie, bin ich doch nur in meinem Zimmer; die Häuser sind ursprünglich erfunden, sich von den andern abzusondern. Was mich im Freien umgibt, was ich dort sehe und empfinde, läßt mich von selbst nicht einsam sein. Der Aufenthalt im Freien, sagte sie auch einmal, hätte für sie eine gewisse Zauberkraft; die Geliebten stehen ihr hier näher und die Beschwerlichen entfernter.« – »Das heißt«, unterbrach sie der Rittmeister: »die alte Dame braucht Gesellschaft. Sie selber hat weder zu verlieren noch zu fürchten, wenn der Garten von Menschen allerlei Art wimmelt, und für die jungen Damen im Gefolg ist es sehr erwünscht.« – »O Walter! Sie wissen nicht was Sie sprechen«, rief Betty aus. – »O Betty!« rief er, sie parodierend, »Sie werden nie die Augen öffnen!« – Betty verbarg ihre hervorströmenden Tränen in ihrem Tuche; und schluchzte endlich laut, da er nicht aufhörte, sie zu ärgern. Florentin ward dies zu viel, er verwies ihm mit Mäßigung sein Betragen; Walter aber, der es nur zu erwarten geschienen, daß dieser sich mit einmischen sollte, fragte ihn mit trotzigem Hohn: Ob die irrende Ritterschaft wieder erstanden sei, den beleidigten Jungfrauen Schutz zu gewähren? – So kam es zu beleidigenden Reden und Antworten hin und her, denn Florentin hielt sich länger nicht. Bis zur Wut gereizt zog Walter den Degen, und rief jenem zu, sich zu verteidigen. Betty schrie laut auf vor Entsetzen. – »Nicht hier, Herr Rittmeister«, sagte Florentin; »Sie vergessen, was Sie diesem Orte schuldig sind! Kommen Sie, Fräulein, ich führe Sie nach dem Hause; Sie, Herr Rittmeister, erwarten morgen früh Nachricht von mir.« – »Nicht hier von der Stelle, feiger

Schurke!« rief der tolle Walter, »nicht von der Stelle! ich lasse hier mein Leben, oder –« Den andern, die ihn zurückzuhalten suchten, befahl er drohend, sich ruhig zu verhalten, und so drang er voll Wut auf Florentin ein, dieser mußte sich zur Wehr setzen. Nach einigen Gängen, da Walter trotz seiner überlegenen Stärke, im Nachteil gegen Florentins Gewandtheit kam, der sich geschickt und gelassen bloß verteidigte, führte er mit hämischer Wut einen Streich gegen das Gesicht seines Gegners, der, wenn er ihm gelungen wäre, ihn aufs Leben unglücklich gemacht hätte. – »Bube!« rief Florentin, dem die boshafte Absicht nicht entging; und im Moment hatte er durch eine kühne, geschickte Wendung ihm den Degen aus der Hand gewunden und in Stücken gebrochen zu seinen Füßen geworfen.

Betty war, sobald der Kampf begann, nach dem Hause zurück mehr geflogen als gelaufen, unaufhörlich nach Hülfe rufend. Durch den Garten kam sie, ohne jemand zu begegnen; die Bediente, die sie unten im Hause fand, liefen sogleich, ohne zu wissen, was sich zutrüge, ihrer Bezeichnung nach, in den Garten. Unaufgehalten flog sie die Treppe hinauf, und stürzte, immer noch nach Hülfe rufend, bleich, atemlos, mit herunterhängenden Haaren, in Clementinens Zimmer, die eben eingeschlummert war. Der Doktor saß lesend in einer Ecke des Zimmers. Clementine fuhr erschrocken auf, der Doktor eilte herzu, Betty sank ohnmächtig an Clementinens Ruhbett nieder. – »Im Tempel ... im Garten ... « – rief sie, als sie wieder zu sich kam, mehr brachte man nicht von ihr heraus, ihre Sinne waren wie verwirrt vom Entsetzen. – »Eilen Sie hin, lieber Freund«, sagte Clementine; »sehen Sie selbst nach, was dem unbesonnenen Kinde widerfahren sein mag.« – »Walter ... Florentin ... « – rief Betty wieder, noch außer Atem. – »Um des Himmels Willen«, rief Clementine, »eilen Sie, eilen Sie.« –

Man hatte in der Verwirrung nicht darauf geachtet, daß ein Wagen rasselnd vorgefahren, und ein blasender Postillion gehört wurde. Jetzt öffnete sich die Türe; Juliane und Eduard

traten herein. – »Was ist hier? um Gottes willen!« rief Juliane, indem sie bei Clementine niederkniete. – »Warum haben
wir niemand im Hause gefunden?« rief Eduard, »was geht
hier vor? welche Verwirrung!« – Der Doktor wiederholte
ihnen Bettys Ausruf. – »Walter haben wir hier nicht weit
vom Hause stehen, und mit einigen andern heftig sprechen
hören; ich irre nicht, es war Walter.« – »So ist er nicht tot?«
rief Betty. – »Tot? Wie das?« – »Und Florentin?« fragte Clementine. – »Ist Florentin noch hier?« rief Eduard wieder.

»Mein Kind! mein gutes Mädchen!« sagte Clementine,
und küßte sie fest an sie schmiegende Juliane. »Müßt ihr,
meine Lieben, gerade jetzt erscheinen –« – »O, lieber Doktor«, unterbrach Betty sie mit Ungeduld, »es kömmt noch
niemand zurück, wollen Sie nicht in den Garten gehen? auf
der Terrasse.« – Er ging, die andern drangen in Betty, den
Vorfall zu erzählen. – »Es gab ein Gefecht zwischen den beiden, auf das übrige muß ich mich erst besinnen, jetzt weiß ich
nichts, gar nichts.« – Sie kniete neben Juliane vor Clementine
nieder, und weinte über ihre dargebotene Hand. – »Fasse
dich nur, du heftiges Kind«, sagte Clementine beruhigend,
»geh jetzt auf dein Zimmer, und versuche es, etwas ruhiger
zu werden –« – »O nein, Tante, schicken Sie mich nicht fort,
ich kann nicht allein bleiben, ich fürchte mich –« – Die
Bedienten kamen hier zurück, die zuerst auf Bettys ängstli-
ches Hülferufen in den Garten geeilt waren. Sie hatten den
ganzen Garten durchsucht und niemand gefunden, es war
alles ruhig. – »So können wir es ja auch wohl sein fürs erste«,
sagte Clementine, »es wird sich alles aufklären. Und nun,
meine teuren Gäste, sagt mir, wie kommt ihr so unerwartet,
und doch so längst erwartet?« – »Wir gedachten Sie eigentlich auf eine ganz andre Art zu überraschen, als es uns gelungen ist«, sagte Juliane. »Wir wollten noch zur Musik hier
sein, wollten uns unbemerkt unter die Zuhörer mischen, um
zu sehen, ob Sie uns herausfinden würden. Es zerbrach aber
etwas an unserm Wagen, wir mußten uns einige Stunden aufhalten, die Freude war verdorben, und beim Eintritt fanden

wir uns mehr überrascht, als Sie selbst. Aber, liebe Tante, wir kommen auch eigentlich mit darum, um die Eltern und die Kinder zu melden, sie werden gewiß in wenigen Stunden hier sein.« – »So müßt ihr mich jetzt verlassen, Ihr Lieben, ich muß nun zu ruhen suchen, um auf die Freude des morgenden Tages gestärkt zu sein.« – »Erst Ihren Segen, Tante, eh wir Sie verlassen! Segen für uns!« – »Gott segne meine lieben Kinder! mögt ihr nie die Leiden der Liebe erfahren! Gott segne euch!« – Eduard war über ihre Hand gebeugt, Juliane hob ihre Augen zum Himmel, um Erfüllung des segnenden Wunsches zu erflehen; Betty weinte, ihr Gesicht mit beiden Händen verdeckend.

Eduard ging dem Doktor im Garten nach; da sie nun daselbst alles still fanden, so gingen sie von der andern Seite der Terrasse am See hinunter, und suchten an dem bestimmten Ort den Kahn, der zur Überfahrt immer bereit war; da sie ihn aber nicht fanden, vermuteten sie sogleich, daß Florentin sich nach dem Hause des Doktors übergesetzt hätte. Sie eilten zurück, ließen anspannen, und fuhren hinaus. Florentin war nirgends zu finden.

Aufzeichnungen und Entwürfe zum
Florentin

1. Zueignung an den Herausgeber

Mit hoher Freude erinnere ich mich noch des lieben heitern Morgens, als ich mich zuerst auf die kleinen Geschichten in diesem Buche wieder besann. Sie lagen schlummernd in meiner Seele wie Veilchen während des Winters; ein neuer Frühling, die rückkehrende Sonne hatte sie alle geweckt. Glühend und freudig ungeduldig schrieb ich die ersten Blätter nieder und legte sie dann so zufrieden und unbefangen in meinem Schreibpulte hin, als hätte ich ein ganzes Werk vollendet; denn das, was ich mir heimlich zu den paar Seiten noch hinzuträumte und vorphantasirte, war für mich Absichtslose so gut, als stände es fertig vor mir auf dem Papiere. Ich hatte nicht den Muth, Dir von meinem Phantasienspiel zu erzählen, und auch nicht die Zeit; Du warst so reich, hattest der lange Dich Erwartenden so vieles mitzutheilen; ich vergass es selber und darüber wirst Du Dich nicht wundern. Endlich, wie Du einst Dich freutest, dass ich anfinge, Sprache für den Ausdruck meines Gemüths zu finden, da fasste ich mir ein rechtes Herz, und Du sahst die Blättchen. Wie nun eben eine mässige ökonomische Mittheilung nie meine Stärke war, und wie ich in dieser leicht zu weit gehe, so wie in der Zurückhaltung, so musste auch jetzt alles auf einmal heraus, da ich so lange ganz geschwiegen hatte, und ehe Du Dich noch recht besinnen konntest, hatte ich Dir alles unter und durcheinander erzählt. Wer mir nun keine Ruhe liess, bis ich sie nach weltlicher Weise ausführlich vollendete, das warst Du, und ich gehorchte in Demuth; denn mein Wille war es gar nicht. Für mich, auf meine Weise, war es vollendeter, als ich es noch insgeheim mit mir herumtrug und still bald so, bald anders ausbildete, meine Phantasie, durch nichts wirkliches gehemmt, durch nichts, was einem so in der Welt im Wege liegt, gestört, sich allerliebste wunderbunte Sächelchen hinein mengte, (Du hast ja selber so oft mich mit dem kleinen Philipp verglichen, dessen Poesie recht sentimental mit der Beschreibung eines rauschenden Wasserfalls anhebt und sich dann ganz naïv mit einem Zwieback endiget, den ein Wandersmann in den Wasserfall eintaucht) als jetzt, da mir von allem dem so wenig gelungen ist, was ich eigentlich wohl meinte, und mir meine Bilderchen selber ganz unbekannt vorkommen. Es ist nichts darin so fröhlich und wehmüthig, so gerührt und ergötzt, als ich selber war, da es noch in mir lag. Immer glaubte ich genau das hinzuschreiben, was ich eben dachte, aber es war Täuschung: vorwärts, vor der Feder schwebte mir das rechte Wort; rückwärts, hinter ihr standen dann ganz andre Worte, die ich nicht wieder erkannte, wie einer, der eine Quecksilberkugel mit den Fingern greifen will – wenn er sie dann eben zu haschen glaubt, so hat er immer nur kleine Kügelchen davon abgelöst, während ihm die eigentliche grosse Kugel immer wieder entschlüpft, bis sie zu lauter Theilen geworden und er das Ganze nicht wiederfindet.

»Wer wird aber auch eine so quecksilberne Phantasie haben?« höre ich Dich fragen. – Ich habe sie nun leider einmal so, und dass ich jetzt für sie verantwortlich sein soll, überrascht, beschämt mich nicht wenig. Ja Du bist schuld an allem dem, und darum ist es billig und Du wirst mir erlauben, dass ich Dir ganz eigenst zueigne, was ohne Dich sicher nicht existiren würde.

»Und hiemit soll es nun endigen?« so wirst Du freilich nicht fragen, aber Du siehst voraus, dass es viele andre fragen werden, die einen ordentlichen, befriedigenden Schluss ungern vermissen. Befriedigenden Schluss! Sieh, mein Freund, bei diesem Wort musste ich aufhören und konnte lange nicht weiter schreiben. Es war mir, als müsste ich mich besinnen, was denn wohl ein befriedigender Schluss sei? Was den meisten so erscheint, ist es nicht für mich. Ach da in der Wirklichkeit, in der Gewissheit, da geht mir erst alle Wehmuth und alle Unbefriedigung recht an. Meine Wirklichkeit und meine Befriedigung liegt in der Sehnsucht und in der Ahndung. – Ich hatte meine Augen aufgehoben, und sieh da, die Sonne war untergegangen; mir gegenüber lagen die schönen Berge im herbstlichen bläulichen Duft; die höchste Spitze schimmerte und flammte in der Glut des scheidenden Strahls, während des Uebrige in tiefen Schatten versank; und als ich noch erfreut und bewegt hinsah und die weissen Streifen am Himmel zu wunderbaren, leichten, durchsichtigen Gestalten sich formen und wieder zerstören sah, und ich kindlich bald eine gewohnte Gestalt des Lebens, bald eine überirdische Erscheinung oder willkürliche Geburt einer übermüthigen Phantasie darin erkennen wollte, da blickte plötzlich jenseits über das Gebirg herüber der Silberschimmer des Mondes, als ob er von der scheidenden Sonne gesandt wäre, uns für ihre Trennung zu trösten. Denk Dir das ganze Bild! es war Ruhe, Bewegung und Verkündigung – Verheissung der ewigen Gegenwart, des neuen Daseins bei der anscheinenden Beendigung.

Wie Du nun lächelst über diese Dithyrambe und nicht begreifst, wie mich dieser Eifer so inmitten der besonnenen Ruhe befallen kann! O ich bitte Dich, finde es nicht unschicklich, und lass es Dir auch hier wie immer von mir gefallen, dass ich alles durcheinander werfe und überall g a n z bin, wie ich bin; es ist mir jetzt klar geworden und ich weiss keine andere Manier zu erfinden, Dir deutlich zu machen, was mir klar geworden; nämlich, dass ein Gedicht keinen schliesslicheren Schluss zu haben braucht als ein schöner Tag.

Gewöhnlich findet man aber keinen Schluss eines Romans beruhigend, ausser wenn der, für den man sich am meisten interessirt, sich verheirathet oder begraben wird, und man wird sich beklagen, dass man hier auf keine von beiden Weisen zur völligen Ruhe kommt. Wie Du hierüber urtheilen wirst, bin ich begierig zu erfahren; was mich aber selbst betrifft, so muss ich Dir nur gestehen, ich bin nie ganz beruhigt, wenn mir der Dichter nichts hinzu zu denken oder zu träumen lässt. So kann ich mich mit einer einzigen Geschichte recht lange beschäftigen und freuen, indem ich ihr bald diesen bald jenen Ausgang gebe. Es geht mir damit wie den kleinen Mädchen, welche lieber mit einem nackten Puppenkörper spielen, den sie sich jede Stunde anders ankleiden und ihm eine ganz verschiedene Gestalt geben können, als mit der prächtigsten und aufs vollendetste angezogenen Puppe, der man die Kleidungsstücke und damit auf immer ihre vollendete Bestimmung angenäht hat.

Ich frage wiederum: Was hätte denn aus diesem Mann, den ihr den Helden nennt, werden sollen? – »Freilich, der Held eines Romans muss entweder verheirathet oder begraben werden.« – Verheirathet! Können wir uns damit beruhigen? Sehen wir nicht an Eduard und Juliane, dass oft von da an erst alles Leid und alle Verwirrung anhebt. – Der Tod! Ja, das wäre wirklich ein Schluss eines Romans, bei dem wir uns beruhigen müssten. Aber hier muss ich meine Klage und meine Reue wiederholen, dass dies Buch ein Roman und nicht, wie es wirklich ist, eine wahre Geschichte ist genannt worden.

Für mich ist das Buch also hier zu Ende, denn Florentin's Einfluss reichte nicht weiter. Uebrigens wissen wir ja, dass er in der That nicht mehr mit dem Ernste Scherz trieb, sondern wahrhaftig seinen Entschluss, das, was für ihn sein Schicksal war, ausführte, die Vortheile, die Feinheiten der Kultur verschmähte und zu seinen geliebten Wilden zurückkehrte. Er war Anführer und Erster einer ganzen Nation, die ihn wie einen Göttlichen verehrte. Noch einmal sah ihn die Familie in ihren Pflanzungen als Abgesandten seines Volkes, und er kehrte stolz wieder zurück, als man·ihn zu bleiben bewegen wollte. Seitdem wissen wir nichts von ihm. Er lebt vielleicht noch und erzählt seinen Enkeln die unglückbringenden Wunder und das glänzende Elend der Europäer.

Raich I, S. 58-62.

2. Variante zur »Zueignung an den Herausgeber«

*Im Nachlaß Dorothea Schlegels fanden sich nach Finke zwei
Fassungen der »Zueignung« mit mehreren Ergänzungen.
Die folgende Passage entstammt der im übrigen nicht mehr
auffindbaren zweiten Fassung:*

Für den Geschichtsschreiber ist es hier zu Ende, denn Florentins Einfluß reicht nicht weiter. Er ist wie in jeder
Geschichte nur der Held und Regent, der dem Zeitraum, in
dem er geboren ward, seinen Namen leiht, und der durch
sich selbst nicht so wichtig ist, als was ein besonderes Zusammentreffen der Gestirne durch sein Leben veranlaßt. Und
darum muß ich hier meine Klage und meine Reue wieder-
hohlen, daß diese Geschichte den Namen R o m a n erhielt!
Denn muß der Held eines guten Romans nicht entweder den
Dichter persönlich oder doch das Ideal desselben darstellen
und wird man nicht nach beyden hier vergeblich suchen?

Finke, S. 80f.

3. Einleitung des zweiten Bandes

Wir wenden uns zuerst mit einigen Zweifeln, die uns am
Herzen liegen, zu den günstigen Leser; mit vergrößertem
Zutrauen, da er nach dem ersten Theil dieses Buchs, es der
Mühe werth findet auch den zweyten zu lesen: Nemlich, daß
wir es Roman, und nicht vielmehr Lebenslauf genannt
haben; denn der vielen andern Gründe nicht zu gedenken die
diese Benennung passender und schicklicher gemacht haben
würden, begnügen wir uns nur den einen anzuführen: daß
ein wirklicher Lebenslauf ganz von der Macht des Schicksals,
und von dem Einfluß der guten oder bösen Gestirne ab-
hängt, unter welchen jeder das Licht der Welt erblickt, sey es
ein Buch oder ein Mensch; ohne daß wir im Stande sind,
etwas hinzu zu setzen oder davon zu nehmen; wogegen sich

also auch nichts einwenden läßt, die Dinge mögen nun kommen, wie sie wollen. Zu einem guten Roman aber, für den der Dichter haften muß, weil er in seiner Fantasie erzeugt und aus eigner Willkühr geboren ward, werden in unserm gebildeten Zeitalter eine Menge Eigenschaften erfordert, von denen dieses Buch leider keine aufzuweisen hat; denn weder wird es die hohe Wissenschaft der unendlich tiefen und feinen Menschenkunde bereichern, noch versteht es die treffliche Kunst, verderbte oder verirrte Gemüther zur moralischen Vervollkommnung zu führen; ja schwerlich auch wird etwas darinnen die zarten Herzen rühren und entzücken, die vor allen Dingen sich darnach sehnen, sich selbst wieder anzutreffen; und so wie viele Frauen am liebsten sich in einem Spiegel besehen, der ihre Züge und ihre Farbe verschönert zurückwirft, und obgleich sie die schmeichelnde Täuschung schon erfahren haben, sich ihr dennoch immer wieder mit demselben Vergnügen hingeben; die von nichts so gerührt werden, als wenn sie, so wohl die eignen Leiden von denen sie gedrückt werden, als auch die Schönheiten deren sie sich am liebsten bewußt wären, und die Regungen und Beweggründe, deren sie sich wirklich bewußt sind aber nicht zu zeigen wagen; wenn sie diese im verschönerndem Spiegel den die Dichtkunst ihnen entgegen hält, erblicken. Diese zarte innige Sympathie zu erregen kann dieses Buch keinen Anspruch machen, schon glücklich genug wird man, alles Leid und wirkliche Noth vergessend, sich einige Augenblicke an den bunten Bildern dieser fremden Welt ergötzen, und es sich gern gefallen lassen nicht in einen Spiegelsaal in dem man sich mitten unter den oft wiederhohlten Gestalten allein befindet, sondern in einer Bildergallerie zu lustwandeln wo die verschiedenen Porträte und Figuren uns bald mit theuern bald mit verhaßten jetzt mit wehmütigen, und jetzt mit lächerlichen Erinnerungen umgeben.

Dieses nun bedenkend möge der geneigte Leser es sich gefallen lassen, daß die Erzählung seiner Begebenheiten etwas unterbrochen werde und daß er hier gleich zu Anfange dieses zweyten Theils eine Novelle finde, die ihm nicht hier her zu gehören scheinen wird; doch, blicken wir auf unser vergangenes Leben zurück, so finden wir nicht selten daß Begebenheiten, oder Bekanntschaften die wir anfänglich als fremd, oder zufällig anzusehen geneigt waren und denen wir weder Folge noch Wichtigkeit zugestanden: daß gerade diese, nicht allein von entschiedensten Einfluß auf unser Leben waren, sondern sogar in so innigem Zusammenhange mit demselben gestanden, daß wir nun nicht mehr einsehen, was ohne jene aus diesem geworden wäre.

Finke, S. 81 f.

4. Gespräch zwischen Eleonore und Clementine

Eleonore: Theure Clementine Du scheinst mir, ich weiß nicht, nicht recht vergnügt, noch nicht ausgesöhnt – und ich bin so ganz gerührt – glaubst Du denn noch immer nicht an dem Glücke unserer Kinder? Du hörtest sie nun; diese Delikatesse, diese Aufopferung, diese Großmuth . . .

Clem[entine]: Und keine Liebe!

Eleo[nore]: Wie?

Clem[entine]: Ich störe Dich so ungern aus Deiner Freude, aber laß uns früh auf Fassung denken; mir gefällt dieses Wesen nicht, wird mir nie gefallen. Delikatesse, Aufopferung, Großmuth! Schöne Eigenschaften eines liebenswürdigen Charakters; für das gesellige Leben, aber was bedeuten sie weiter in der Ehe, wo man nicht mehr gesellig, sondern zwey Eins seyn muß, wo man zwey ist, und doch allein? Ich habe es erlebt; zwey Menschen, die Bewundrung ihrer Zeit, an Bildung und Geist; die Frau warf sich dem Mann in die Arme, in einem Augenblick, wo er von allen Freunden verlassen, verleugnet, seine Wohlfahrt, ja sein Leben und seine Ehre in Gefahr war, mit einer seltnen Aufopferung, welche die Bewundrung für ihre seltne Seele noch erhöhte; der Mann verband sich mit ihr, weil sie sich ihm öffentlich in die

Arme geworfen, und sich ihm aufgeopfert hatte, ohne eigentliche Liebe, mit der höchsten Grosmuth. Also Beyde hatten eine feine Bildung des Geistes und hatten in den feinsten Verhältnissen gelebt, also doch wahrscheinlich beyde viel Delikatesse. So lange sie jung und ohne Sorgen, und ihr Verhältnis Aufmerksamkeit erregte, und sie selber sich etwas damit wußten, hielt die Eitelkeit, und eine gewisse Liebe zur Konsekuenz sie oben. Aber so wie die ernsten Scenen des körperlichen Lebens ihnen näher traten, und sie andre Pflichten gegenseitig von sich forderten, als die bisher statt aller andren ihnen gedient hatten; da wurden sie es schrecklich gewahr, daß der eine allgültige, allmächtige, alles schaffende und alles ersetzende Beweggrund, die Liebe, ihnen fehlte; und seitdem weder von Aufopferung, noch von Großmuth sondern von entbehren, und gemeinschaftlicher Thätigkeit die Rede war, seitdem sie nichts vor einander zu repräsentieren hatten, sondern sie die geheimsten Falten ihrer Seele nicht allein, sondern auch jede augenblickliche Laune, jeden Einfall, Thorheit oder Angewöhnung gegenseitig tragen und entschuldigen sollten; haben sie sich hassend geplagt, und haben erst ihre Ruhe in der Trennung wieder gefunden.

Eleon[ore]: Es kann leicht so kommen, wie Du sagst; aber dieses mal meine Sybille ist es doch ein andrer Fall. Juliane und Eduard lieben sich wirklich, ich weiß nicht, wie Du so fest auf die Vermuthung des Gegentheils bestehst.

Clem[entine]: In der Liebe ist weder von Aufopferung noch von Großmuth die Rede, denn sie macht beyde überflüssig; und die Delikatesse, mit der sie beyde sich zu verstecken und zu errathen suchen; ist, man mag es nennen, wie man will, immer ein Mangel an treuherzigem Zutrauen der Liebe.

Kinder ändern nichts an der innern Qualität der gegenseitigen Empfindungen, sondern sie sind ein großes Gewicht in der Quantität. Sie vermehren die Summe der Liebe der Eltern, oder – die Summe des Hasses, indem sie immerwährende Gelegenheit geben, daß die Eltern näher zusammentreten, mehr gemeinschaftlich wirken, und sich öftrer erklären mußten. So war es eben bey meinem großmüthigen aufopfernden Paar, ihre Kinder dienten ihnen nur zu Gelegenheiten sich zu veruneinigen. Und der Haß, Auflauern, Mißtrauen, und Eifersucht war das erste was den jungen Seelen gelehrt ward. Nein glaube mir; es ist zu viel Unnatur in dieser Art von Verhältniß und kann nicht gut werden. Eher noch kann ich mir eine Art von Wohlseyn bey einer Verbindung denken von ganz gewöhnlicher Convention; es ist hier eine Möglichkeit wenigstens, daß Menschen die sich so ohne Leidenschaftlichkeit begegnen und bemerken, doch gegenseitig Eigenschaften finden, die sie mit Achtung erfüllen, woraus leicht eine Gewohnheit des Umgangs, eine Anhänglichkeit entsteht, die mit dem Leben dauern, und die Seele mit wohltätiger Ruhe bis über das Ziel der Leidenschaften sanft hin weg führt. Es ist weder genug, daß man von Seiten seiner Eigenschaften, noch daß man von Seiten seiner Fehler für einander paßt, sondern man muß auch bey den entgegengesetztesten Charakteren (und bey diesen ist es gerade am öftersten der Fall) in jeder Lage zu einem Zweck hinarbeiten, und das kann die Liebe nur allein, und nichts außer sie.

Finke, S. 82-84.

5. Entwürfe zur Novelle *Camilla*

Die Novelle, die bestimmt war, den zweiten Band des »Florentin« einzuleiten, soll nach Finke in einer »Reinschriftfassung« vorgelegen haben (Finke, S.80). Diese Fassung ist verschollen. Die erhaltenen Entwürfe, die sich in Privatbesitz befinden, wurden erstmals von Hans Eichner gesichtet, veröffentlicht und gedeutet (vgl. Literaturhinweise). Auf eine vollständige Wiedergabe der zwölf Handschriften hat der Herausgeber verzichtet, um Wiederholungen zu vermeiden. Er konzentriert sich im Hauptteil seiner Edition auf vier Handschriften, die er dem Ablauf der Handlung gemäß an-

ordnet. Das Ende der Erzählung bleibt offen. Kürzere Fragmente, die das Geschehen erhellen, beschließen die Darstellung als »Anhang«. – Der Abdruck an dieser Stelle folgt im wesentlichen Eichners Anordnung (nur Eichners Handschrift [1] ist als selbständiges Fragment Nr. 6 aus dem Novellen-Zusammenhang herausgelöst; die Unterscheidung zwischen eigentlichem Novellentext und Anhang wurde aufgehoben). Eichners chronologische Numerierung wurde aufgegeben. Die Bezeichnungen a-h entsprechen der Reihenfolge der dargestellten Passagen. Textkritische Befunde, die zum Verständnis der Entwürfe relevant schienen, sowie Erklärungen zu den Zusammenhängen finden sich in den Anmerkungen. Wo im Manuskript am Zeilenende ein Satzzeichen fehlt, wurde ein Schrägstrich gesetzt.

Handschrift a (Eichners Handschrift [6]):

Als der junge Fabian wieder in das Haus seines Bruders anlangte, fand er ihn nicht; ein alter Diener der schon in der Eltern Hause ihnen gedient, empfing ihn herzlich; aber durch den innigen Ausdruck der Freude seinen geliebten Herrn wieder zu erblicken schimmerte eine tiefe Bekümmerniß. Euer Herr Bruder sprach der Alte, ist auf dem Landhause der Dame Rosalia, und wie es heißt wird er sie als seine Gemahlin herführen – Wohl, sprach Fabian, sehr wohl daß er Trost gefunden, ich fürchtete schon er würde unter seinen Kummer erliegen müßen. Der Alte schüttelte langsam das bedächtige Haupt: mein guter junger Herr, neuer Leichtsinn kann wohl machen daß wir vergessen was wir durch den alten verlohren haben, aber kann er trösten wo das Herz wund ist? – Was wollt ihr damit sagen Anton? warum sollte mein Bruder sich über Camilla's Leichtsinn nicht trösten? – Es ist nicht alles so wie mans wohl denkt, mein junger Herr; wenn man alt in der Welt geworden ist, dann lernt man wohl seinen eignen Augen nicht zu viel zu trauen. O meine theure Gebieterin! ich kann Sie nimmer mehr vergessen! mein altes Herz muß sie immerdar freisprechen, wenn auch alles sie anklagen muß! war ich denn nicht auch oft allein Zeuge Ihres Kummers und Ihrer Thränen? Sie war unserm Herrn Siegmund verliehen daß sie ihn zurückführe wieder auf den rechten Weg des Heils, da aber ihre Kraft nicht hinreichte, da ward sie uns wieder genommen ... Ja sie war zu fromm für diese Welt des Verderbens, der Engel des Herrn entrückte die Heilige vor unsern Augen ... – Was sagt ihr Alter? ist denn Camilla nicht von Hilario davon geführt? hat sie denn meinen Bruder nicht verlassen? was schwazt ihr denn? – Laßt es gut seyn mein Herr Fabian, die Freude euch wiederzusehen macht mich schwatzhaft, auch seyd Ihr der einzige dem ich hier meine Gedanken sagen kann. – Fabian drang nun in den Alten daß er ihm den ordentlichen Verlauf jener Begebenheit erzählen sollte, aber er war nicht dazu zu bewegen; Euer Bruder erwartet euch, sagte er, von ihm werdet ihr ja wohl alles hören, auch weiß er den Zusammenhang wohl besser als ich es euch zu sagen weiß.

Fabian eilte nun nach Rosaliens Landhause; er bebte für Begierde den geliebten, so lang vermißten Bruder endlich wieder zu sehen; Hilario war der Freund seiner Jugend / tief schmerzte es den Jüngling glauben zu müßen daß er Freundschaft und Redlichkeit so beleidigt sollte haben, er den er bis dahin so fest so treu geprüft gefunden. Und doch durfte er nicht an jene That zweifeln die verwirrte Rede des alten Dieners machte ihn nur noch unruhiger. Bey Rosalia fand er alles in der größten Bestürzung; vor wenigen Stunden hatte Siegmund sie von einem Spaziergange auf seinen Armen ohnmächtig und am Kopfe verwundet nach Hause getragen; jetzt war sie unter den Händen der Wundärzte, Siegmund aber lag phantasierend im heftigen Fieber. Keiner der Anwesenden wußte etwas näheres, denn Rosalia lag sprachlos, und Siegmund kam nicht einen Augenblick zur Besinnung. Er verlangte mit Heftigkeit nach Hause, in sein Zimmer zu seyn, es dünkte ihm er läge auf einen Felsen mitten im Meer, die Wellen stiegen immer höher, und der Felsen wankte, und stürzte zusammen, dann schrie er laut auf, ward ohnmächtig, und gleich darauf fing dieselbe Phantasie wieder an. Keinen

Moment schloß er seine Augen, Tag und Nacht war es ununterbrochen dieselbe Fantasie, dasselbe Angstgeschrei, und sein Flehen daß man ihn vom Felsen abnehmen, und nach seinem Zimmer bringen möchte. Kein Mittel half, der Arzt endlich versicherte daß er sterben müßte, wenn nicht der Schlaf ihn in den nächsten 24 Stunden erquickte. Verzweifelnd, und nun doch alles für verloren achtend wollte Fabian wenigstens versuchen, ihn die letzten Momente des Lebens weniger gräßlich zu machen. Eine Tragbare wurde bereitet und Siegmund mit dem Bette aus dem Hause getragen, Fabian verließ ihn keinen Moment, die Diener wechselten ab mit tragen. Die Aerzte fanden es nicht gut doch wollten sie dem Fabian nicht den Trost versagen noch alles für die Beruhigung seines Bruders zu thun, den sie doch auf jeden Fall für verloren hielten. Aber kaum war Siegmund unter den heftigsten Beängstigungen und Phantasieen hinaus getragen, kaum berührte ihn die freie Luft in dem Walde durch welchen er getragen wurde, als seine Augen zufielen und er in einen tiefen Schlummer sank. Er ist wunderbar gerettet sagte der Arzt wenn dieser wohlthätige Schlummer von einiger Dauer ist. Fabian ward mit neuer Hoffnung belebt, und Thränen entfielen seinem Auge als er seinen geliebten Bruder so bleich und kraftlos im Todesähnlichen Schlummer ausgestreckt liegen sah. Er selber fühlte sich wie zerrüttet von den seltsamen Vorfällen die in so kurzer Zeit sich um ihn her gedrängt hatten, ohne daß er irgend einen Grund oder Veranlassung dazu hätte erfahren können.

Das erste was Siegmund erblickte als er nach einen beinah zwei Tage langen Schlummer, mit völliger Besinnung wieder erwachte, war seinen Fabian, der sich über ihn herbeugte und mit sorgsamer Liebe auf seine Athemzüge horchte. Er glaubte noch zu träumen, und schloß die Augen wieder, um sich dessen recht bewußt zu werden: Fabian – bist du es wirklich? bist du zu mir gekommen? wo bin ich denn? – In den Armen deines Bruders; sey jetzt ganz ruhig, erhohle dich von deiner Krankheit – Krankheit? fragte Siegmund, bin ich denn krank, wieso? seit wann? – Der Arzt eilte herzu u[nd] verbot mit ihm zu sprechen; er versprach nicht ein Wort zu sagen, aber Fabian durfte nicht einen Augenblick von ihm gehen.

Es währte lang eh Siegmund sich wieder erholte; an die Stelle der Krankheit war eine tiefe Schwermuth getreten, die ihn langsam zu verzehren drohte. In sich versunken, nahm er an nichts Antheil was ihn umgab; dann schien er wieder wie mit einem beunruhigenden Gedanken beschäftigt; oder er schien auch gegen etwas zu kämpfen, oder als stieße er etwas gewaltsam von sich, dann sank er zitternd und mit einem Angstschrey in eine Art von krampfhafter Betäubung, aus der er nach einigen Stunden wie vom Tode aufwachte. Nach einigen Monaten der sanftesten Schonung ward auch dieser Zustand milder, und er ward nach und nach wo nicht heiter, doch wenigstens ruhig, und er schien wieder den gewohnten freundlichen Antheil nehmen zu wollen, an den seinigen. Rosalia war wieder hergestellt, er besuchte sie aber von der alten Verbindung war nicht mehr die Rede. Fabian mußte ihm nun Nachricht von seinen Angelegenheiten geben, und er wagte es ihm von seinem Glück und von seiner Geliebten zu sprechen; er wollte versuchen ob er so ihm näher kommen, und es dahin bringen könnte daß sein Herz sich ihm öffnete, und er ihm die Begebenheiten mittheilte die ihn so unglücklich gemacht hatten, aber Siegmund nahm die Hand des Bruders, preßte sie gewaltsam an sein Herz und schwieg. So waren einige Monate verflossen, endlich brach Fabian das Stillschweigen, das er nicht länger ertragen mochte, und daß ihm auch für seinen Bruder je länger je gefährlicher schien: Geliebter Bruder fing er an, mit nassen Augen das bleiche kummervolle Gesicht anblickend; ich weiß es gar wohl daß eine zufällige vorübergehende Stimmung durch zu sorgfältiges Eindringen, und zu genaue Aufmerksamkeit eher befestigt als zerstreut wird; aber dein Kummer ist keine solche vorübergehende Stimmung des Augenblicks; darum lass mich in dich dringen und nicht eher ablassen, bis du dein

Herz dem brüderlichen Herzen eröffnet hast. Ich bin nicht
so stolz zu glauben, ich sey im Stande dir zu helfen, oder den
Gram zu lösen der dich immer tiefer beherrscht, ich müßte
eine geringere Meynung von deinem Verstande haben, als ich
mir bewußt bin, wenn ich mir dies als eine leichte Sache denken könnte, und würde bei einer solchen Voraussetzung
selbst einen geringen Grad von Einsicht zeigen. Du weißt
auch wohl daß nicht Neugierde mich treibt in dich zu dringen daß du mir die Vorfälle die dich so beugten ausführlicher
mittheilen möchtest, die von äußerster Wichtigkeit seyn
müßen da sie von solcher Wirkung auf dich seyn konnten.
Aber du weißt wie alles was dich angeht mir am Herzen liegt,
wie ich Alles dir mittheilen muß was mir wichtig ist, wie
sollte ich es also länger ertragen daß du dich mir so hart verschließest! – Siegmund hatte sich während dieser Anrede zu
fassen gesucht, da die ersten Worte ihn überraschten, und
verwirrten. »Wohl muß es dich bekümmern, fing er endlich
an, mich so kummervoll und gebeugt zu sehen, der du ehemals an meiner immer gleichen Heiterkeit so gewöhnt warst.
Kaum daß ich selbst mich erinnern kann, wie es kam daß die
Quelle meines Lebens jetzt so träge schleicht, die voll Lust,
sprudelnd und schäumend, über Steine und rauhe Klippen,
wie über lustige Wiesen hinrauschte! ... Schreib es auch
nicht irgend einem Mißtrauen zu mein geliebter Bruder, daß
ich gegen dich nicht offner war, als gegen jeden andern, du
verdientest freilich eine Ausnahme zu machen, denn kenne
ich nicht deine Liebe? O niemand hat je mich geliebt als du
allein! – Er war einige Minuten wieder zerstreut, aber er
suchte sich mit Anstrengung zu fassen: »Was ich dir aus der
Vergangenheit wichtiges hätte mittheilen können, das unter-
ließ ich, weil ich es selbst zu vergessen suchte; denn nur im
Vergessen seiner Schmerzen findet ein Mensch Trost und
Erlösung; hat jemals eine andre Hand als die der Zeit die
Wunden des Schicksals geheilt? So wie ein Gemählde sich
nicht eher richtig beurtheilen läßt, bis die Farben getrocknet
sind aus denen es zusammengesetzt ward, und so wie wir

auch ein Gemählde nicht zu nahe betrachten dürfen, also auch das Leben, wenn wir anders den wahren und schicklichen Gesichtspunkt dafür wählen wollen. Was aber von Neuem mich wieder erschütterte ... O Fabian! wie soll ich mit Worten bezeichnen was mir so namenlos erscheint? eine geheimnißvolle, nächtliche Erscheinung ist vor meine Fantasie getreten, die das Licht der Vernunft mir völlig zu verdunkeln droht. Welche Erscheinung aber dies ist? mein ganzes Bewußtseyn reicht nicht hin es zu fassen, wie solltest du es fassen dem alles unbekannt ist? – Einiges sagte Fabian hatt mich in der Ferne das Gerücht gelehrt, doch sind unterdessen zwei Jahre verflossen; ich glaubte dich beruhigter wieder zu sehen; ich hoffte viel von den Reisen die du seitdem unternommen, noch mehr von der neuen Verbindung mit Rosalia. ... Aber du bist mehr als je in Gram und Unmuth versenkt, und verschließest zu gleicher Zeit deinen Schmerz so tief in dir selbst, als ob du ihn so liebtest, daß du niemand einen Antheil daran vergönntest, und dich mit ihm allein nur beschäftigen willst. Deine Studien, Musik, Mahlerei, alles was dich ehemals beschäftigte und ergötzte, und was noch vor Kurzem wie ich erfahren im Stande war dich auf einige Augenblicke zu erheitern das vergißt du alles jetzt. Es kann also nichts von dem seyn was längst vergangen – etwas Neues ist hinzugekommen, das dir neue Wunden schlägt oder doch die alten blutend erneuert ... du erblassest! O mein Bruder komm in meine Arme! überlasse dich mir nur einmal; oefne die Schleusen der Rede einmal wieder, und gieb dem gewaltsam im Herzen zurück gedrängten Strom deiner Schmerzen einen Ausgang. Ich fühle es, dein Herz zuckt unter meiner Berührung; sieh mich als einen Wundarzt an, der mit kräftiger Hand, die gegenwärtigen Schmerzen nicht schonend, das Uebel bei der tiefen Wurzel ergreift; und wenn auch dem Leidenden dieses sein Beginnen grausam dünkt, so ist es doch um nichts weniger das heilsamste und liebereichste, das ihm geleistet werden kann ... Blick auf Siegmund! dies ist noch das ewige Blau des gewölbten Himmels in dem

du so gern sonst deine Augen tauchtest, dessen Anschauung
sonst dich über jedes irrdische hinweg zu heben vermochte!
Drüben über den Bergen geht dir noch die Sonne auf wie ehedem; erinnere dich was du fühltest wenn wir die Nacht durch-
wacht hatten, vertieft in traulichen Gesprächen, oder in den
Dichtungen der Vorwelt; dann die Sonne heraufstieg und du
ihr die Arme bewillkommend entgegenstrecktest, gleichsam
als wolltest du sie dankbar begrüßen / daß sie deine glaubende
Erwartung nicht getäuscht, daß sie wirklich wieder aufgegan-
gen – Was kann wohl, unterbrach Siegmund hier seinen Bruder, was kann wohl die ewig neu verjüngende Kraft dem
erstorbenen Baume helfen, der seine verdorrten Zweige
umsonst nach Hülfe in den Himmel hinausstreckt? Thau und
Regen träufeln auf ihn herab wie auf den blühenden Gefährten, aber von ihm sproßt nie mehr junges Grün auf; Sonne und
Sterne gehen mitleidig vorüber ohne ihn zu erquicken . . . –
Wie wir uns dann, fuhr Fabian eifrig fort, in der höchsten
Wonne der Ahndungen umschlungen hielten, uns Plane und
Ideen für die Zukunft mittheilten, die auszuführen, vielleicht
drey Menschenalter erforderlich seyn würden, wir aber im
Enthusiasmus, trauten uns allein Kraft genug zu, um unge-
heure Absichten durchzusetzen; zu beginnen und zu vollenden . . . Wie du mir einst, erinnere dich, wir standen an demselben Fenster, dieselbe Gegend lag eben so vor uns, die wohlbekannten Sternbilder wichen dem leuchtenden Stern der heran-
brechenden Morgenröthe, wie du mir da, als ich dir Vorwürfe
machte wegen deiner vielfältigen leichtsinnigen Verbindun-
gen, welche dich dir selber zu rauben drohten, wie du mir da
zuerst deine ernste wahre Liebe entdecktest, du mir von
Camilla sprachst; und ich, gleiche Liebe in mir ahndend aber
noch nicht kennend, dich mit Fragen bestürmte, und du
lächelnd über die Neuheit des angehenden Jünglings, mir mit
brüderlicher Vertraulichkeit, Aufschlüße gabst über jene
geheimnißvolle Welt; wie du da nichts zu gering für die Mittheilung achtetest und nichts zu groß, wie . . . – O lass es genug
seyn! rief Siegmund; o ihr seeligen Bilder meiner entflohenen

Jugend, meiner zertrümmerten, in den Staub getretenen Hoffnungen! O Camilla! . . . – wehklagend warf er sich in die Arme seines Fabians; dieser hielt ihn lang sprachlos umfaßt, und seine Thränen flossen in denen des Bruders / Siegmund war in Schmerz wie aufgelöst, aber diese gewaltsame Erschütterung that ihm wohl; er fühlte am Herzen des Bruders in dem seinigen, wie das sanfte Lösen einer harten Rinde, die Thränen gaben ihm wieder Worte. Jetzt laß mich allein geliebter Fabian, sagte er endlich, ich muß mich fassen, muß versuchen mich zu sammeln, du hast fast mich beredet daß ich noch derselbe bin der ich damals war. Ja ich will dir alles erzählen, laß mich dich heute beim Untergang der Sonne auf den Hügel am Meere finden.

Fabian war einer von den seltnen beneidenswerthen Menschen der mit der vollkommensten Ruhe und Gleichmüthigkeit, mit einem klaren gebildeten Geist tiefe wahre Zärtlichkeit für die Geliebten, und unerschütterliche felsenfeste Treue und Anhänglichkeit verband, und mit der Ordnung, der Stille in seinem eignen Leben, einen ächten Sinn für fremde Heftigkeit und Leidenschaftlichkeit; jedes verstand er an die rechte Stelle zu setzen, und nichts ward von ihm misverstanden; in ihm verstand man sich besser, jedes Zutraun fand Trost und Erquickung bei ihm, seine helle Seele fand Rath und Hülfe, wo andre verzweifelten, mit sich selber nie im Streit, mit seine Bestimmung wie mit seinem Schicksale in Einigkeit, und der Vorsehung vertrauend, brauchte er nur wenig der Kraft für sich selber, desto mehr konnte er der Theilnahme für andere hingeben; so wie der ächte Bürgersinn bei eignen mäßigen einfachen nie sich mehrenden Bedürfnißen seinen Ueberfluß dem öffentlichen Wohl widmen kann.

So war er ein lebender Quell von Glück für alle die mit lebten, und die einzige Stütze, an welcher sein von Leidenschaftlichkeit zerrütteter Bruder sich wieder hätte ranken mögen, wenn nicht das Schicksal des Unglücklichen es anders beschlossen hätte.

Kapitel.

Jetzt sank die Sonne in das Meer. Purpurfarbne, goldbe-
säumte Wolken spiegelten sich in den silbernen Wellen, bis
almählig die glänzenden Farben unter den dunklern Schleier
der ernsten Nacht verschwanden. Lichte Streifen zogen sich
am fernen Horizont; einzeln traten die Sterne hervor, und
erblickten freundlich ihre Bilder in den vorübereilenden
Wellen.

Die beiden Brüder sahen still gerührt in diese Scene; Siegmund sang folgende Verse:

> So sank die Sonne meines Lebens unter!
> Bald lieget schwarz umhüllet,
> Die jetzt noch Lichtstrom füllet,
> Die Welt im lauten Chorgesange munter.
> Dann blinkt kein Stern den ungewissen Tritten
> Und keine Gottheit neigt sich unsern Bitten.
>
> Von schönen Engeln war ich einst umgeben;
> Von Lieb und Lust umsponnen
> Im goldnen Glanz der Sonnen;
> Mein Herz zu eigen ihnen hingegeben.
> Der süße Traum ist ewig nun entflogen!
> War ich im Traume bin ich jetzt betrogen?

Er schwieg; Fabian nahm seine Hand und sah ihn mitleidig
an. Von Camilla will ich reden, fing Siegmund wieder an,
darum wollte ich hier mit dir zusammen treffen. Das Schauspiel welches wir jetzt vor Augen haben, wie oft ist es mir
hier mit der Herrlichen erschienen! Dann hauchte sie mit
ihrer Engelsstimme, Gesänge der Liebe mir ins Herz!... der
Liebe, wie nur sie lieben kann!... und ich horchte auf ihren
Gesang bis die ganze uns umgebende Welt, ahndungsvoll
meinem Herzen in einer einzigen göttlichen Harmonie
zusammenfloß! »Hier mein Geliebter;« so sagte sie einst;
»hier gedenke deiner Camilla wenn sie todt seyn wird; beym
Anschauen der Abendröthe mußt du meiner gedenken; es

giebt in der ganzen Natur keine Erscheinung zu welcher ich mehr mich hingezogen fühlte, und keine Dichtung spricht so meine ewig ungestillte Sehnsucht aus. Die Morgenröthe gebar mich in hoffnungsvoller Heiterkeit, aber die sinkende Sonne winkt mir daß ich heimkehre zur himmlischen ewigen Ruhe!« . . . Seitdem Camilla, fuhr Siegmund fort, habe ich oft deiner hier unter tausend Schmerzen gedacht; o daß du todt wärst, daß ich wähnen dürfte du winktest mir in der sinkenden Sonne, dann wären wir sicher nicht länger getrennt! . . .

Und nun mein Bruder berichte mir zuerst, welche Begebenheiten sind es, welche du durch das Gerücht von meinem Unglücke erfuhrst? – Nur das Allgemein bekannte, antwortete Fabian; nemlich Camilla sey wenige Wochen nach ihrer Vermählung entflohen, von Hilario entführt / beides schien mir unglaublich, unmöglich; und beinah möcht ich sagen das Letzte noch mehr als das Erste! Hilario der treue, ernste Freund, der Mann von zu strengen fast rauhen Sitten, dieser? . . . – Es ist so, unterbrach ihn Siegmund, wer kann sich rühmen die Wiedersprüche in den Menschen genau zu kennen? wenn ihr Moralisten doch einmal einsehn wolltet wie lächerlich all euer Hochmuth und Einbildung von Festigkeit und Charakter ausfällt, wenn ihr eben einmal wie andre leichtsinnigere Menschen handelt. – Werde nicht bitter lieber Siegmund; ich hielt viel von Hilario, das weißt du, er war mein Vorbild – Camilla war das einzige Vorbild aller Liebe und Größe, und sie hat mich verlassen! . . . Aber mit dem was du in der Ferne von mir erfahren hast du einen eben so vollständigen Begriff meiner traurigen Geschichte, als ob du dir nach der Betrachtung eines Gerippes eine richtige Vorstellung von der wundervollen Einrichtung und der unergründlichen geheimnißvollen Uebereinstimmung des menschlichen Körpers machen wolltest.

Ich will dir alles erzählen was ich weis, ohne wissentlich einen Umstand wegzulassen der einen Aufschluß über das räthselhafte Benehmen dieser Frau geben könnte, doch bin ich überzeugt, dennoch bin ich überzeugt daß durch meine

Erzählung deine Verwirrung und dein Erstaunen eher ver-
mehrt als vermindert wird seyn. Jetzt stehst du an den Eingang eines Labirinths; von mir geleitet wirst du die räthsel-
vollen Gänge betreten, ohne einen Ausgang zu erspähen.

Du hast Camilla nur gesehen, nie genauer gekannt; wenig
nur hab ich dir gesagt obgleich ich so oft von ihr mit dir
gesprochen. Keiner kann sie kennen als dem sie selbst sich in
Liebe offenbart, für die Welt bleibt diese köstliche Blume
verschlossen; Jeder andre konnte nur die Pracht der Farben
und den stolzen Bau des Leibes bewundern während ich, ich
allein, so glücklich war sie zu besitzen und im Besitz zu
erkennen! und ich habe mir mit eignen Händen mein Glück
zertrümmert, wie einer der mit einem kostbaren Gefäß, in
der übermüthigen Sicherheit des Eigenthums ein loses Spiel
treibt, dann es in Stücken zu seinen Füßen liegen sieht, wo er
ewig nun es beweint.

Du weißt wie Camilla sich mir ergab; Keine Furcht kennend, jede Besorgniß vergessend, nicht wägend oder berech-
nend weltlichen Glanz oder Vortheil, so ganz nur unge-
theilte, freudige, göttliche Liebe . . . O Gott wie konnt ich sie
verlieren! . . . Jedes Hinderniß war bald hinweggeräumt, wir
wurden vermählt, und sie ganz mein. Mit jeden Morgen, mit
jeden Abend erblühte schöner mein Glück; mit jedem Tage
lernte ich sie mehr lieben denn mit jedem Tage ward ihre
Liebe fester, inniger, glühender, und mit diesem Wachsthume
erwuchs sie selber immer mehr an hoher unbegreiflicher Lie-
benswürdigkeit; denn so ist die Eigenthümlichkeit dieser
Frau: das Glück hat nicht bloß Werth *für* sie, vielmehr sie selber wird an Werth durch ihn erhöht.

An einem jener seeligen Tage, da wir in schöner Ruhe uns
der Eingebung der heitersten Laune überließen, und mir der
ganze Reichthum ihrer Seele aufgeschlossen war, rief ich in
meinem Entzücken: O du Meine, einzig Meine, soll ich denn
immer nur neue Vortreflichkeiten in dir sehen! werden
immer neue Schätze aus deinem Innern, wie aus der Tiefe ans
Licht treten, und den reichen Besitzer immer mehr berei-

chern? wirst du mir immer theurer werden? wo soll es hinaus mit meiner Liebe zu dir, da jeder Athemzug sie ver-
mehrt?« ich fügte mehr noch hinzu, und meine Worte ent-
strömten dem Herzen im Feuer der Anbetung; während ich
sprach hatte sie sanft sich meinen Armen entzogen, und sich
neben mir auf den Knieen niedergelassen, das theure Haupt
ruhte an meiner Brust; bald drauf bedeckte sie ihr Gesicht
mit beiden Händen, und ich sah eine Thräne zwischen ihren
Fingern herab rollen. Laß mich schweigen sagte sie, da ich in
sie drang mir die Ursache ihrer Bewegung mitzutheilen: Laß
mich schweigen meine Worte würden das Entzücken, das
mich durchströmt nur schwach ausdrücken. Aber mitten in
dieser Glorie der höchsten Wonne, schwebt vor meinen
Augen unaufhörlich eine dunkle Wolke vor, welche plötzlich
das helle Licht zu verdunkeln droht. Wie sollte dir in mir
etwas verborgen bleiben können, und ich fürchte den
Augenblick in welchem du etwas in mir entdecken wirst,
wodurch ich von der hohen Würde entsetzt werden muß, die
ich jetzt in deinem Herzen behaupte. Was könnte ich wohl,
sagte ich, in Camilla entdecken, was nicht sie selbst, was
nicht Liebe wäre, und so muß ja auch mir alles wieder lieb
seyn; fasse Zutrauen zu mir, und zu dir selber, wie kann dich
der Schatten einer Wolke ängstigen? sie kann nur einen
Augenblick die Sonne verbergen diese Wolke, vom sanften
Hauch der Liebe wird sie zerstreut – Nein, Nein, unterbrach
sie mich hier äußerst bewegt, sie trägt Zerstörung in sich; es
ist ein Ungewitter welches ein einziger Windstoß über unser
Haupt bringen kann, so entfernt es auch unserm Blicke zu
schweben scheint. Ich will mich dir enthüllen, fuhr sie fort,
ich selbst will dir das Wort sagen und sollte es mich verderben!« so rief sie heftig, und mein Herz bebte; was kann es
seyn dachte ich mit Schrecken. »Du weiß ob ich dich liebe,
fing sie wieder an, ob du mein ganzes ungetheiltes Wesen
beherrschest! Nun, und diese Liebe, die so viel vermag, diese
Liebe, sie mein Alles, ich fürchte sie geht unter ihrer eignen
Leidenschaftlichkeit zu Grunde; oft streckt ein kaltes Unge-

heuer seine Klauen nach meiner süßen, lieben Liebe aus;
Eifersucht heißt es! Siegmund, Eifersucht sitzt in der Verderben drohenden Wolke!« Wie froh war ich als ich es nun vernommen! wie fröhlich schloß ich sie in meine Arme, sie mit
Liebkosungen überhäufend. Laß die Wolke nur verschwinden rief ich, kein verderblicher Wind wird sie über unser
Haupt herauf treiben, das Ungeheuer wird sich selbst vernichtend, untergehen müßen. »O auch die Liebe kann das,
rief sie schmerzlich.« Nein sagte ich, nie soll sie das! Nein,
Nie kann eine andre . . . dich mir ersetzen, wollte ich hinzu-
fügen, aber sie unterbrach mich: »keine Betheuerungen,«
sagte sie, mir den Mund mit der Hand verschließend; dennoch, erwiederte ich, ich betheure es, nie werde ich dir treulos seyn! »Komm fing sie nach einem kleinen Bedenken wieder an, dieser Augenblick sey nicht vorübergehend. Mit diesen Worten machte sie sich aus meiner Umarmung los, rasch
ergriff sie meinen Dolch, und verwundete mich und sich
selbst, ehe ich es verhindern konnte. Sieh Fabian, hier diese
Narbe! Einige Tropfen Bluts quollen hervor, sie sog sie mit
ihren Lippen ein, indem sie mich des nehmliche thun hieß
mit dem Blute das aus ihrem verwundeten Arm floß. Jetzt
trennt uns nichts wieder, rief sie wie begeistert, unser Wesen
ist aufs innigste verbunden; zerstören muß, wer uns scheiden
will!« Nun schnitt sie sich und mir eine Locke herunter;
»diese sey das äußere Zeichen des Bundes, sagte sie, indem
sie mir die ihrige noch am Herzen befestigte, ebenso verbarg
sie die meinige am Busen. Ich trag deine Locke am Herzen,
fuhr sie fort, bis du die meinige abgelegt; tauschen wir sie je
zurück, so bin ich für dich verlohren, und Glük und Leben
für mich dahin / Zu was, unterbrach Fabian hier seinen Bruder, zu was dienen umständliche Widerhohlungen jener einzelnen Züge, deren Erinnerung dir nicht anders als schmerz-
haft seyn kann, und die doch nichts zu dem Zusammenhang
beitragen, auf welchen es uns jetzt hauptsächlich ankommen
muß? – Höre mich geduldig an mein Bruder, du wirst im
Verfolge der Erzählung wahrnehmen, daß was dir so zufällig
erscheint, allerdings einen Zusammenhang hat. Hinreißend

schön, und von übernatürlicher Begeisterung erfüllt, war Camilla in solchen Momenten der Schwärmerey. Das Aeußere einer ähnlichen Erscheinung hatte ich auch sonst schon bei andern, oft anzusehen Gelegenheit gehabt; aber wie ganz anders ergriff es mich hier! Was ich dort als Ueberspannung, oder Verzerrung belächeln oder bemitleiden mußte, war hier Ausbruch, Sprache des tiefsten, alles übermeisternden Gefühls, göttliche Fülle der Natur, und hinreißende Anbetung des Geliebten, Auf Flügeln der Begeisterung über sich selbst, und über das Leben hinweggehoben.

Nachher versuchte ich oft unter den süßesten Scherzen, den zärtlichsten Liebkosungen, dieses verderbliche Gift der Eifersucht, das so gern aus der Wurzel der Liebe emporrankt, zu vertilgen; ach ich hofte daß es meiner Liebe gelingen müße, diesen Samen des Unglaubens in ihrer großen Seele nicht aufkeimen zu lassen; ich getraute mir diese Schwäche, die ich der Hohen unwürdig hielt, nicht zu schonen; so kam es oft daß während ich mit ihrer Eifersucht im Kriege diese eine Krankheit der Liebe, und sündhaften Unglauben schalt; sie dagegen meine Ruhe, meinen festen Glauben, und den Scherz dem ich unbefangen mich oft überließ, für Entheiligung, ja für Mangel an Liebe betrauerte. So oft sie mir auch die Versicherung nicht versagen durfte, daß sie mir ganz vertraue, so war doch irgend ein zufälliger Leichtsinn hinreichend, ihr Gesicht, auch mitten in der heitersten Stimmung wie von einem plötzlichen Schrecken erbleichen zu machen. Nur in einer gewissen Schüchternheit, und im verdoppelten Mißtrauen gegen sich selbst offenbarte sich mir was in ihr vorging, denn niemals klagte sie. Unseelige Leidenschaft wie konntest du dieses edle Herz besiegen? Denn nur sie allein konnte Camilla vermögen treulos mich von sich zu stoßen.

Camilla ward Mutter; da schienen alle Sorgen sich in dieser einzigen Sorge zu verlieren, so wie alle Freuden, durch diese süßeste der Freuden erhöht wurden.

Eichner, S. 328–340.

Handschrift b [10]:

offenbarte sich meiner aufmerksamen Liebe was bey solchen
Gelegenheiten in ihr vorging, denn nie klagte sie. Nur einmal überlies ich mich zu unbefangen einem Scherz, und dieser einzigen Sorglosigkeit, die doch nur im festen Glauben an
die Liebe entstehen konnte, diesem Scherz muß ich es
zuschreiben, daß Camilla mich verlassen, ihre Liebe mir entziehen, sie einem andern schenken konnte. Nein, nichts als
diese unseelige Leidenschaft konnte dieses Herz zur Treulosigkeit bringen!

Camilla ward Mutter; von da an schienen alle Sorgen sich
in dieser einzigen Sorge zu verlieren, so wie alle Freuden,
durch diese süße Freude erhöht wurden. Wie seelig fühlt ich
mich, wie gesichert mein ganzes unbeschreibliches Glück! Es
war zur selben Zeit als Jeronimo zu uns kam, und uns bat,
Rosalia seine Geliebte bey uns aufzunehmen. Er hatte sie
ihrem unglücklichen Schicksal, und einer Menge Verwirrungen endlich glücklich entzogen, wir sollten Zeugen seyn bey
seiner Vermählung, vorher sollte sie aber sich eine kurze Zeit
bey uns aufhalten, theils um sich erst völlig von ihrem vergangnen Leiden zu erhohlen, theils auch um sie in sichern
Schutz zu wissen, während er eine kurze Reise machen
wollte, um auf einem, in unsrer Nachbarschaft gelegnen
Gute alles zu ihrem Empfang und zum künftigen Wohnorte
einzurichten. Camilla freute sich herzlich mit mir, deinem
Freunde gefällig seyn zu können und ergötzte sich mit kind-
lichem Sinn, an der Aussicht einer Freundin in der Geliebten
des Freundes zu begegnen. Rosalia kam, (und von diesem
Augenblick an, hat Kummer, und Unmuth, unser Haus nicht
wieder verlassen) es war aber nicht die von der Hand eines
schweren Schicksals gebeugte, am künftigen Glück verzweifelnde die vom Freunde uns angekündigt war, sondern die
schöne bezaubernde Rosalia, mit allen sieggewohnten Reizen. Jeronimo gerieth in eine Art von Beschämung, uns auf
eine ganz andre Erscheinung vorbereitet zu haben, als die

jetzt zu uns trat; doch lag die Schuld weder an seiner Fantasie, die sie ihm seinen Wünschen gemäs, wegen seiner Entfernung hätte leidend vorgestellt, noch hatte er zu einer Erdichtung seine Zuflucht genommen, um unsrer Theilnahme desto gewisser zu seyn, sondern er war eben so sehr überrascht als wir es waren; nur machte ihn diese Ueberraschung nicht so froh als sie es eigentlich verdiente; ein ihm natürlicher Hang zum Argwohn, und zur Melankolie lehrte die Dinge ihm aus einen finstern Gesichtspunct ansehen und ohne daß er es sich vielleicht selbst deutlich gestand, glaubte er betrogen zu seyn. Rosalia nahm Camillas zuvorkommende Freundlichkeit als eine ihr gebührende Huldigung, und diese, die sich darauf gefaßt gemacht hatte, sie zu trösten, und aufzurichten, mußte ihre ganze Würde zusammen fassen, um nicht unter dem fordernden Uebermuth der Angekommenen zu leiden. Ich ward bald von ihr ausgezeichnet, denn ich war der Einzige auf den ihre Erscheinung einen sichtbar angenehmen Eindruck machte; ich konnte ihr, da sie stets mit Sicherheit auf die Huldigung der Männer gerechnet, die meinige nicht versagen. Camilla die fast beständig der Sorgfalt für unser Kind hingegeben war, schenkte der Gesellschaft nicht viel Zeit, und so blieb es mir oft allein überlassen, Rosalia zu unterhalten.

Sie schien unzufrieden mit Jeronimo, und ihn nicht ganz so zu lieben, als er es wünschte geliebt zu werden /

Während seiner kurzen Abwesenheit als es meinem freundschaftlichen Zureden gelang, daß sie mir ihr Gemüth über ihr Verhältniß zu ihm öffnete, kam es, da es allerdings so war, als ich bemerkt hatte, zu einer gewißen Vertraulichkeit des Umgangs zwischen uns; ihre Neigung zu mir konnte ich eben so wenig verkennen, als ihr meine lebhaften Wünsche verbergen. So bestimmt auch mein Endzweck war, so wenig sie ihn auszuweichen bemüht war, so erhielt ich dennoch, außer einer auffallenden Auszeichnung des gesellschaftlichen Betragens nur wenige, und nicht entscheidende Zeichen ihrer Gunst. Mein Betragen mochte, gereizt durch

den unerwarteten Widerstand den Anschein einer tieferen
Leidenschaftlichkeit erhalten haben, es hielt sie irgend etwas
zurück sich meinen Wünschen hinzugeben, das ich nicht
errathen konnte, dem ich aber auf den Grund kommen
wollte. Ich täuschte mich nicht im mindesten über Rosalies
Werth. Nie gab es einen Augenblick in dem Camilla meinem
Herzen theurer gewesen wäre, nie einen in den ich mehr inne
geworden welche Schätze ich in Camilla und in ihrer Liebe
besitze, wie alles andre, nur Oel ins Feuer des Unvergänglichen sey! Aber war auch mein Leichtsinn frevelhaft, deine
Rache Camilla war zu grausam!

Jeronimo kam zurück, und da entdeckte mir Rosalia förm-
lich, daß sie ihn nie geliebt habe, daß sie es aber auch niemals
sich dessen deutlicher bewußt gewesen wäre, als jetzt, da sie
im Begriff sey sich ihm zu vermählen; er war ihr ehedem
gleichgültig, jetzt aber, durch die alles verdrängende Neigung
zu mir weniger noch als gleichgültig geworden. Von mir for-
derte sie meine Hülfe um aus dieser Verwirrung zu kommen;
ich durfte sie nicht versagen und nahm mich ihrer mit der
freundschaftlichsten Theilnahme an; auch um Jeronimo,
nicht länger getäuscht zu sehen, wandte ich alles an, ihn über
die wahre Beschaffenheit der Sache aufzuklären.

Es brauchte aber keiner großen Anstrengung, den Freund
mit seinem Unglück bekannt zu machen, er nahm von selbst
sehr bald die Veränderung in der Geliebten wahr. Mit mehr
Fassung als ich ihm zugetraut hatte, ließ er sich ihren Wan-
kelmuth gefallen, und überreichte mir alles was Rosalia an
ihn band, mit den Auftrag es ihr zurück zu geben, und nun
waren die Bande zwischen ihnen gelöst. Sehr vergnügt sich
von dieser Verbindung los gemacht zu sehen, betrug sie sich
gegen mich mit aller Unbefangenheit einer Gebieterin, ohne
sich um etwas, außer sich selbst zu kümmern. Jeronimo der
noch einmal Bitten und Klagen versuchte, hörte endlich, da
er sie taub, und verschlossen dagegen fand mit beyden auf,
vermied es, sowohl sie als mich zu sprechen, und schloß sich
näher an Camilla an. Rosalia der es einigermassen auffallend

war ihn so gefaßt bey seinen Verlust zu sehen, und die vielleicht nichts weniger erwartet hatte, war überzeugt, indem sie auch mich davon zu überreden suchte: es sey Jeronimo nicht unwillkommen gewesen sie verlassen zu dürfen da er, wie sie gleich bey ihrer Ankunft gemerkt, eine tiefe stille Leidenschaft für Camilla nähre, die auch zugleich ihre Entschuldigung ausmache weswegen sie ihrer Neigung keine Gewalt angethan.

So gewiß war ich in meinem Glauben an Camilla, daß ich mit ihr wie im Scherz über diese Vermuthung sprechen konnte, daß ich sie zu überreden suchte, sich des Verlaßnen mit Freundlichkeit anzunehmen. Warum sollte ich es dir nicht gestehen mein Bruder, daß meine sorglose Unbefangenheit so weit ging, mich damit zu freuen, Camilla eine Beschäftigung zu wissen, die sie ablenkte nicht ihre ganze Aufmerksamkeit auf einen Gegenstand zu richten, der ihr wie ich wohl einsah oft bitter war – Sie erschrak sichtbar als ich so scherzend mit ihr sprach, und wechselte oft die Farbe; zum erstenmal flog mir hier eine dunkle Ahndung durch die Seele, daß Rosalia's Bemerkung wohl gegründet seyn könnte. Ich drang nicht weiter in sie um sie zu schonen, und wollte es der Zeit überlassen, jenen flüchtigen Eindruck, wenn es anders einer wäre zu verlöschen. Wir sprachen uns seitdem wenig allein, Camilla schien mir auszuweichen, meine Liebkosungen wurden nicht mehr mit der gewohnten Zärtlichkeit angenommen, nicht mit dem Feuer der Liebe erwiedert – ja sie konnte mich zurückstoßen! – ich schonte sie wie eine Kranke; auch gab sie mir auf meine eindring[lich]ste Bitten keine Antwort, als daß sie krank sey. Nach und nach wurde sie immer einsilbiger; ich fühlte neben ihr ein gewißes Unbehagen, eine Art von unangenehmer beengender Empfindung verglichen mit der leichten scherzhaften Unterhaltung Rosaliens. Während dieser Zeit, bat mich Camilla um die Vergünstigung den Pavillon an den einen Flügel des Hauses bewohnen zu dürfen, Rosalia hatte den andern inne, sie hatte bis dahin immer mit mir im

Hauptgebäude gewohnt, und nie bis auf diesen Augenblick, hatte sie ihr Schlafzimmer von dem meinigen getrennt. Unter den Vorwand ruhiger das Kind nähren und aufziehen zu können bat sie mich darum – ach es war wohl mehr ihr steigender Widerwille gegen den unglücklichen Gemahl, der sie die Einsamkeit wünschen ließ – sie schien so gedrückt als sie mich darum bat, es schien mir selbst für ihre geängstete Seele heilsam, daß sie sich einem ruhigern Nachdenken überließ, auch war das Kind kränklich geworden, und die Aerzte verordneten der Mutter, da sie es durchaus keiner Amme überlassen wollte eine ruhige Lebensart, die sie freylich nicht ganz so in den bis jetzt bewohnten Zimmern haben konnte, da während Rosalia's Anwesenheit, die den Tanz und die muntren Feste sehr liebte, es fast täglich dergleichen gab, bey denen man sich selten vor Tagesanbruch trennte. Ich gab daher obgleich ungern Camilla die Erlaubniß; sie zog sich erst früher des Abends in ihren Pavillon zurück, als die Gesellschaft sich trennte, dann erschien sie selten in der Gesellschaft, die fortdauernde Kränklichkeit des Kindes und ihre eigne sichtbar wankende Gesundheit verlieh ihr hinreichenden Vorwand; und bald lebten wir beynah ganz getrennt, Jeronimo war fast beständig ihr Begleiter auf Spaziergängen wenigstens dort sah man ihn mit ihr, Rosalia wollte ihn auch einmal bey ihr im Zimmer angetroffen haben; ich habe ihn nie dort gesehen, außer wenn ich selbst ihn zu ihr führte. Ich gesteh es dir mein Bruder, ich war oft unruhig, aber ich mußte mich selber betäuben. Ich betete Camilla an, ich seufzte nach dem Moment alle Mißverständniße zwischen uns verschwunden, und uns wieder vereinigt zu sehen; nicht einen Augenblick zweifelte ich, daß sie nicht eben so ganz wieder die meinige sein würde, als ich der ihrige geblieben war, trotz jener reizenden Rosalia, in deren Zaubernetz ich mir wohl gefiel, das ich aber jeden Moment zerreißen konnte. Wozu sollte ich aber gewaltsam zerreißen, was ich mit sanfter schonender Hand lösen konnte? Was hatte Rosalia gegen mich gesündigt daß ich sie kränken dürfte? ihre Liebe zu mir war ihre ganze Schuld, durft *ich* sie dafür bestrafen wollen? Rosalia kündigte endlich ihre Abreise an, und es war mir, heimlich beunruhigt als ich war, nicht unlieb, mich wieder in Freyheit zu sehen, um mich ganz wieder zur Einzigen wenden zu können. Wie flog ihr mein Herz schon mit verdoppelten Schlägen entgegen, wie besann ich mich mit heimlicher Freude auf einen Moment, sie ohne Zwang und in guter Stimmung allein sehen zu können mich ihr ganz hinzugeben, und in den göttlichsten Freuden der treuen heiligen, unauslöschlichen Liebe, mit ihr jeden traurig verlebten Augenblick auf ewig zu vergessen! auch diese Schmerzen dacht ich, sollen heilsam gewesen seyn, sollen das Glück der Liebe nur erhöhen! So träumt ich! ich Wahnsinniger, warum verschob ich es nur einen Augenblick mich meines köstlichen Eigenthums zu versichern! wie wagt ich es mich am Traum zu vergnügen, u[nd] zu schlummern, bis ich vom Entsetzen geweckt wurde!

Der morgende Tag war zu Rosalia's Abreise festgesetzt, auch Jeronimo machte Anstalt zu einer weiten Reise, die er um sich zu zerstreuen unternehmen wollte, und um wie er sich ausdrückte unter einem fremden Himmelsstrich ein schöneres, treueres Glück zu suchen. – O falscher Freund, wie konntest du mit so treulosen Absichten für dich das Glück der Treue erflehen! wie konntest du doch mit so zweideutigen Ausdrücken die Theilnahme des Freundes erregen während du die seinige grausam hintergingst! – Immer hatte mir Rosalia wie im Scherze, die scherzhafte Bitte zugestanden, daß sie mich die Nacht vor ihrer Abreise heimlich in ihr Schlafzimmer bey sich aufnehmen wollte. Ich erinnerte sie an dies Versprechen, und sie versprach mir Wort zu halten, wenn ich sie alsdenn auf ihrer Reise begleiten wollte; »denn unmöglich« setzte sie mit reizender Schalkhaftigkeit hinzu, »kann ich mich entschließen so plötzlich in der grauen Einsamkeit, aus so guter Gesellschaft zu gehen« – Ich fand nichts unbilliges in dieser Bitte, besonders da es mir unhöflich schien sie ganz ohne Begleitung reisen zu lassen; ich versprach ihr also die meinige, und eilte zu Camilla um es ihr zu sagen, daß ich Rosalia begleiten würde.

Ich fand sie nicht, sie war mit Jeronimo hinaus ins Freye gegangen. Meine Augen fielen auf den Säugling in der Wiege, er schlummerte unruhig: Wangen und Lippen, deren Blüthe mich vor kurzem noch so erfreut hatten, waren mit Blässe überdeckt, ich glaubte des Todes Züge in der leidenden Miene zu entdecken und es ergriff mich ein kalter Schauer. Als ich um mich her sah, schien mir Alles so dumpf und trübe, das Zimmer so finster, weder Schmuck noch Zierde darinn, der Glanz den alles hatte was sie sonst umgab war wie verlöscht, so wie sonst Ordnung und Uebereinstimmung athmete wo sie sich befand, da trug jetzt alles das Gepräge, ihres unruhigen verwirrten Gemüthes; o ich hätte, wäre ich eben so scharfsinnig als gefühlvoll gewesen, in tausend Spuren ihr entsetzliches Vorhaben erblicken können; aber statt dessen ängstigte mich ein dunkles Bewußtseyn meiner Schuld, die doch gegen die ihrige gerechnet, diesen Namen kaum verdient. Ich war entschlossen sie zu erwarten, zu trösten, aufzuheitern, alles ja alles aufzugeben, nur um sie zu beruhigen – aber es ward Abend, sie kam nicht; ich zögerte noch, ungewiß ob ich sie erwarten könnte oder ob ich nicht vielmehr besser thäte Rosalia allein reisen zu lassen, als ein Billiet von ihr, mich auf das schleunigste zu ihr rief; es fiel mir ein, daß sie sich vielleicht besonnen, mir vielleicht selbst den Antrag machen würde allein zu reisen, und ich so gleich zu ihr. Aber es war nicht das; ihre Ungeduld hatte ihr nicht erlaubt mich länger zu erwarten, wie hätte ich auf ein solches Geständniß undankbar gegen sie erscheinen, und sie in ihren schönen Erwartungen betrügen können? Doch konnte ich ihr meine Unruh nicht verbergen; sie hielt alles für Wirkung meiner Fantasie, deren Lebhaftigkeit sie liebte, und doch scherzend verspottete; es gelang ihr auch durch ihre schmeichelnde Liebkosungen mich wieder etwas zu beruhigen; doch bat ich sie nicht noch in derselben Nacht zu reisen, wie sie es sich vorgesetzt hatte, sondern bis zum andern Morgen zu warten, damit ich Camilla vorher erst noch sprechen könnte. Sie war aber nicht dazu zu bewegen. Nein rief sie entschlossen, »ich werde Camilla nicht wiedersehen! es ist mir nicht möglich sie wieder zu sehen, nachdem ich erst gewiß weiß, was ich bis jetzt blos geahndet habe, wie sehr sie in dem ungestörten ungetheilten Besitz des liebenswürdigen Lorenzo zu beneiden ist! O still lieber Freund« unterbrach sie mich, als ich reden wollte »ich weiß jetzt schon recht gut, was sie großes und herrliches von Camilla zu sagen haben! wäre sie weniger herrlich, so würde ich sie weniger hassen, ich könnte mir alsdenn vielleicht einbilden einen gleichen Rang mit ihr, in Lorenzos Herz einzunehmen, das jedes andre Opfer als von so hoher Vortreflichkeit stolz verschmäht, oder noch stolzer anzunehmen weiß! – Ich erzähle dir diese Worte wieder, lieber Bruder, deren ich mich zufällig noch entsinne, um dir zu zeigen, wie süß und anziehend sie zu schmeicheln verstand, und zu fragen ob es wohl sehr strafbar war der Zauberin nicht widerstanden zu haben? auch fürchtete ich in der That jedesmal für ihren Uebermuth bey Camilla's Reizbarkeit, und es war mir schon Recht, sie in diesen Augenblicken lieber nicht beysammen zu sehen. Noch einmal riß ich mich auf einen Augenblick los um Camilla noch zu sprechen. Eben war sie eingeschlummert, hieß es, und ich ward von ihren Frauen gebeten ja ihren Schlummer nicht zu stören der sehr nothwendig sey. Ich schrieb ihr nun einige Zeilen, kündigte ihr meine kurze Reise an, und sagte ihr alles was im Stande war sie zu beruhigen, indem ich sie mit der größten Zärtlichkeit um Schonung ihres und des Kindes Leben bat. Jeronimo wollte ich diesen Brief für Camilla anvertrauen, und ihn zugleich mündlich noch beschwören, daß er sich ihrer bis zu meiner Zurückkunft, die ich auf den dritten Tag festsetzte, annehmen sollte. Ich suchte ihn allenthalben, konnte ihn aber nicht finden; von seinen Leuten hörte ich, er wäre ausgegangen um noch einige Geschäfte seine Abreise betreffend zu besorgen. Ver-

drüßlich kam ich zu Rosalia zurück. Sie lächelte geheimniß-
voll, als ich ihr meine fehlgeschlagenen Versuche erzählte. –
»Wie wäre es sagte sie, wenn Jeronimo jetzt käme und Sie
aufsuchte, oder mich sprechen wollte, ich wette er würde
abgewiesen wie Sie es wurden« – Das war ein schrecklicher
Wink! wenn ich ihn geachtet hätte. Ich sah aber weiter nichts
darin, als Rosalia's Leichtsinn, und die natürliche Regung des
Neides, sich Camilla um nichts besser oder treuer zu denken,
als sie selbst es war. Ich war und blieb rein von jedem Verdacht; u[nd] ich Thor, welches Recht hatte ich auch in jenen
Moment? . . . – Wozu aber unterbrach Eugenio hier seinen
Bruder, diese umständliche Beschreibungen und Erinnerungen, deren Wiederhohlungen dir nicht anders als sehr drük-
kend seyn müssen, ohne daß sie etwas zu dem beytragen
worauf es uns beyden jetzt hauptsächlich ankömmt. – Höre
mich geduldig an, erwiederte Lorenzo, du wirst im Verfolg
meiner Erzählung wahrnehmen, daß sie allerdings zusammenhängen müssen. Rosalia übernahm es meinen Brief an
Camilla durch eine von ihren Frauen übergeben zu lassen,
und nach einigen im höchsten Rausch dahin geflohenen
Stunden, verließen wir das Haus – mit wie verschiedenen
Hoffnungen! und wie lebte ich so ganz in dem Gedanken,
wieder bey der Angebeteten zu seyn, losgemacht von allem
was zwischen uns getreten war, ganz wieder ihr, und sie wieder mein, verschwunden alle beängstigende Träume – diese
Hoffnungen machten allein mir die Gegenwart golden, und
das Leben mir zum Leben. Ohne mich nur länger als höchst
nothwendig, aufzuhalten, trat ich meinen Rückweg an. Tausend Gefühle, Ahndungen, Besorgnisse und Hoffnungen,
kreuzten sich in meiner Seele und trieben mich unaufhaltsam
fort; mit jedem stärkern Herzensschlage mußte mein Pferd
den Sporn stärker fühlen. Nicht weit mehr vom Ziele,
geschah es zu meinem Unglück, daß das Thier, von irgend
etwas daß im Wege lag zurückscheuend, sich bäumte und mit
mir überschlug. Wie lange ich hülflos und ohne Bewußtseyn
mag gelegen haben weiß ich nicht; als ich mich erholte fand

ich mich in einer Bauerhütte, halb entkleidet, und unter den Händen der Leute die mich am Wege gefunden hatten, und die jetzt mit Hülfe eines Wundarztes mich untersuchten. Es war mir noch während der Ohnmacht, eine Ader geöfnet worden, und ich fühlte einen heftigen Schmerz auf der Brust; ich mußte es mir also trotz meiner quälenden Ungeduld gefallen lassen, mich einen ganzen Tag in dem Dorfe aufzuhalten. Was meine Noth aufs höchste trieb war, daß ich etwas vermißte was mir höchst theuer, und unschätzbarer als das reichste Kleinod war. Ich vergaß dir zu erzählen: an einem jener seeligen Tage, da wir in schöner Ruhe uns der Eingebung der heitersten Laune überließen, und mir in so manchem Ausbruch ihrer schönen Schwärmerey, der ganze Reichthum ihrer schönen Seele offen lag, und alles was ich so oft bey andern als kränkliche Ueberspannung, oder unnatürliche Verzerrung belächeln oder bemitleiden mußte, mir in ihr so groß, so liebenswürdig erschien; als wahrer Ausdruck des tiefsten Gefühls, Göttlicher Fülle der Natur, und hinreißende Anbetung des Geliebten, vom Hauch der Poesie über sich selbst, und über das gewöhnliche Leben hinweg gehoben, und ich mich ganz verlor im Anschauen dieser Schönheit, und im Gefühl meines Glücks, daß sie die Meinige sey; ... An einem solchen Tage war es, als wir jedes dem andern eine Haarlocke schenkten. Bis dahin nun hatte ich diese Locke ihres schönen Haars an einer goldnen Kette befestigt nah am Herzen getragen, auch Camilla trug die meinige eben so befestigt am Busen. Diese Locke nun mit ihrer Kette vermißte ich, als ich in jenem Dorfe aus meiner Ohnmacht erwachte, und mich eben ankleiden wollte, um meinen Weg so bald als möglich fortzusetzen. Alles Nachsuchen an dem Ort wo ich stürzte, war vergeblich, sie blieb fort, und ich habe sie seitdem nicht wieder gefunden. Ach! dieser Verlust war mir von entsetzlicher Vorbedeutung meines nahen Unglücks! Mit gepreßtem Herzen vollendete ich meinen Rückweg. O Eugenio wie beschreib ich dir den gräßlichen Schlag der nun mich traf! o laß mich eilen daß ich voll-

ende. Ich kam in mein Haus zurück, und fand es ganz leer,
verödet, ausgestorben! ich rief, kein Mensch antwortete mir,
die entsetzlichste Verwirrung bemeisterte sich meiner; mir
war vom heftigen Schrecken, als fühlte ich mein Herz plötzlich von allen Seiten durchbort, so daß ihm gewaltsam alles
Blut entströmen, und dem Gehirne zustürzen müßte. Ich
dachte, ich fühlte Nichts, kaltes Entsetzen ergriff mich. Nach
widerhohltem rufen, kam ein alter Diener mir zur Hülfe.
Was mir von Sinnen übrig geblieben mußte ich jetzt einem
Berichte leihen um an ihn völlig zu Grunde zu gehen.
Camilla war den Tag nach meiner Abreise traurig und in großer Unruhe gewesen, Jeronimo hatte sie aber wenig verlassen. Den Abend hatte sie sich mit dem kranken Kinde einge-
schlossen ohne daß jemand ihr folgen durfte. Eine Zeit lang
hatte man das Kind weinen, und sie heftig im Zimmer herum
gehen gehört. Da endlich aber alles still ward, und die
Bediente sie eingeschlafen glaubten, so haben auch sie,
Nichts befürchtend sich ruhig zu Bette gelegt. Den Morgen
haben sie aber Camilla's Zimmer so wohl als alle die andern
die in einer Reihe aus ihrem Pavillon, zu dem andern führen,
den Rosalia bewohnt hatte, geöfnet, Camilla aber in keines
gefunden. Das Kind lag todt auf ihr Bette, in das sie selber,
die Nacht nicht gewesen zu seyn geschienen. Man hatte sie
vergebens im Garten gesucht, und auf alle die Plätze wo sie
sonst sich so gerne aufgehalten nirgend war eine Spur von
ihr, außer an dem kleinen Pförtchen das vom Garten nach
den Wald führt, und das mit Gewalt eröfnet war, lag einer
von ihren Schuhen, man hatte den ganzen Wald, aber
umsonst durchsucht. Von ihren Kleidungen und Kostbarkei-
ten fehlte nichts. In derselben Nacht war Jeronimo abgerei-
set, ohne jemand zu sagen welchen Weg er nähme. Die Hausgenossen, und Dienerschaft waren der Leiche des Kindes
gefolgt, das so eben zur Erde bestattet wurde, und indem der
Alte der allein zurück geblieben noch sprach, kamen sie
zurück. Trauer und Bestürzung war auf allen ihren Gesichtern, die sich verdoppelte als sie ihren Herrn, ihren unglück-

lichen Herrn sahen. Keiner redete mit mir, und auch ich hatte keinem mehr etwas zu sagen. – Und wie, fing Eugenio an, hatt denn Camilla nichts, nicht ein Wort zur Nachricht für dich zurück gelassen? und gütiger Gott, hatt sie ihr Kind, krank, sterbend verlassen können? – Ich würde den erwiederte Lorenzo, einen Lügner und Verläumder schelten, der es jemals gewagt hätte es für möglich zu halten. Es schien unmöglich, und doch war es so. Ich ging auf ihr Zimmer, o mein Bruder, wie beschreib ich dir meine Empfindung! – Ich fand ihr Zimmer noch so wie es wahrscheinlich in dem Augenblick war, als sie es verlassen; rings umgaben mich die Spuren, des gewohnten, geliebten Daseyns, aber der lebendige belebende Geist war entwichen; ein kalter Hauch wehte mir entgegen der mich mit Schauder ergriff und doch war mir's als umschwebte mich Camilla's Geist. Oft findet man, auch in das wohlgetroffenste Bildniß mehr noch das Gemüth des Künstlers der es verfertigte, als der Person die es darstellt. Aber nichts ist so rührend, und erfüllt mit solcher Wehmuth, und nichts stellt zu gleicher Zeit den ganzen Menschen uns wieder so lebhaft vor Augen, als irgend ein Kleid das er getragen, erblicken, oder besser noch ein Zimmer das er bewohnte, wo von jedem Platze irgendeine Erinnrung zu uns spricht, und die eigne Weise wie er jedes Geräth zu ordnen gewohnt war, uns seine Beschäftigungen, und die Stimmungen seines Gemüthes wieder zurück rufen. So erweckt nur ein Ton des gewohnten Liedes, im Alpenbewohner die ganze Sehnsucht nach der verlaßnen Heimath. Noch stand der Stuhl vor ihrem Schreibpulte als ob sie eben davon aufgestanden, und die Feder lag noch so da, als hätte sie sie eben aus der Hand gelegt; auch der Leuchter mit der herabgebrannten, vernachläßigten Kerze, und auf den Boden, neben dem Stuhl, ein weißes Tuch, das ihrer Hand entfallen – da lag das Blatt, daß sie noch beschrieben, aber ich habe es nicht näher angesehen; noch bis jetzt fehlte mir der Muth dazu. Wie? Camilla's Abschied sollte ich lesen? Ich wandte mich ab von dem verhaßten Blatt, und meine bethränten Augen fie-

len auf das Bett vor dem die Wiege verödet stand, o damals
glaubte ich, das Herz müßte mir brechen, wie das leblose das
verlaßne mich so beweglich anredete! aber was ward aus mir
als mir in einer kleinen Vertiefung des Bettes, die Kette mit
meiner Haarlocke ins Auge fiel, die Camilla wie ein Heilig-
thum am Herzen getragen! O erst jetzt war es mir gewiß,
mein ganzes gränzenloses Elend, erst jetzt verstand ich es
recht daß Camilla für mich verlohren sey auf immer! Grau-
sames Weib die Bedingungen waren nur zur Hälfte erfüllt,
muß ich so hart es büßen daß ein unseeliger Zufall den
Tausch vollendete? / Ich verließ so gleich das Haus wieder.
Da wo sonst mir Alles mit Liebe und Fröhlichkeit entgegen
lachte, war ein stummes Grab jetzt das Einzige was mir aus
jener Zeit geblieben. Nur mit dir mein Eugenio, allein mir
treu gebliebner Freund, ist es mir möglich über diese
Schwelle aus und ein zu treten. Hier schwieg Lorenzo, sein
Bruder hielt ihn umarmt, und ihre Thränen flossen vereinigt
– Endlich fuhr Lorenzo fort: Du nimmst Theil an meinem
Schmerzen, denn ich wußte bis hierher dir genau anzugeben
was mir diese Schmerzen verursachte; kaum daß aber die lin-
dernde Hand der Zeit anfing mich zu heilen, so wurden alle
Wunden aufs neue wieder aufgerissen, durch – kaum kann
ich dir erzählen, denn ich weiß selbst nicht was ich denken
soll, und du wirst mich für wahnsinnig halten müssen, wenn
ich dir sage daß eine Erscheinung mich ängstiget. Du weißt
Rosalia's plötzlicher Tod, aber nicht der ist es der mich so
quält, obgleich er an sich schon traurig genug ist, aber was
diesen Tod veranlaßte, war eine Erscheinung die wie ein äng-
stigender Traum das Herz zusammen preßt, und den Verstand verwirrt wenn man lange schon erwacht ist. Doch
höre!

   Rosalia hatte lange den Wunsch geäußert mich wieder zu
sehen, aber der Augenblick war noch nicht gekommen in den
ich ihren Anblick hätte ertragen können; zu viele, zu sehr
sich widersprechende Erinnerungen umschwebten sie. Ein
bloßer Zufall führte mich in jene Gegend, wo Rosalia sich

aufhielt seit sie uns verließ. Ich sah sie wieder, ihr Anblick war mir angenehmer, als ich vermuthen durfte. Sie war nun nicht allein jene reizende Verführerin, sie ward die Vertraute meines Schmerzens, und ich lernte in ihrem schönen Herzen das zarteste Mitgefühl, die Theilnahme der gefälligen tröstenden Freundin kennen. Ich wagte es noch nicht zu denken daß ich frey sey, daß meine Hand meiner Neigung folgen dürfte, es erschrak etwas in mir so oft ich es dachte. Einen Augenblick vergaß ich diese innere Warnung und diesen Augenblick hatte das rächende Schicksal erwartet, um mich durch sein volles Gewicht zu Boden zu drücken.

Rosalia war mit mir in der einsamsten Gegend des Gebirgs auf einen Spaziergang; indem wir um einen hohen waldbewachsenen Felsen beugten, gelangten wir an einen frischen Wiesen Platz, der mit schattigten Bäumen besetzt uns einlud in seiner Kühle uns zu erfrischen. Wir setzten uns auf einen bemoosten Stein am Fuß des Felsens nieder, und ergötzten uns am lieblichen rauschen des Bachs zu unsern Füßen. Auf einige Augenblicke war die Vergangenheit mit ihren Schrekken versunken, und es war mir einmal wieder vergönnt, die Gegenwart fröhlich zu verscherzen, als Rosalia, indem sie forschend um sich schaute, anfing: »Weißt du Lorenzo daß wir uns hier an einen gefährlichen Orte befinden?« ich lachte über diese Anrede, und scherzte mit ihr über die Art von Gefahr die ich allein in dieser Einsamkeit, an ihrer Seite zu fürchten hätte. Nein rief sie scherze nicht, hast du nie von dem Geist etwas gehört, der sein Wesen hier seit einiger Zeit treibt? es ist ein schrecklicher Geist fügte sie hinzu denn er sucht niemand zu schaden als den Liebenden. Mit den einfältigen Bergbewohnern ist er ganz bekannt, sie suchen seiner Tücke auszuweichen, übrigens trauen sie ihm, ja sie lieben ihn, denn er erzeigt ihnen oft Gutes. Gesehen habe ich ihn noch nie, aber was ich gehört habe davon ist äußerst seltsam, und würde mir unglaublich scheinen, wenn nicht das Zeugniß vieler glaubwürdigen Menschen dahin übereinstimmte.« Sie erzählte mir nun einiges was sich mit dieser Erscheinung sollte zugetragen haben, die von einigen für eine Wahnsinnige von andern, und den meisten aber für einen entkörperten Geist gehalten wurde, und bat zuletzt mich dringend, einen andern Ruheplatz zu wählen, und an diesen gefährlichen Ort wo ein böser Geist sein Wesen treibe nicht länger zu verweilen. Um ihre Furcht die mir kindisch und unbegründet vorkam, zu zerstreuen suchte ich das Gespräch auf etwas anders zu lenken; Rosalia hatte nemlich denselben Tag einen Brief von einem auswärtigen Freunde erhalten, und in meiner Gegenwart mit sichtbarer Bewegung gelesen, ich drang in sie mir die Ursache ihrer Bewegung mitzutheilen, aber meine Bitten waren fruchtlos, und sie bestand darauf daß der Innhalt jenes Briefs mir ein Geheimniß bleiben müßte. Indem ich nun jetzt nach einen Gegenstand suchte, ihre Aufmerksamkeit abzuleiten fiel mir dieser Brief wieder ein, und ich bestand aufs Neue so lange darauf, daß sie mir ihn als einen neuen Beweis ihres Zutrauens mittheilen müße, bis sie, nicht länger widerstehend, mir mit aller schonenden Zartheit den Bericht mittheilte den jener Brief enthielt. Jeronimo, schrieb man ihr, lebe im Auslande mit einer Frau die er auf seinen Reisen entführt und geheyrathet habe; darauf erfolgte eine Beschreibung der Schönheit dieser Frau die mir keinen Zweifel übrig ließ daß es keine andre seyn könne, als Camilla! Von keinem andern Mund hätte ich die Bestätigung der teuflischen Treulosigkeit anzuhören vermocht, als von den der sanft tröstenden Freundin! Sie allein war es, die in jenem Augenblick mich vor wilder Verzweiflung schützte; In meinem Innern schwieg aber plötzlich jene Stimme, die bis jetzt mich immer zurück hielt, und mich warnte, mich nicht mit Rosalia zu verbinden. Aber nun war alles aus, jede ins geheim genährte Hoffnung verschwunden; ich wagte es, und bat Rosalia um ihre Hand, um ihre Liebe. Sie konnte mir jene nicht versagen, denn ihrer Liebe war ich gewiß, und wir waren beyde frey. Unsere Unterredung ward inniger; von meiner ganzen Zärtlichkeit hingerissen von meinen Liebkosungen bestürmt, vergaß sie bald jede Furcht – sie lag an meiner Brust, mir ganz hingegeben, zum ersten male wieder seit unsrer Trennung, als auf einmal ein entsetzliches, Herz durchdringendes Geschrey über uns vom Felsen her erschallte, und ein großer Stein ward gewaltig auf uns her geschleudert. »O der Geist!« schrie Rosalia indem sie niedersank, vom Stein getroffen. Voll Entsetzen wandte ich mich, sie in meinen Armen fassend nach der Gegend hin wo her der Wurf gekommen, und immer noch ertönte das gräßliche Geschrey, das so fürchterlich und durchdringend war, daß ich es auch jetzt zu hören glaube. Indem ich mich wandte erblickte ich eine menschliche Gestalt die in großen Sprüngen dem dicksten Theil des Waldes zu lief, indem sie ohne sich aufzuhalten, mit übermenschlicher Kraft sich über die Felsen, über Abgründe schwang, und mit wütender Geberde und unter beständigem Geschrey Steine um sich her schleuderte, die sie im Laufe aufraffte. Banges Entsetzen, und ein kalter Schauer ergriff mich; diese Gestalt ... es war eine weibliche, so viel ich bey dem völlig verwilderten Wesen wahrnehmen konnte, Haar und Gewänder flogen zerstreut um sie her, an den letztern konnte man weder Farbe, noch sonst ein Merkmal erkennen ... dennoch ... o mein Bruder! mir war als sähe ich Camilla vor mir! Irgend ein bösgesinntes Wesen hat in jenem fürchterlichen Moment meine Fantasie verwirrt, nun treibt mich diese Eingebung der Hölle unaufhaltsam in den Tod!

Rosalia lag ohnmächtig mir im Arm, Blut floß von ihrem Haupt herab. Noch einmal starrte ich hin nach jene Gestalt, da sah ich sie ganz oben zur Erde sinken, das Geschrey ertönte nicht weiter, es war alles still um mich her. Betäubt, verwirrt, weiß ich nicht wie mir noch die Fassung kam u[nd] hinreichende Kraft, um Rosalia mit meinem Tuch zu verbinden und sie auf meinen Armen nach ihrem Wohnhause zu tragen. Kaum daß ich mit ihr anlangte als ich erschöpft nieder sank, ich fiel aus dieser Ohnmacht in eine Krankheit in der ich ohne Bewußtsein lag, als ich aus diesen Zustand zu neuen Qualen geweckt wurde, war Rosalia todt. Voller

Angst und niedergebeugt vom tiefsten Schmerz und dem
unaussprechlichen Jammer bin ich zurückgekehrt. Rosalia
todt! Jene Erscheinung, die ein Blendwerk der Hölle in meiner Fantasie mit Camilla's Bild verwechselt weicht nicht von
mir, sie verfolgt mich am Tage wie mein Schatten und auch
des Nachts verläßt sie mich nicht – Kein Schlaf der einzige
Trost der Unglücklichen, schließt meine müden Augenlider.
Ich fühle es, wie meine Kräfte mich verlassen, und wohl mir
daß mein Ende naht daß nicht mein Leib, die Zerrüttung der
Seele überlebt. Camilla wärst du ... wäre eine entsetzliche
Erscheinung ... – Lorenzo rief sein Bruder ich beschwöre
dich höre auf dich so zu quälen, nach allem was du erfahren
hast, ist dir ja wohl kein Zweifel übrig ... – Allerdings sagte
Lorenzo, mir kann kein Zweifel bleiben, aber warum will
mir jene Gestalt nicht verschwinden vor meinen Augen?
warum zeigt mir das glühende Hirn Camilla mit jenen
wütenden Gebehrden und dem entsetzlichen Ton der
Erscheinung im Gebirge? ...

Jetzt mein Bruder weißt du Alles, Alles was ich selber
weiß. Jetzt laß mich zurück gehen in jenes Haus, aus dem alle
Freuden entflohen und mich allein darin gelassen. Möchte
ich bald nicht wieder heimkehren dürfen, wäre ich auf ewig
erst heimgegangen! O Camilla lebtest du nicht mehr, wir
wären sicher nicht getrennt! O Camilla was kann das Leben
dir für Freude geben daß uns getrennt erhält? – Umsonst versuchte Eugenio den Schmerz des Unglücklichen mit sanften
tröstenden Worten zu mildern, der jetzt gewaltsam in Thränen und lautem Wehklagen hervorbrach. Tiefer und stiller
bedeckte sie jetzt die ernste Nacht da kehrte auch die Trauer
stumm wieder in ihn selbst zurück. Schweigend und langsam
gingen sie in das Freudenleere Haus zurück, wo alles was sie
umgab jetzt für Eugenio eine ganz andre Bedeutung erhielt.

2tes Kapitel

Lorenzo war krank. Seine Lebensgeister die bey der Erzählung seines Grames aufs schmerzlichste angegriffen worden in der tiefsten Ermattung. Die Aerzte verordneten Ruhe, und so gar Eugenio durfte nicht bey ihm seyn, da Lorenzo bey seiner Gegenwart, und bey der Erinnerung die diese ihm gab, bemüht war, seine Thränen und seine Unruh zu verbergen. Er schützte irgend ein Geschäft vor, und verließ am Morgen das Haus seines Bruders. Er hatte sich jedes Wort in Gedanken wiederhohlt was dieser ihm erzählt, und mancher Umstand fiel ihn wunderbar, und das Ganze als nicht recht zusammenhängend auf. Den eigentlichen Zusammenhang zu wissen war ihm nicht gleichgültig; Jeronimo war ihm der geliebteste Freund seiner Jugend, seit seiner begangnen Treulosigkeit an Lorenzo hatte er keine Nachricht von ihm, u[nd] er hielt diese Zurückhaltung für gerecht; so waren sie getrennt. Jetzt erwachten aber neue Zweifel in ihm, Rosalia ist mit verwickelt, dachte er, dies ändert die Ansicht um vieles. Rosalia war ihm längst bekannt, und er hatte ihr schon in ihrem Verhältniß mit Jeronimo wovon Eugenio der Vertraute war, nie getraut. Dem ungeblendeten Geist des Jünglings war es nicht entgangen wie sie mit einer gewissen rastlosen übelangewandten Thätigkeit gewohnt war, ihr Leben, sammt dem Leben der Umgebenden mit einer gewissen Künstlichkeit zu verwirren. Sie die im Sturm der Leidenschaftlichkeit mit ihr eignes Selbst, so wie mit ihre eigentliche Absichtlichkeit in Unbekanntschaft blieb, sie täuschte sich, indem sie andre zu täuschen bemüht war, und so erhielt was sie begann, einen Anstrich von Wahrheit, den der Geübteste nicht immer von der Wahrheit selbst zu unterscheiden vermochte. Die Hoffnung stieg in Eugenios Seele auf, sich mit seinem Jeronimo vielleicht wieder aussöhnen, ihn vielleicht nicht ganz so treulos glauben zu dürfen, und mit dieser Hoffnung erwachte die ganze Zärtlichkeit des Jünglings für seinen Freund. Wie ein Blitz leuchtete ihn der Gedanke

plötzlich in seine Seele, nach jenem Gebirg zu reisen, jene
fürchterliche Erscheinung auf zu suchen, die die erhizte
Fantasie des unglücklichen Lorenzo verwirrt, und seine
Sinne beynah völlig zerrüttet hatte.

Mein tugendhafter edler Jeronimo rief er aus, als er allein,
und mit den verschiedenen Gedanken beschäftigt fortritt,
Göttlich liebende Camilla, Seele ohne Falsch, und ohne List,
sicher habt ihr nicht Lieb und Freundschaft so kaltblütig ver-
rathen können! Er erinnerte sich auch, daß Lorenzo das Blatt
nicht gelesen hatte, daß Camilla vor ihrer Flucht geschrieben, wahrscheinlich als Aufschluß und Abschied für ihn
zurück lassen wollte, und wozu sollte er es auch lesen? Ihn
hatte Camilla's letzter Schritt, alle die vorhergegangnen zu
wissen überflüßig gemacht; zu was sollte es ihm nützen
etwas zu ergründen dessen Folgen für ihn unwiderruflich
dieselben bleiben müßen, sein Kind ist auf immer dahin,
seine Gattin hat ihn verlassen – was kann er bey einer neuen
Ansicht gewinnen? Aber mir Jeronimo, deinem Eugenio
ziemt es zu ergründen was dich zu einer so gewaltthätigen
Handlung bewegen konnte, du mein Freund, dessen sanfte
Kraft, dessen geräuschloses Wohlwollen ich so liebte! Aber
du bist mir nicht allein zum Räthsel geworden, auch mein
Bruder ist mir wo möglich noch unerklärlicher als du
selbst. – Er dessen Beyspiel er immer zu verehren gewohnt
war, der vortrefliche Führer seiner Jugend, in seinen Augen
das Muster der männlichen Vollkommenheit, kann dieser ein
thörichtes Spiel in den schönen Ernst seines Lebens mischen
und es davon zertrümmern lassen?

Die Sonne war heiß heraufgestiegen, und die Hitze am
Mittag für den Reisenden unerträglich. Ein lieblicher Wald
bot ihm in einiger Entfernung seine Kühlung, und er eilte
ihn zu erreichen / Dort setzte er sich vom Gebüsche versteckt hin und beschloß hier den Abend zu erwarten eh er
weiter ritte. Die besondern Schicksale der Seinigen sich
widerhohlend, von denen mancher durch leidenschaftliche
Liebe frühzeitig zu Grunde gegangen, versank er in ein tiefes

Nachsinnen. Er hatte noch nie geliebt; Freundschaft allein, und die Liebe zu jeder Heldentugend herrschten im herben Gemüth des Jünglings, und er hatte ein inniges Mitleid mit dem unglücklichen Lorenzo, der so ganz von seiner unglücklichen Liebe hingenommen, muthlos und die männliche Tugend entwürdigend, ein sieches Leben fort schleppte. Ach in diesen Augenblick war er so gewiß, daß er nie sich der Liebe irgend eines Weibes hingeben würde! Erfrischt durch die Kühle des Orts, umrauscht von den freundlichen Bäumen deren Flüstern und Neigen für ihn immer eine vernehmliche sinnvolle Sprache gewesen, dichtete er folgende Verse, die er sogleich in seine Schreibtafel einschrieb.

Er hatte sie kaum geendigt, als er nicht weit von sich eine Stimme vernahm. Es war ein Bauer, der ohne Eugenio zu sehen, den Weg herauf kam, und im Gehen abwechselnd bald Gebete hersagte, bald ein geistliches Lied sang. Er setzte sich unter einem Baum am Fuß des Felsen, und wusch seine Füße in dem klaren vorüberfließenden Bach, indem er folgendes Lied sang. Seine Stimme war zwar ungeübt und etwas rauh, aber die wehmütige Weise, und die Verse die zierlicher waren, als man sie aus dem Munde der Landleute zu hören gewohnt war, erregten Eugenios Aufmerksamkeit, er hörte mit Theilnahme dem Gesange zu, und näherte sich nachdem er geendigt war, dem Sänger. – Ihr habt da ein sehr trauriges Lied gesungen sagte er ihm nachdem er ihn gegrüßt, und sich neben ihn hin gesetzt hatte, ihr müßt wohl vielen Kummer haben, denn nur ein solcher ist im Stande, eine so schwermüthige Weise zu erfinden. – Es hat ein jeder seinen Kummer gnädiger Herr antwortete der Mann, aber ich habe nicht mehr als ein ehrlicher Mann tragen kann, und habe auch dieses Lied nicht erfunden sondern ich singe es nur, weil ich eben geistliche Lieder singe. – Es war ja wohl, sagte Eugenio so viel ich davon vernahm, kein geistliches Lied – Nun wie Ihr wollt gnädiger Herr sagte jener, man hat doch andächtige Gedanken dabey, man muß nur auf die Worte nicht so genau Acht geben. – Während diesen ging ein andrer Bauer eilig vorüber ohne sich nach den beyden umzusehen. Der erste grüßte ihn als er nahe gekommen war, und fragte ihn wo er so eilig hin wolle? ich will ins Dorf antwortete jener, und möchte gern noch vor den Abend zurück. Du solltest dich doch sagte der erste wieder während der Hitze lieber ein wenig ausruhen, es geht sich am Abend weit besser. Wohl wahr entgegnete der andre aber um es dir nur zu sagen, ich gehe doch nicht gern des Abends hier im Gebirg wegen des Geistes, ich bin zwar allein, und hätte nichts zu fürchten, es ist einem aber doch nicht gar zu wohl zu Muth, wenn man ihm begegnet, besonders in der Nacht. Seyd ruhig Gevatter sagte jener drauf, ihr könnt nun dreist den Abend abwarten, der Geist wird Euch nicht wieder begegnen! ich habe es Euch immer gesagt, daß ich es nicht für einen Geist halte, und so hat es sich auch erwiesen. Es ist gewiß und wahrhaftig eine Frau, deren Seele Gott gnädig seyn mag, denn sie ist nahe dran zu sterben, wenn sie nicht schon während wir davon sprechen gestorben ist! – Eugenio umfing ein kalter Schrek- ken, kaum daß er sich genug fassen konnte, um bestimmtere Nachrichten von dem Manne zu erfragen. – Ihr gnädiger Herr sagte dieser scheint Euch bey Erwähnung des Geistes sehr erschreckt zu haben, denn ihr seyd bleich geworden, aber ihr könnt ruhig seyn, auch wenn es noch wie sonst hier wankte würde es uns wie wir hier sind nichts zu leide thun. Es war ein stiller trauriger Geist den wir oft singen hörten. Das Lied das ich erst sang, und daß Euch so wohl gefiel habe ich von ihm gehört; nur wenn Frauen oder Mädchen mit uns hier säßen, oder mit uns gingen dann wäre es freylich schlim- mer, nemlich wenn es nicht wie es jetzt wirklich geschah auf dem Todbette läge. – Ihr erzählt seltsame Dinge, sagte Euge- nio, und nennt es einen Geist indem ihr beweisen wollt, daß es keiner sey; – wir nennen sie nun einmal so, denn sie ist noch jedem als ein Geist erschienen, und hat in der That in ihrem ganzen Wesen mehr Aehnlichkeit von einem Geist, als von einem Menschen, und wenn ihr sie sehen solltet Gnädi- ger Herr, Ihr würdet sie selbst nicht anders nennen, auch weiß kein Mensch weder ihren Namen noch den Ort wo sie hin gehört, sie sprach oft freundlich mit mir auch mit andern, fragte man sie aber um diese Dinge, so bekam sie jedesmal wieder ihren Anfall von Wuth, da hat man sich zuletzt denn wohl gehütet sie zu fragen.

Eichner, S. 340–357.

Handschrift c [11]:

Er stand auf, sah sich nach diesen Stimmen um, und erblickte zwey Bauern, die ihre Füße in einem Bache wuschen, und dabey mit lauter Stimme abwechselnd bald Gebete hersagten, bald geistliche Lieder sangen, und unter andern, sang der eine folgendes Lied. Seine Stimme war zwar rauh und ungeübt, aber die wehmütige Weise, und die zierlichen Worte, erregten Eugenio's Aufmerksamkeit. Er näherte sich den Landleuten nachdem der Gesang zu Ende war, grüßte sie, und setzte sich neben ihnen hin. Ihr habt da fing er an ein sehr trauriges Lied gesungen, und ihr sehet doch beyde so zufrieden aus, als läge der Kummer, der solch eine Weise erfinden kann, sehr weit von Euch. – Ich habe dieses Lied auch nicht erfunden gnädiger Herr, sagte der Bauer, sondern ich singe es nur, weil ich eben geistliche Lieder singe. – Es war ja wohl erwiederte Eugenio kein geistliches Lied so viel ich davon hören konnte, – nun wie ihr wollt mein Herr sagte jener, man hat doch geistliche Gedanken dabey, man muß nur auf die Worte nicht so genau acht geben. Genug ich habe es von jemand gehört aus dessen Munde nie etwas anders als Gottesfurcht kommen kann, weiter bekümmere ich mich nicht darum. Die Weise ist sehr traurig darinn habt Ihr ganz Recht mein Herr, auch ist diejenige die es sang wohl unglücklich zu nennen; obgleich wie auch mein Herr Bruder der Pfarrer sagt, sie so voll Frommigkeit und vortreflichen Tugenden ist, daß sie mit ihren überaus großen Leiden hier auf Erden gewiß nicht für ihre eigne sondern vielmehr wohl für fremde Schuld büßen muß. – Ihr sprecht gewiß von den Geist, sagte der andre Bauer.

Hier ward Eugenio aufmerksam, und fragte mit Heftigkeit: von welchem Geist redet ihr guten Leute? Ich weis nur
sehr wenig von ihm sagte der, der zuletzt geredet, aber zu
dem ersten der das Lied gesungen hatte sich wendend, du
kannst den Herrn der hier fremd zu seyn scheint mehr
erzählen. Ich könnte allerdings antwortete der Mann, aber
du weißt es selbst und ich habe dir auch schon ein par mal
gesagt, daß ich gewiß nichts erzählen werde, weil ich versprochen habe zu schweigen. So viel kann ich Euch aber
sagen, daß es ganz und gar kein Geist mehr ist, sondern ein
sterblicher Mensch, von Fleisch und Beinen, deren Seele
Gott gnädig seyn mag. Euge[nios] Aufmerksamkeit wuchs,
er bat den Bauer inständigst ihm mehr zu sagen, dieser war
aber nicht dazu zu bewegen. Alles was ich thun kann sagte er,
ist, daß ich Euch rathe zu meinen Herrn Bruder zu gehen,
der Euch mehr sagen kann wenn er es für gut findet. Wo
finde ich Euren Herrn Bruder? Könntet Ihr mich nicht zu
ihm hinbegleiten? – Mein Weg geht nicht nach Haus, sonst
thäte ich es sehr gerne / auch würde ich so gar mit Euch
umkehren, wenn nicht mein Auftrag eilig wäre. Mein Herr
Bruder schickt mich nehmlich in jenes Frauenkloster, was ihr
von hier auf jenem Berge könnt liegen sehen, dort soll ich diesen Brief abgeben, den die Sterbende ihm vorgesagt; aber
hier mein Nachbar der mir hier begegnet ist geht mit Euch
gnädiger Herr. – Welche Sterbende? rief Eugenio verwirrt. –
Nun eben die, welche man immer für einen Geist gehalten,
die aber nun es ans Sterben kömmt und sie auch wirklich
schon gebeichtet, und die letzte Oelung bereits erhalten hat,
wohl beweißt daß sie ein Mensch ist. Und nun gehabt Euch
wohl gnädiger Herr, ich will mich nicht länger aufhalten,
denn wie gesagt der Brief ist eilig, wenn ihr Euch bey meinen
Herrn Bruder aufhalten wollt bis ich zurückkomme diesen
Abend, so sehe ich Euch noch. Geht nun mit meinem Schwager, er wird euch den rechten Weg ins Dorf zeigen, ein Fremder verirrt sich leicht im Gebirge. Hiermit stand er auf, lies
aber in der Eile den Brief fallen, grade neben Eugenio, dieser

nahm ihn auf, und las die Aufschrift. Guter Gott, es war an Camilla's Schwester die Aebtissinn jenes Klosters. – Der Landmann nahm ihm den Brief, den er in Gedanken verloren fest vor den Augen hielt, aus der Hand, und entfernte sich mit schnellen Schritten. Es ist Camilla! rief Eugenio aus; Jeronimo was hast du gethan? Unglückliche wie werde ich dich finden? Kommt guter Freund, sagte er zu dem zurückgebliebnen Bauer, der sich um seine Ausrufungen weiter nicht bekümmerte, sondern ganz ruhig wieder anfing seine Gebete herzusagen. Kommt, die Hitze ist fast vorüber, und ich muß eiligst zum Pfarrer. Er setzte sich auf sein Pferd mußte aber im Schritt reiten, wegen seines Führers der zu Fuße war, und einen schweren Korb tragen mußte. Habt Ihr den Geist denn auch gesehen fragte Eugenio. Oft genug antwortete ihn jener. Wie sah er denn aus? Das Gesicht habe ich niemals sehen können, es war fast ganz von den Haaren die ihm wild herum hingen verdeckt. – Und habt ihr euch denn nicht gefürchtet vor ihm, ich habe gehört daß es viele Menschen verwundet, ja getödtet haben soll. – Es that niemand etwas wenn man allein war. Ging aber ein Weib an der Seite ihres Mannes, oder führte einer sein Mädchen am Arm, so wurden sie von ihm mit Steinen mit allem was sie habhaft werden konnte geworfen. Nur wen[n] eines von ihnen ein Kind trug, wo waren beyde sicher, denn hörte man sie aufs jämmerlichste seufzen. Keine Brautleute waren sicher vor ihrer Wuth, oft hatt sie sich in die Kirche eingefunden, und in den Augenblick wenn Braut u[nd] Bräutigam sich die Treue zusagten, so hat sie nach ihnen geworfen und geschlagen, und laut gegen sie gewütet, und ihnen den Fluch des Himmels verkündigt. Dabey war sie selbst so jammervoll, daß es einem das Herz bewegte wenn man sie nur sah. Aber wie kömt es denn fragte Eugenio wieder, daß ihr sie so das wilde Wesen habt treiben, und so viel Unglück anrichten lassen? Ja wohl Unglück sagte jener wieder, hat nicht die schöne Dame in meinem Dorfe, den Tod davon gehabt, wie sie sagen? Aber seht gnädiger Herr es konnte ihr keines etwas zu Leide thun,

denn sie war sonst immer ein guter Engel. Wenn eins sie
anrühren wollte, so vergoß sie so viel bitterliche Thränen,
und hielt immer so geduldig die Hände hin, als ob sie sie
wollte binden lassen, da konnte man es doch nicht übers
Herz bringen; zumal da sie sich immer freute wenn man sie
wieder los lies, dann sprang sie wie ein Reh fort, lief den Berg
hinauf und sang frohe Lieder wie eine Lerche. Und dem der
ihr die Freiheit wieder verschafft hatte, dem vergaß sie es niemals, und that ihm Gutes so viel sie konnte; so war es auch
eben mit meinem Schwager; wenn er und seine Frau aufs
Feld gingen, und die Kinder allein daheim bleiben mußten,
dann kam sie immer und wartete sie, gab ihnen zu essen, und
spielte mit ihnen. Als seine Frau das letzte mal niedergekom-
men war, da hatte sie sich des Kindes angenommen als eine
wahre Mutter, und wollte es nicht aus den Händen geben,
und brachte es hernach der Frau immer aufs Feld hinaus, daß
sie es säugen konnte. Mein Schwager und seine Frau, gingen
aus und ein, ließen alles offen, denn sie war immer da, und
hütete alles, wie einem guten Geiste zukam. Aber unterbrach
Eugenio hier den erzählenden wieder, wie habt ihr sie denn
immer für einen Geist halten können, da sie so nahe mit
Euch lebte, und sich greifen lies, auch lebte wie ein Mensch?
Das nicht g[nädiger] H[err], erwiederte der Mann, keiner hat
sie essen oder trinken sehen, sie rührte nichts an, man mochte
auch hinsetzen was man wollte, einige sagen, sie hätten gesehen, wie sie Obst abgebrochen und Wurzeln ausgerissen
hätte, es kann auch wohl sein daß es wahr ist, aber essen hatt
sie kein Mensch gesehen auch war sie immer so bleich, so
bleich wie ein Geist, und die Augen lagen ihr recht fürchterlich tief im Kopfe. Auch ist sie keinen Menschen nahe
gekommen, als meinen Schwager und seine Frau, und nun
zuletzt wie mein Schwager sagte der Herr Pfarrer der sie zum
Tode bereitete. Es glaubt kein Mensch, daß sie kein Geist
war, das ist gewiß gnädiger Herr, und unter uns, je mehr ich
es überlege, je weniger glaube ich es auch; denn das ein
ordentlicher Mensch, so fromm und tugendreich sein und ein

solches Leben führen soll ist ja wohl noch weniger von Gottes Barmherzigkeit zu hoffen, als daß er einen Geist sendet, der Gutes thut, und das Böse straft, denn auch die gnädige Frau in meinem Dorfe, sie sagen allerley von ihr, wie sie der Geist soll erblickt haben, nun sie hat mit dem Tode gebüßt, und man soll dergl[eichen] nicht nachsagen. Mein Schwager kann nicht genug von ihr erzählen wie fromm und heilig sie war. Oft wenn sie recht wohl war, und sanftmüthig, schrieb sie allerley auf, der Herr Pfarrer hat alle die Zettel verwahrt, denn mein Schwager brachte sie ihm, auch Lieder waren dabey, das Lied das mein Schwager vorhin sang / ich selber hörte sie einmal solch ein eignes Lied singen, und die Laute dazu spielen denn mein Schwager mußte ihr alles hinlegen wo zu sie einmal eine Sehnsucht geäußert hatte, der Herr Pfarrer hatte es ihm befohlen, und verschaffte auch die Laute. Was sie denn so fand das nahm sie und wußte es geschickt zu gebrauchen, fragte man sie aber lange, oder wollte sie bereden etwas anzunehmen, dann nahm sie Nichts, es mogte sein was es wollte. Ein Fremder außer mein Schwager und seine Frau, durften nicht hinzukommen, wenn sie schrieb oder sang, dann stand sie gleich auf, und ging traurig fort, ich habe ihren Gesang nur von draußen gehört, auch der Herr Pfarrer, ich glaube aber wenn sie es gewußt hätte, sie wäre nimmermehr wieder ins Haus gekommen, denn eine Frau bey der sie vorher viel war, die fragte sie einmal in ihrer guten Stunde, wie sie hieße, und wohin sie gehöre, da sah sie auf einmal stier vor sich hin, und stieß einen entsetzlichen lauten langen Schrey aus, lief fort, und kam nie wieder zu ihr. So oft einer solche Fragen an sie that so war es so. Zuletzt hat sie niemand mehr darum gefragt denn ein jeder wollte sie gern in sein Haus haben; denn es war, als ob der Seegen mit ihr einkehrte. Nun sagte Eugenio wehmütig lächelnd bey dem Geschwätz des Mannes, wenn sie auch kein Geist seyn soll, eine Heilige ist sie gewiß! und wie lang fragte er, ist diese Erscheinung zu Euch gekommen? – Es mögen wohl nun 2 Jahre seyn, sagte dieser, seitdem ich das erste Mal von ihr gehört. – Zwey Jahre

sind es, dachte Eugenio, und ein Schauer durchbebte sein
Herz, seit die Unglückliche entflohen, es ist nur zu gewiß
daß ich Camilla hier finde; allein, verstoßen, im Elend versunken. Jeronimo, sie verließ alles deinetwegen, und du du
konntest sie verlassen, Jeronimo was ist aus dir geworden?
Die Unthat schien ihm ganz unmöglich, und doch doch war
es so! – Ohne das Gespräch weiter fortzusetzen und in Träumen versunken, verfolgte er jetzt den Weg den sein Führer
ihn zeigte, als er ihn, indem sie um einen Felsen bogen, um
einen schmalen Hohlweg hinauf zu gehen, plötzlich hin-
knieen sah, und indem erblickte er auch, einen Geistlichen in
feyerlicher Prozession; er stieg von einer großen Anzahl
Männer und Weiber begleitet, den Fußpfad gegen ihnen über
ins Gebürg herauf / Eugenio kniete neben seinen Führer.
»Es ist der Herr Pfarrer flüsterte dieser ihm zu, als die Prozession vorüber war, er bringt der Sterbenden das Abend-
mahl hinauf auf den Berg. Sie schlossen sich den Nachfol-
genden an, und nach einer kleinen Weile, als der Führer
zurückkehrte und in das Dorf hinauf gehen wollte, bat ihn
Eugenio für sein Pferd Sorge zu tragen, während er ganz mit
hinauf folgte. In stummer Erwartung stieg er nun, während
alles laut für die Genesung

Eichner, S. 357–362.

Handschrift d [12]:

Ehrwürdiger Herr sagte der Reisende, ich muß Euch bitten,
ehe ich mein Anliegen sage, mir zu verzeihen wenn es euch
etwa unbescheiden dünken sollte. Ihr habt einen Brief an die
Aebtissinn des nahen Klosters geschickt, eine Sterbende trug
Euch auf den Brief für sie zu schreiben, alles dies weiß ich
durch den Boten Euren Bruder der mir mit dem Briefe begegnete: Ich bitte Euch saget mir wer ist die Sterbende, die
wie Euer Bruder mir sagte so unglücklich ist, und zugleich
gut und voller Tugenden.

Eichner, S. 362.

Handschrift e [7]: Vorgeschichte der Rosalia

Ich war zu glücklich, und im Uebermuth dieses Gefühls habe ich . . . ja, ich darf es mir nicht verbergen wollen, ich selber legte die erste Hand an die eigne Zerstörung! . . . Zu derselben Zeit führte Hilario uns Rosalien zu; doch hier muß ich etwas mit der Erzählung zurück gehen, damit dir das ganze Verhältniß klar werde. Rosalia war Nonne in demselben Kloster wo Camilla als Kostgängerin erzogen ward, beide liebten sich als Freundinnen; Rosalia entfloh aus dem Kloster und folgte ihrem Liebhaber nach seinem Vaterlande, wo er sich mit ihr vermählte. Nach einigen Jahren, die sie nicht ganz glücklich gelebt hatte, ward sie krank, und schwermüthig, und in diesem Zustande bat sie Camilla zu ihr zu kommen, die auch so gleich das Kloster verließ und bei Rosalia lebte; Rosalia brachte eine Tochter zur Welt, und bald darauf starb ihr Gemahl; ich lernte sie als Wittwe kennen, Hilario der sie leitete führte mich bei ihr ein, und hier sah ich Camilla. Damals schon faßte Rosalia eine heftige Neigung zu mir, die mir sicher nicht würde unbekannt geblieben seyn hätte die Leidenschaft für Camilla mich nicht so ganz ausschließend hingenommen, aber Rosalia wußte ihre Neigung und ihre Eifersucht so gut zu verbergen, daß weder Camilla noch Hilario, noch ich etwas davon merkten, im Gegentheil schien sie mit ganzer Seele an Hilario zu hängen, in der großen Welt worin wir damals lebten, mochte ihr diese Verstellung auch wohl leichter werden, als es nachmals in unserm kleinen vertrauten Kreise, und in der Einsamkeit des Landlebens möglich war. Sie hatte sich in der Abgeschiedenheit des Klosters ein Ideal des Mannes ausgedacht, dem sie eigen zu werden wünschte; Eugen in der Blüthe der jugendlichen Leidenschaft schien ihr vollkommen diesem Ideal zu entsprechen, doch bald fand sie, daß sie von ihrer eignen Fantasie getäuscht war. Im Kloster aufgewachsen, in den täglichen Uebungen und mit den Pflichten ihres Standes allein bekannt, war die Welt und sie selbst sich fremd geblieben.

Eugen hatte sie durch seinen Witz, durch Spott über ihre Beschränktheit besiegt, sie ließ sich aus dem Kloster führen aus Furcht vor seinem hellern Verstande, und ihre Ueberzeugung ganz unter der seinigen gefangen gebend. Anstatt in der Stille ihren Geist selbst mehr aus zu bilden, und sie sich so näher zu bringen, führte er sie mit aller ihrer Unerfahrenheit in die große Welt ein und überließ sie in diesem Wirbel sich selber. So wurden auf die Schranken der ersten Erziehung ihr blos die Thorheiten der zweiten gepfropft, und so schwankte sie zwischen Furcht und Leichtsinn, Aberglauben und Sinnlichkeit, bald sich der einen, bald dem andern hingebend, Eugen schien alles nur zu bemerken um es zu tadeln, sie fürchtete ihn endlich mehr als sie ihn liebte; sie handelte immer nach seinen Willen, und vereinigte ihre Wünsche mit den seinigen, nur war die Art wie sie alles that, immer heftig, jedesmal wie ein Sieg über sich selbst, mit eine Art von Uebertreibung, wodurch sie sich bei ihm immer neuem Tadel Preis gab. So verließ sie einmal die Gesellschaft, sah keinen Menschen, und gab sich ganz einer Art von büßenden Leben, wallfahrtete, Betete, fastete, und gelobte einem Heiligen nach dem andern, um einen Erben vom Himmel zu erflehen, sie war wirklich nahe dran ihre Gesundheit ganz zu zerrütten, und man war nicht ohne Grund besorgt um sie. Sie hielt es nemlich für eine Strafe des Himmels für ihr gebrochnes Gelübde, daß ihre Ehe unfruchtbar blieb, und von diesen Gedanken überwältigt gelobte sie wieder in ein Kloster zu gehen, wenn sie nicht in Jahres Frist Mutter würde. Sonderbar genug daß sie gleich nachher sich schwanger fühlte, und daß sie von dieser Zeit an, bis zu ihrer Niederkunft, eine wunderbare Erscheinung sah. Alle diese Eräugnisse, und Eugenios Tod, verwirrten ihre Fantasie immer mehr, der sie nun wieder im Geräusch der großen Welt zu entfliehen suchte, hier fand sie Hilario, der mich, wie ich schon gesagt zu ihr führte. Ich mußte dir so viel von ihr sagen, damit du sie im Verfolg meiner Erzählung nicht zu streng richten mögest. Ich weis diese Umstände alle theils durch Camilla, theils durch Rosalia selbst. Jetzt hatte Hilario sie einer Menge von Verwirrungen, von fatalen Verhältnissen und Verdrüßlichkeiten mit der Familie ihres Gemahls glücklich entzogen, er führte sie uns nun zu, theils um sich zu erhohlen, theils auch um sie in sichern Schutz zu wissen während er eine kurze Reise vornehmen wollte, um auf einem in unsrer Nachbarschaft gelegenen Gute alles zu ihrem Empfange und zum künftigen Wohnorte mit ihr einzurichten. Camilla freute sich so herzlich mit mir, den Freunde gefällig zu seyn, die Freundin glücklich wieder zu sehen! ... Hilario kam, und seit diesen Augenblick hat der Kummer mein Haus nicht wieder verlassen. Rosalia war schöner noch geworden seit ich sie nicht gesehen, auch Camilla schien überrascht beim ersten Anblick der Freundin; es war nicht die Kranke, von der Hand des Schicksals gebeugte, an allem Erden Glück verzweifelnde, wie sie selber sich uns in ihren Briefen verkündigt hatte; es war die schimmernde Rosalia mit allen ihren sieggewohnten Reizen. Camilla die sich darauf gefaßt hatte sie zu trösten und zu erheitern, mußte alle ihre Würde ihren ganzen Stolz zusammen fassen, um nicht unter ihren muthwilligen Uebermuth zu leiden.

Eichner, S. 363–365.

Handschrift f [4]: Camillas Aufzeichnungen

»Komm Eugenio! Eugenio! o Komm! laß mich nicht länger allein! hör mein Angstgeschrey; sieh meine Thränen, mein Händeringen fühle es wie ich die Arme nach dir ausstrecke, bald trocknen die Thränen, und die Arme ermatten, sinken kraftlos herab. Das Kind, Ach – Eugenio höre, das Kind – nein – ich schreibe das Wort nicht, aber ich fürchte – Eugenio kömst du noch nicht? – Jeronimo wollte mich noch sprechen, die Weiber quälen mich, aber ich mag keine fremde Gesichter sehen – allein zu seyn ist gut. Horch da kömt er! Nein – du hörst mich nicht, du kömst nicht, zur Mutter nicht, nicht

zum Kinde. Sieh es will noch lächeln – Kömst du nicht? Es ist
gut daß sie dich nicht Zeugen unsrer Leiden sein läßt, dich
müßte immer Fröhlichkeit umgeben, aber treu bist du
geblieben, noch trage ich deine Locke du hast sie noch nicht
gegen die meinige eingetauscht – Ach – – –

Wie sie spielen mit der Liebe? sie ist ihnen auch ein Wort,
wie jedes andre. Was ist denn das was *ich* fühle, wenn jenes
auch Liebe ist? Und auch du Eugenio?

Nein Eugenio, so nicht, nicht so! ich bin ein ganzes Glück
werth, denn ich gebe ein Ganzes.

O und Jeronimos Klagen! diese trage ich nicht länger. Er
ist dein Freund Eugenio, in deine Hand legte er die Angelegenheit seines Glücks, seines Lebens –

O es wird, es muß vorüber gehen / halte es aus meine
Seele, eine schönere Sonne muß dir leuchten / Wie du mir
zulächelst! bittest mich, es um deintwillen auszuhalten / das
Leben noch länger zu dulden! ja um deintwillen süßer
Knabe!

Es sey blos meine schwarze Fantasie? Deine Liebe wäre
noch dieselbe? O Gott woher ist denn meine Fantasie so
schwarz geworden? Hatte sie doch sonst keine Farben, als
den Purpur der aufgehenden Sonne, auf dem reinen Azur des
Himmels.«

Eichner, S. 365 f.

Handschrift g [5]: Camillas Aufzeichnungen

»Ich widerstehe deinen Liebkosungen nicht Eugenio, die
sanften Worte von den süß beredten Lippen, der Blick der
mich mit berauschender Sehnsucht anzieht / die Gluth deiner Umarmung, der Kuß, – ich widerstehe diesen Liebkosungen nicht Eugenio! ein süßes Feuer durchdringt mich bis
tief im Herzen! Aber was sonst wie belebende Sonnenwärme
mich durchströmte und belebte, das verwundet mich jetzt
wie verzehrendes Feuer. Es ist die Flamme von einem fremden Altare, was ich in dir fühle, nicht das reine eigenthüm-

liche von selbst, in sich selbst, entzündete, das du in einen Moment mir nimmst und giebst. –

Soll ich den Worten glauben? O süße schöne Worte!«

Eichner, S. 366 f.

Handschrift h [9]: Eugenio

Eugenio war ein edler Jüngling, von heiterm Gemüth, und ruhigem Sinn; seine Seele glich einem klaren hellen See, der die Bilder seines Ufers, bestimmt und rein auffängt, und treulich zurück wirft. Noch hatte er die Gewalt der Leidenschaften nie anders als durch seine Freunde erfahren; er selber haßte Nichts als das Böse, und liebte Alles Rechte, alles Große und wahrhaft liebenswürdige in der erschaffnen Welt, er ahndete allenthalben das Göttliche und sein Herz schlug voll Liebe wenn er es erblickte. Eine stets gleiche Kraft des Willens verband sich in ihm mit einer sanften Anmuth des Geistes, und eine selten reiche Fantasie, mit der größten Einfachheit und Treue des Sinns. So fand man seltsam in ihm vereinigt, was sich zu widersprechen scheint, und alles zusammen verband sich zu einem bezauberndem Gemisch von Licht und Schatten so wie die verschiedenen Arten von Bäumen, Laub, Gesträuch und Blumen eines Waldes zur lieblichsten Einheit. Nichts unedles oder gemeines wagte sich an den Trefflichen; so blieb er rein und unverderbt, mitten in der Verderbniß. Gerne vertraute man sein ganzes Schicksal ihm an, unwiderstehlich überließ man sich ihn ohne Rückhalt. Wer ihn sah, dem war die Gewißheit wenn diese Seele jemals einen würdigen Gegenstand ihrer Liebe findet, so liebt sie auf ewig! O er war geboren um für die Tugend zu leben u[nd] für die Liebe zu sterben.

Eichner, S. 367 f.

6. Notizen: Namen und Familienbeziehungen

Der Marchese Laurentius ist der erste Gemahl von Rosalia,
(Felicitas seine Tochter / Sebastian sein Bruder der Gemahl
Camilla's.) Johannes Rosaliens Bruder, Camilla u[nd] Cle-
mentina Schwestern. beyde zum Kloster bestimmt.

Der Marchese nach der Trennung der ersten Ehe, vom
Vater der Clementine zugesagt; sie entdeckt ihm ihre erste
Ehe. Er nimmt alles auf sich, giebt ihr seinen Namen, den sie
nach des Vaters Tode wieder entsagt.

Manfred u[nd] Eduard Zwillinge Rosaliens Söhne, Zweifel ob von Sebastian oder von Laurentius. Johannes und Laurentius Freunde.

Sebastian Protestant, Kamilla die jüngere Schwester gegen
der Eltern willen seine Gemahlin.

Der Graf, Laurentius; Freund des Eugen; dieser Gemahl
der Camilla, geliebt von Clementina; Sebastian der Marchese, Freund des Laurentius erster Gemahl der Rosalia,
Felizitas die Tochter, Eduard u[nd] Manfred wie oben

Laurentius von Clementinens Vater

Clementinens Vater hatte ihr den Laurenzio zum Gemahl
bestimmt, sie gesteht ihm ihre Liebe zu seinen Bruder
Eugen; sie will sich dem Vater nicht widersetzen, und lebt
mit Laurenzius der ihr seinen Namen giebt, ihr Vater stirbt,
sie verlassen ihr Vaterland, er vermählt sich mit Eleonore /
sie lebt als seine Schwester.

Eichner, S. 362 f.

7. Bericht über Entwürfe zum zweiten Teil und zum Ausgang des Romans

Nach einer anderen Fassung entdeckt Florestan-Florentin,
der in Amerika die halbwilde Tochter eines Alten geheiratet,
bei Verhandlungen mit englischen Offizieren, daß er der
Sohn Camillas ist, die hier unzweifelhaft, wohl auch in der

Novelle, als die Clementine des ersten Bandes gelten darf. Er reist mit seiner Frau und dem Alten nach Europa und findet Clementine-Camilla tot; der Alte, ihr einstiger Geliebter, der nach einer dritten Fassung aus Haß gegen die erbschleichenden Mönche protestantisch geworden, Camillas wegen wieder katholisch werden wollte, mit dem Papste, Ablaß und Inquisition zu tun hat, stirbt an ihrem Grabe. Und nun reisen alle noch Lebenden des ersten Bandes mit Florestan nach Amerika; »Eduard und Juliana gesellen sich zu den Uebrigen, die Güter werden verkauft, sie steigen zusammen zu Schiffe und bilden eine Colonie in Amerika. Florestans Jugendfreund findet sich ein, verliebt sich in Therese, Julianens Schwester, sie giebt ihm ihre Hand. Betty, die andere Schwester, behält das Haus der Gräfin Camilla (Clementine).« Zur weiteren Erklärung des ersten Bandes dient dann noch die Notiz: »Camilla und F.(lorentins) vermeintliche Mutter Frauen desselben Mannes. Dieser Mann der jüngere Bruder des Markese.«

Finke, S. 80.

Anhang

Zu dieser Ausgabe

Der Text der vorliegenden Ausgabe folgt dem Erstdruck:

> Florentin. Ein Roman herausgegeben von Friedrich Schlegel. Erster Band. Lübeck und Leipzig, bei Friedrich Bohn, 1801.

Die Orthographie wurde bei Wahrung des Lautstandes behutsam modernisiert. Der schwankende Gebrauch von Dativ und Akkusativ sowie andere grammatische Eigenwilligkeiten der Verfasserin wurden nicht korrigiert. Dorothea Veit-Schlegel war sich ihrer sprachlichen Unsicherheit bewußt: »Der Teufel regiert immer an den Stellen, wo der Dativ oder der Akkusativ regieren sollte« (vgl. Dokument 14). Da Friedrich Schlegel, der das Manuskript durchsehen mußte, ein lässiger Korrektor war, blieben viele Eigentümlichkeiten stehen, die als Zeugnis für den Sprachgebrauch der Zeit (Ähnliches findet sich z. B. bei Charlotte Schiller) gelten dürfen.

Die Interpunktion blieb bis auf zwei Ausnahmen unverändert: die Kommasetzung in Verbindung mit Klammern wurde normalisiert, die An- und Abführungszeichen zur Kennzeichnung der wörtlichen Rede wurden ergänzt. Darüber hinaus wurden folgende Stellen korrigiert:

17,4	werde«,] werde;
32,5	sowohl] so wohl
47,7	ihr Lieben,] ihr Lieben.
50,35	mich,] mich
57,8	verging] vergiengen
135,1	noch] nach
161,27	andern Doktor] andern, Doktor,
164,22	die] den
171,35	Wort Natur] Wort, Natur,
172,4	hatte] hat
172,24	die] die der
187,9	begrenzte] begrenzten

Offensichtliche Druckversehen wurden stillschweigend verbessert.

Die Aufzeichnungen und Entwürfe Dorothea Schlegels zur Fortsetzung des *Florentin*-Romans folgen bis auf wenige, in den Anmerkungen erläuterte Ausnahmen der Textgestalt der Erstveröffentlichungen: die »Zueignung an den Herausgeber« (Aufzeichnung Nr. 1) der Briefsammlung von Raich (vgl. die Literaturhinweise); die Variante zur »Zueignung« (Nr. 2), die Einleitung des zweiten Bandes (Nr. 3) sowie das Gespräch zwischen Eleonore und Clementine (Nr. 4) der Darstellung Finkes in seiner Schrift *Über Friedrich und Dorothea Schlegel*. Die Entwürfe zur Novelle »Camilla« (Nr. 5, Handschrift a–h) folgen der Edition Hans Eichners (Literaturhinweise: Ausgaben), weichen aber in Einzelheiten von Eichners Darstellung ab: Die Handschriftenbezeichnungen entsprechen der Darstellungsfolge; auf textkritische Anmerkungen Eichners (z. B. Streichungen, Überschreibungen im Manuskript) wurde meist verzichtet – wo sie inhaltliche Zusammenhänge erklären, findet sich ein Hinweis in den Anmerkungen; Handschrift b wurde mit Text aus einer Anmerkung Eichners am Anfang erweitert. Der Text »Namen und Familienbeziehungen« (Nr. 6), der bei Eichner zwischen Handschrift d und e steht, wurde aus dem Zusammenhang von »Camilla« gelöst und diesem Komplex nachgestellt, weil er nicht speziell zur Novelle, sondern zum ganzen Roman gehört. Finkes Bericht über weitere Pläne zum zweiten Teil (Nr. 7) ersetzt die nicht erhaltenen Entwürfe.

Die im Anhang wiedergegebenen Dokumente zur Entstehungsgeschichte und zur Rezeption, die ebenfalls genau den angegebenen Quellen folgen, enthalten bewußt nur persönliche Zeugnisse. Auf öffentliche Rezensionen wird nur verwiesen (Nr. 35).

Anmerkungen

Florentin

7 f. *Vom Herausgeber:* Die beiden Einleitungs-Sonette sind von Friedrich Schlegel. In Schlegels Werken tragen sie die Titel »An die Dichterin« und »Farbensinnbild«. Am 31. Oktober 1800 schreibt die Verfasserin des Romans an Schleiermacher: »Er hat sie mir heute vor acht Tagen an meinem Geburtstage gemacht. Das zweite ist sogar mit allen Flammen, Farben und Blumen Wort für Wort aufgeführt worden [...].« (Vgl. Schleiermacher, S. 94 f.)

13,12 f. *noch hat mein Auge sie nicht gesehn:* Die Suche nach der unbekannten Geliebten ist ein beliebtes romantisches Erzählmotiv seit Tiecks *Franz Sternbalds Wanderungen* (1798).

13,29 *Jockey:* hier: Stalljunge, Reitknecht.

18,6 f. *große hohe Schloß:* Das mittelalterliche Landschloß weist auf das Schloß Leontins in Eichendorffs *Ahnung und Gegenwart* (1815). Eichendorff hat seinen Roman in Wien mit Dorothea Schlegel genau durchgesprochen.

19,29 *antike Pracht:* altertümliche Pracht; das Wort bei Dorothea Schlegel ohne spezifischen Bezug auf die Antike.

21,4 *Ceres:* römische Göttin der Fruchtbarkeit; oft mit der griechischen Demeter gleichgesetzt.

21,30–32 *Voll Ehrerbietung ... begrüßt:* Das gleiche Vertrauensverhältnis von Gutsherrn und Landbevölkerung auf dem Schloß des Herrn von A. in Eichendorffs *Ahnung und Gegenwart*.

22,6 *kindisch:* kindlich.

23,6 *Fortepiano:* Klavier (auch »Pianoforte«).

25,14–28 *Allmählich verhallte ... Tränen fließen:* typisch empfindsame Situation wie bei Tieck und anderen frühen Romantikern.

26,12 *das Goldne Vlies:* Im griechischen Mythos zog Jason mit den vornehmsten Helden aus, um das Goldene Vlies (das Fell eines goldenen Widders) aus Kolchis (der Heimat Medeas) zu gewinnen.

27,1–29,5 *Unter Myrtenzweigen ... laß mich frei!:* typische Rokokolyrik im Stil der Anakreontik: heitere Natur, Erotik, Sinnlichkeit.

27,30 *Westwind:* der Zephyr; beliebtester Wind in der Rokoko-Hirtenlyrik.

29,31 *künstlich:* kunstvoll.

31,14 *Flötenuhr:* Musikwerk; eine Uhr mit eingebauter Kleinorgel.

31,36–32,1 *heilige Anna:* Mutter der Maria, oft als Erzieherin Marias dargestellt – oder »selbdritt«: mit Maria und Jesuskind.

33,2 *heilige Cäcilia:* Märtyrerin im 3. Jh. Seit dem 15. Jh. gilt sie als Beschützerin der Tonkunst. In der romantischen Periode oft beschworen (vgl. Wackenroders *Berglinger* und Kleists Novelle).

33,19 *Original zu meinem Gemälde:* In Tiecks *Sternbald* wird die Geschichte von Ferdinand erzählt, der sich in ein Bild verliebt und schließlich »das Original jenes Gemäldes« findet (Ludwig Tieck, *Franz Sternbalds Wanderungen*, Studienausgabe, hrsg. von Alfred Anger, Stuttgart 1966, 1979 [Reclams Universal-Bibliothek, 8715], S. 154).

40,17–21 *Ernst ... scherzhaft zu finden:* beliebte Reflexion im Schlegel-Kreis; vgl. Friedrich Schlegels *Lucinde* und *Gespräch über Poesie.*

41,3 *Baron:* mittellat. *baro,* ›streitbarer Mann‹. Im alten deutschen Reich verbindet sich mit dem Titel die Reichsfreiheit (Baron: Freiherr).

41,25 f. *Physiognomie:* Gesichtsbildung, äußere Erscheinung; im späten 18. Jh. viel diskutiert. Vgl. Lavaters *Physiognomische Fragmente zur Beförderung der Menschenkenntnis und Menschenliebe* (1775–78).

42,30–43,4 *abwechselnden Verkleidungen ... gemacht haben:* Ähnliche Reisen unternehmen Rudolf Florestan, Roderigo und Ludoviko in Tiecks *Sternbald*. Es finden sich fast wörtliche Entsprechungen: »als Spielleute musizierten wir auf Hochzeiten und Jahrmärkten« (*Sternbald,* [Anm. zu 30,19], S. 291).

43,16 *Wohlstand:* hier: Anstand.

44,6 *als Knabe:* Das als Knabe verkleidete Mädchen wird ein Lieblingsmotiv Eichendorffs werden.

44,30 *Assemblee:* (frz.) Versammlung, hier: vornehme Gesellschaft.

46,17 f. *Sinnenrausch:* Die Sinnlichkeit der italienischen Welt ist sprichwörtlich seit Heinses *Ardinghello*. Tiecks *Sternbald* ist ebenfalls von den Farben Heinses beeinflußt.

49,20 f. *»Erlaubt wird ... Pflicht!«:* möglicherweise Nachklang von Goethes *Tasso,* V. 1006: »Erlaubt, was sich ziemt.«

54,34 *Repositorium:* Regal, Gestell, Aktenschrank.

56,4 *notifiziert:* mitgeteilt.

56,6 *Benediktiner:* Mönchsorden, im 6. Jh. begründet; Abkehr vom weltlichen Leben gefordert; große Bedeutung durch geistige und soziale Tätigkeit.

56,9 f. *Noviziats:* Prüfungszeit vor der endgültigen Aufnahme in einen Orden.

57,20 *kanonische Recht:* von *Kanon* ›Richtschnur‹; das durch die Normen der katholischen Kirche festgesetzte Recht.

64,22 *Insurrektion:* Aufruhr, Empörung.

74,8 f. *Himmelsbräute:* Nonnen; Christus als Bräutigam verstanden, deshalb meist ›Bräute Christi‹.

78,1 *Ich bin nicht deine Mutter:* Ähnlich erfährt Sternbald, daß er nicht der Sohn seiner geglaubten Eltern ist.

80,14 *majestätischen Republik:* Venedig war seit Jahrhunderten Republik, wurde aber von einem auf Lebenszeit gewählten Dogen beherrscht. Die politische Macht Venedigs war im 18. Jh. bereits gering.

82,5 *Amt:* Es gehört zum romantischen Helden, daß er sich Amt und Stand entzieht, um sich für die Geheimnisse des Lebens offenzuhalten.

82,15 *reiche Lords:* Auch bei anderen Romantikern gern komisch. Vgl. Eichendorffs *Dichter und ihre Gesellen* und Hoffmanns *Die Elixiere des Teufels.*

82,29 *deutschen Malern:* Die deutsche Malerei des 18. und frühen 19. Jh.s spielte sich großenteils in Italien ab; es gab deutsche Malerkolonien in Rom und anderen italienischen Städten.

87,11 *Helden des Altertums:* Vgl. Schillers Karl Moor, der sich ebenfalls von den »großen Männern« des Altertums inspirieren läßt. Freilich kämpften diese Helden keineswegs immer für die Freiheit.

87,15 *Kunst der Alten:* offenbar nicht die Kunst der Antike, sondern die ältere Renaissance-Malerei, an der sich die zeitgenössischen Maler orientieren.

88,23 *Guineen:* englische Goldmünzen (das Gold kam ursprünglich aus Guinea).

88,34 *Cicerone:* Fremdenführer.

89,18 *das treulichste Bestreben:* Keine 20 Jahre später nahm Dorothea Schlegel selbst an diesen deutschen Kunstbestrebungen in Italien teil.

94,34 *Galeeren:* Ruderschiffe (mit zusätzlichen Segeln), im Mittelmeer bis ins 18. Jh. gebräuchlich. Oft mit Sträflingen und Sklaven besetzt.

95,2 *Pasquill:* Spottschrift, Schmähschrift.

95,21 *Civita Vecchia:* Stadt nördlich von Rom.

96,28 *Rout:* (engl.) große Abendgesellschaft.

96,30 f. *Fabriken, Manufakturen:* Die Industrialisierung, die in England begann, wurde von den Romantikern meist ignoriert oder mit Mißtrauen angesehen.

96,36 *republikanischen Armee:* Eine solche Armee existierte ab 1774. Der Roman spielt also in den Jahren zwischen 1774 und 1783 (Frieden von Versailles, Anerkennung der Unabhängigkeit) – vor der Französischen Revolution!

103,13 f. *Blumen-Parterre:* frz. *parterre* ›Gartenbeet, Blumenbeet‹.

115,6–8 *Es ist . . . tue:* Sprecher, wie häufig, in der Vorlage nicht markiert. Form und Inhalt sprechen für Eduard als Redenden (unbestimmt bei Kluckhohn, als Fortsetzung der Rede Florentins aufgefaßt bei Weissberg).

116,4 *Reichbegleiteten:* möglicherweise Druckfehler für »Reichbegüterten«.

127,23–129,20 *»Mein Lied . . . als Lorbeer glänzen«:* die im Briefwechsel mit Schleiermacher mehrfach erwähnten Stanzen (vgl. Dokument 5 und 19); italienische Strophenform aus acht Elfsilblern (im Deutschen auch Zehnsilblern durch männlichen, d. h. einsilbigen Versausgang), 6 Zeilen kreuzweise gereimt, am Ende ein Paarreim; die beliebteste Versform des italienischen Epos, von Dorothea Schlegel mehr subjektiv-lyrisch gebraucht.

133,18 *Ermenonville:* Dorf, Schloß und Schloßpark bei Paris, wo Rousseau die letzten Jahre seines Lebens verbrachte und (in einem Parkpavillon) 1778 starb.

133,18 f. *otaheitischen Pavillon:* Otaheiti: die Südseeinsel Tahiti.

133,19 *chinesischen Brücken:* modisch in Parks des 18. Jh.s (vgl. Kotzebues *Menschenhaß und Reue,* 1789).

133,30 *Neveu:* frz. Neffe.

137,36 *link:* ältere, seltene Form für ›linkisch‹.

138,3 *Superiorität:* Überlegenheit.

138,5 *ostensibeln:* zur Schau gestellten.

138,8 *nicht:* älterer Sprachgebrauch; nach dem negativen Vorsatz hebt das ›nicht‹ die positive Bedeutung nicht auf.

144,4 *Urlaub:* hier in der ursprünglichen Bedeutung von ›Erlaubnis‹.

144,21 *Teniers:* David Teniers der Jüngere, niederländischer Maler (1610–90), berühmt für seine Darstellung von Szenen aus dem Volksleben.

145,27 *Basrelief:* Flachrelief; Wandplastik, bei der sich die dargestellten Figuren und Formen nur wenig aus dem Hintergrund erheben.

145,28–30 *Psyche . . . Gott der Liebe . . . beschaute:* Die dargestellte

Szene beruht auf der berühmten Erzählung von *Amor und Psyche* (in Apuleius' *Der goldene Esel*): Psyche (griech. ›Seele‹), die Gattin des Liebesgottes Amor, darf den Geliebten nur besitzen, wenn sie ihn nicht anschaut. Hingerissen von dem Wunsch, ihn zu sehen, übertritt sie das Gebot – und muß durch zahlreiche Leiden und Prüfungen gehen, um ihn wiederzufinden.

154,18 f. *versteinerndem:* im Erstdruck: »versteinertem«. Dorothea Schlegel beklagt sich in einem Brief an Schleiermacher vom 17. Januar 1801 über den »nicht hübschen Druckfehler« (Dokument Nr. 23).

156,15–17 *Juliane . . . glücklich:* Nach einem Brief Caroline Schlegels stammen die Zeilen Florentins an Juliane aus einem Billet, das die Verfasserin selbst von Edouard d'Alton erhalten hat (vgl. Dokument Nr. 36). In Schlegels *Lucinde* figuriert d'Alton als Guido, der unvergessene frühere Freund der Geliebten (Friedrich Schlegel, *Lucinde*, hrsg. von Karl Konrad Polheim, Stuttgart 1963 [Reclams Universal-Bibliothek, 320], S. 106).

157,31 *Altan:* balkonartiger Vorbau auf dem oberen Stockwerk, von unten durch Säulen oder Mauerwerk gestützt.

158,29 *Kreditiv:* Beglaubigungsschreiben.

158,36 *Impromptus:* unvorbereitete Äußerungen.

160,28 *Partie fine:* Vergnügungsausflug, Spiel.

162,3 *stark besetztes Chor:* vielleicht Versehen; das Neutrum findet sich gewöhnlich nur als Nebenform in der Bedeutung von Chor als ›Kirchenraum‹, nicht für die davon abgeleitete Bedeutung ›Singgruppe‹.

162,11 *honett:* ehrenhaft, anständig.

ennuyiert: gelangweilt.

167,28 *Abhub:* Abfall, Abschaum; das, was übrig bleibt.

169,21–32 *Erinnern Sie sich des Mannes . . . Erinnerung des Todes:* Armand Jean Bouthillier de Rancé (1626–1700), der Gründer des Trappisten-Ordens, führte als Kanoniker ein sehr weltliches Leben, bis er eine plötzliche Wandlung durchmachte, seine Güter weggab und sich dem strengsten religiösen Leben unterzog. Nach einem legendenhaften Bericht hat der plötzliche Tod seiner Geliebten, der für ihre Schönheit berühmten Herzogin von Montbazon (1657), die Lebenswende ausgelöst. Die Trappisten unterstehen dem Gebot des Schweigens. Die Überlieferung, daß ihr einziger Gruß das »Memento mori« (»Denk ans Sterben«) sei, ist nicht gegründet.

178,4 *Räsonnement:* Überlegung, Beweisführung.

178,31 *Venusberg:* Ort der verführerischen Seligkeit, aber auch des Verderbens; Sage aus dem Mittelalter, in der Frühromantik durch Tiecks Erzählung *Der getreue Eckart und der Tannenhäuser* erneuert, entstanden 1799. Hier positiver, weniger dämonisch gedeutet als üblich. An die Romantik anknüpfend Richard Wagners Oper *Tannhäuser.*

181,15 f. *Genius . . . verlöschend seiner Hand:* Ein Genius ist in der Antike der Geist (Schutzgeist) eines Menschen, die Verkörperung seiner Persönlichkeit oder bestimmter Eigenschaften. Hier der Genius des Todes, der oft mit verlöschender Fackel dargestellt wird.

181,18 *Horen:* Göttinnen der Jahreszeiten; auch die Stunden des Tages.

181,21 *heiligen Cäcilia:* Vgl. Anm. zu 33,2.

183,26 *Fuge:* streng gebautes Musikstück (instrumental oder mit Singstimmen), in dem ein Thema nacheinander durch alle Stimmen geführt wird.

186,12–16 *mein Gemüt war gelöst . . . Augen auftun:* In dieser Beschreibung klingt deutlich das Musikerlebnis in Wackenroders *Joseph Berglinger* nach (vgl. Wilhelm Heinrich Wackenroder / Ludwig Tieck, *Herzensergießungen eines kunstliebenden Klosterbruders*, Stuttgart 1955, 1979 [Reclams Universal-Bibliothek, 7860], S. 102–123, besonders S. 107 f.).

Aufzeichnungen und Entwürfe

193,3 *Zueignung:* An Friedrich Schlegel gerichtet. Der Text war offensichtlich für die Veröffentlichung des ganzen Romans gedacht; bei Veröffentlichung in Teilen nicht länger plausibel (vgl. Nachwort). Von Raich aus dem Nachlaß veröffentlicht in seiner Sammlung von Dorothea Schlegels Briefen.

193,29 *Demuth:* Das Bild der demütig gehorsamen Frau ist eine Rolle, die Dorothea Veit-Schlegel gern annimmt, die aber nicht wörtlich genommen werden darf (vgl. Nachwort).

194,5 f. *Philipp:* Dorothea Veit-Schlegels Sohn aus erster Ehe.

194,13 *da es:* in der Vorlage (Raich) »da als es«.

195,23 *Dithyrambe:* von griech. *Dithyrambos,* ein begeistertes Gedicht oder Lied auf Dionysos, Wechselgesang zwischen Sänger und Chor. Hier bildlich übertragen: begeisterte Rede.

198,7 f. *feinen Menschenkunde:* Anspielung auf die Form des psychologischen Romans. Der Bezug auf bestimmte Romantypen ist beeinflußt von Friedrich Schlegels *Lucinde*, wo in der »Allegorie von der Frechheit« die verschiedenen Typen personifiziert einander gegenübergestellt werden.

198,9 f. *moralische Vervollkommnung:* Beziehung auf den moralischen Roman.

198,11–13 *zarten Herzen ... anzutreffen:* Beziehung auf den sentimentalen Roman.

200,23 *Sybille:* gewöhnlich ›Sibylle‹; in der antiken Mythologie weissagende Frau, Prophetin.

202,15 *Fabian:* in der Fortsetzung (Handschrift b): Eugenio.

203,1 f. *Siegmund:* in der Fortsetzung (Handschrift b): Lorenzo.

203,7 *Hilario:* in der Fortsetzung (Handschrift b): Jeronimo.

205,18 *wieder hergestellt:* In Handschrift b ist sie ihren Verletzungen erlegen.

206,33 *Erlösung:* in der Vorlage (Eichner) »Erhörung«.

211,13 *wenige Wochen:* Widerspruch zum Ende von Handschrift a sowie zu Handschrift b: Camilla wird Mutter, bevor sie ihren Mann verläßt.

213,13 *Glorie:* Herrlichkeit (urspr. ›Ruhm‹).

216,15 *Jeronimo:* der Hilario der Handschrift a.

216,23 *gelegnen:* in der Vorlage (Eichner) »belegnen«.

218,9 f. *des Unvergänglichen:* irrtümlich für »des Vergänglichen«?

223,8 *Lorenzo:* der Siegmund der Handschrift a.

224,11 *Eugenio:* der Fabian der Handschrift a.

225,12 *mir in so:* in der Vorlage (Eichner) »mir in den so«; »den« muß irrtümlich stehengeblieben sein.

227,26 f. *Alpenbewohner ... Heimat:* Häufig wiederkehrendes Motiv in der Literatur der Zeit, z. B. Wackenroders *Berglinger*, Eichendorffs *Ahnung und Gegenwart* und *Dichter und ihre Gesellen*.

232,5 f. *verfolgt ... nicht:* am Rande des Manuskripts (nach Eichner) eine Alternative: »steht am Tage wie eine drohende Wolke und in der Nacht wie eine Flammensäule vor meinem verwirrten Gemüt.«

232,16 *zeigt ... Hirn:* In der Vorlage (Eichner): »will mir das glühende Hirn nichts erblicken lassen über«, obwohl der Herausgeber selbst anmerkt, daß »will« zu »zeigt« korrigiert wurde und »nichts erblicken lassen« ersetzt ist. Offensichtlich hat die Verfasserin bei der Korrektur nur die Streichung von »über« vergessen.

234,20 *dessen:* In der Vorlage (Eichner) »an dessen«. Wahrscheinlich sollte der Satz ursprünglich anders fortgesetzt werden, z. B. ›an dessen sanfte Kraft ... ich glaubte‹.

235,11 f. *folgende Verse:* Die Verse sind nicht überliefert.

235,18 f. *folgendes Lied:* Das Lied ist nicht überliefert.

237,11 *folgendes Lied:* Das Lied ist nicht überliefert.

243,5 *Hilario:* wie in Handschrift a; der Jeronimo von Handschrift b und c.

243,30 *Eugen:* Rosaliens erster Mann, nicht zu verwechseln mit Eugenio, dem Bruder von Camillas Mann in Handschrift b und c.

244,21–30 *Erben vom Himmel ... Erscheinung sah:* Hier ist Rosalias Geschichte identisch mit derjenigen der Marquise in Julianes Gespenstererzählung im ersten Teil des Romans.

245,6 *gelegenen:* in der Vorlage (Eichner) »belegenen«.

245,21 *Uebermuth zu leiden:* Der Rest der Handschrift wurde vom Herausgeber (Eichner) weggelassen, weil sie inhaltlich nichts Neues enthielt.

245,23 *»Komm Eugenio!:* Der Anfang der Handschrift vom Herausgeber (Eichner) nicht wiedergegeben. In der Handschriftenbeschreibung wird die Situation erklärt: »Camillas Mann hat eben seine Erzählung beendet, sein Bruder findet Aufzeichnungen Camillas, die ihre Unschuld bezeugen« (Eichner, S. 318). – Eugenio ist hier der Mann Camillas, d. i. Siegmund in Handschrift a und Lorenzo in Handschrift b.

245,25 *Händeringen:* in der Vorlage (Eichner) »Händeringen[,]«.

246,21 *Himmels.«:* Der Text ging in der Handschrift noch weiter; vom Herausgeber (Eichner) gekürzt.

246,23 *»Ich widerstehe:* Anfang der Handschrift vom Herausgeber (Eichner) weggelassen.

246,34 *Worte!«:* Ende der Handschrift fehlt, vom Herausgeber (Eichner) gekürzt.

247,1 *Eugenio:* identisch mit dem Eugenio in Handschrift b, dem Bruder von Camillas Mann.

247,27 *Namen und Familienbeziehungen:* Die Namen und Beziehungen stimmen weder mit dem Text des Romans noch mit den Entwürfen zur Fortsetzung überein. Sie reflektieren ein frühes Arbeitsstadium und sind durch verschiedene Änderungen gegangen. Dennoch sind einige Details für das Verständnis weiterführend (s. u.).

247,29 *Felicitas:* So heißt das Mädchen, das Florentin für seine Schwester hielt. Wenn sie die Tochter Rosalies ist und diese die Marquise in Julianes Erzählung (vgl. Anm. zu 50,36), so wäre Florentins Pflegemutter (nach diesem Konzept) mit Rosalie identisch.

247,31 *Schwestern:* Camilla und Clementine sind nach diesem Konzept (im Gegensatz zur Annahme Finkes) also nicht identisch.

248,4 *Zwillinge:* Die Zwillingsbruderschaft von Eduard und Manfred (Manfredi) erklärt den Wunsch Eduards, Florentin die Freundschaft Manfredis zu ersetzen.

248,9 *Der Graf, Laurentius:* nicht identisch mit dem Marchese Laurentius am Anfang der Handschrift. Dieser heißt jetzt Sebastian. Graf Laurentius ist ein älterer Name für den Grafen Schwarzenberg; denn er heiratet Eleonore (s. u.).

248,14–19 *Clementinens Vater . . . Schwester:* Dieser Paragraph gibt Aufschluß über die Beziehung der Grafenfamilie zu Clementine am Anfang des Romans, ohne deswegen eine gültige Erklärung darzustellen.

248,26 f. *Camillas . . . unzweifelhaft . . . die Clementine des ersten Bandes:* Verschiedene Details der Handschriften und nicht zuletzt die Aufstellung über die Familienbeziehungen (vgl. Anm. zu 247,31) lassen durchaus Zweifel an dieser Annahme zu.

Dokumente zur Entstehung und zur Rezeption

1 Dorothea Veit (1804 verh. Schlegel) an Friedrich Schleiermacher, 15. November 1799:

»Denken Sie sich meine rasende Freude, ich habe ein hübsches Lied zu meinem Roman gedichtet, es gefällt allen recht wohl.«

Schleiermacher, S. 22.

2 Friedrich Schlegel an Schleiermacher, ohne Datum:

»Dorothea a r b e i t e t ganz ordentlich am Arthur.«

Dilthey III, S. 135.

3 Friedrich Schlegel an Schleiermacher, ohne Datum:

»Uns geht es sehr wohl – bis auf den Mangel an Zeit und Geld, das alte Übel. Dorothea ist sehr fleißig am Lorenzo, wie er nun heißt, hat auch schon zwey Gedichte dazu gemacht. Wilhelm ist sehr zufrieden damit.«

Dilthey III, S. 136.

4 Dorothea Veit an Schleiermacher, 9. Dezember 1799:

»Mein guter Florentin muß jezt viel Noth erleiden, ich kann ihn aber vor der Zeit nicht heraus helfen. Finde ich heute noch Zeit so schreibe ich die Lieder noch für Sie ab, doch werden Sie eben nicht viel daran finden, weil sie im Zusammenhange gehören.«

Schleiermacher, S. 23.

5 Dorothea Veit an Schleiermacher, 6. Januar 1800:

»Was sagen Sie zu den Stanzen? Ich meyne zu Friedrich seine? Und was werden Sie erst sagen, wenn Sie hören, daß ich, i c h s e l b s t diese Stanzen Wuth und Glut, über unser Haus gebracht habe! Ich lese nemlich in einer Italiänischen Reisebeschreibung, daß die Italiäner in Stanzen improvisiren, und daß Tasso und Meister Ludwig seine ottave rime im Munde alles Volks dort sind. Ich nicht faul, lasse gleich meinen Florentin in solchen niedlichen fließenden Stänzchen improvisiren, und das gelingen mir so wohl, das sie des Meister Wilhelms ganzes Lob erlangen. Dieser mein Ruhm ward natürlich nachgeeifert, so entstanden Schelling seine Stanzen, und nun gar der heilige Friedrich! der mit seinen Glanz uns so verdunkelt, daß wir uns schämen auf derselben Bahn mit ihm zu treten. Eben darum will ich es mir aber nicht nehmen lassen, daß ich die erste war, die es wagte. Auch ein neues niedliches Liedchen habe ich gedichtet, daß aber erst im zweiten Theil seinen Platz finden möchte, für den ersten ist es zu sentimental. Glauben Sie nicht, daß die Ehe und die Kinderzucht nicht im Florentin respektirt würde. Daß Florentin sich so darüber beklagt, ist ja eben ein Beweiß daß er nicht wenig damit umgeben war. – Unger hat noch nicht geantwortet, wenn es die Unholdinn nur nicht gemerkt hat, von wem es herrührt! Doch verkauft soll er wohl werden, dafür ist keine Sorge, aber ein hübscher Spaß wäre es, wenn er an U. käme.«

Schleiermacher, S. 25 f.

6 Friedrich Schlegel an Schleiermacher, 16. Januar 1800:

»U[nger] hat für den Florentin in Meisterformat 2 Louisd'or Honorar geboten. Das geht an, und da der erste Band bald fertig seyn wird, so haben wir auch für die Finanzen einen Schimmer von Hoffnung.«

Dilthey III, S. 149 f.

7 Dorothea Veit an Schleiermacher, 3. Februar 1800:

»Mein Stiefsohn Florentin macht sich unnütz, und ich muß mich mit ihm plagen, drum habe ich auch beschloßen ihn an den berühmten Seelenverkäufer auf der Jägerbrücke zu verhandeln. Er kann sich nun etwas in der Welt versuchen. Wie können Sie, mein Freund! sich so sehr über meine poetischen Fortschritte verwundern? habe ich es nicht immer gesagt, und darauf getrotzt, daß ich noch etwas werden könnte wenn es mir wohl ginge?«

Schleiermacher, S. 32.

8 Dorothea Veit an Schleiermacher, 14. Februar 1800:

»Sehen Sie, der Florentin ist an Unger für das Romanen Journal verkauft, ich bekomme 2 L'd'or für den Bogen, Meisters Format. Der erste Theil ist beynah fertig, und wird über ein Alphabet stark, wahrscheinlich 25 Bogen. [...] mein Mnscpt. ist jezt beym Abschreiber, weil ich meine Handschrift nicht produziren soll, das kostet mich auch unnöthiges Geld, und verdrießt mich, daß ich es nicht selber thun kann. Die andre Woche geht die grösste Hälfte nach der Druckerey, und wird auch gleich gedruckt. Im Sommer gedenk ich den zweyten Theil zu geben.«

Schleiermacher, S. 34.

9 Dorothea Veit an Schleiermacher, 4. April 1800:

»[. . .] weil mir Unger den Florentin wieder zurück geschickt hat. Die
Katze [Unger] mag es wohl gerochen haben, wo er sich herschreibt,
und da war sie wirklich niedrig genug, sich diese ganz armseelige
Rache zu erlauben. Dem Brief den Unger dabey geschrieben sieht
man es unverkennbar an, daß er i h r Machwerk ist; er soll nicht ins
Romanenjournal, weil sie nichts g e m e i n e s , und u n s i t t l i c h e s
darin aufnehmen! hiermit hätte ich denn meine Sentenz! [. . .] W[il-
helm] wird ihn nun in Leipzig verkaufen. Der Himmel gebe mir nur
Muth, und Kraft ihn zu vollenden!«

Schleiermacher, S. 48 f.

10 Friedrich Schlegel an Schleiermacher, 5. Mai 1800:

»Dorothea mußt Du damit entschuldigen, daß sie noch immer darin
begriffen ist, den ersten Theil des Florentin zu endigen.«

Dilthey III, S. 173.

11 Dorothea Veit an Schleiermacher, 15. Mai 1800:

»Der erste Theil des Florentin ist beendigt, und ich schreibe jezt tapfer ab. Friedrich ist mit Bohn so gut wie richtig über den Florentin
geworden. Ich werde nichts verlieren, daß ihn Unger nicht genommen hat. Wahrscheinlich kömt er nun nicht vor Ostern 1801, und
dann ganz in allen seinen drey Bänden; ist das, so schicke ich Ihnen
wo möglich das Mnscpt. vorher, damit Sie mir einiges am Rande
dabey schreiben das ihn nuzt und frommt. Bohn hat sich ganz von
freyen Stücken erboten, mir zu Michaeli gleich 200 Rsthl. zu geben,
und hatt auch übrigens die galantesten Bedingungen in Ansehung des
Formats, und Drucks gemacht [. . .].«

Schleiermacher, S. 61.

12 Dorothea Veit an Schleiermacher, 2. Juni 1800:

»Friedrich ist faul, darum schreibt er Ihnen heute nicht. Florentin ist
beynah ganz abgeschrieben, der faule Mensch der Friedrich korrigirt
mir immer die Fehler nicht aus den lezten Bogen, sonst wäre er schon
ganz abgemacht, und ich könnte ihn Ihnen schicken; wenn es angeht,
und Bohn es nicht mit nehmen will, so schick ich ihn Ihnen noch vorher. Es ist ein tolles Buch, ich bin aber recht neugierig ob es Ihnen und
Jette gefallen wird.«

Schleiermacher, S. 69.

13 Dorothea Veit an Schleiermacher, 16. Juni 1800:

»Friedrich ist ein Gott an Faulheit, er könnte wohl noch etwas aus seinem ungeheuern Magazin von Materialien zusammen fügen. Was sollen nur die Papierhaufen die er stündlich mehrt? Auch den Florentin bekommen Sie noch nicht, weil Friedrich unermüdlich faul ist.«

Schleiermacher, S. 77.

14 Dorothea Veit an Schleiermacher, ohne Datum [August 1800]:

»Ich hätte Sie gern das Manuscript erst sehen lassen, Wilhelm meint aber, es wäre besser, wenn Sie gar nicht damit bekannt zu sein schienen. Ich könnte Ihnen zwar den ersten Brouillon schicken, aber ausser dass es Porto kostet, ist auch die rothe Dinte allenthalben zum Spektakel darin, denn der Teufel regiert immer an den Stellen, wo der Dativ oder Accusativ regieren sollte, und in dieser Gestalt sollen Sie es nicht zuerst sehen, das thue ich dem humoristischen Taugenichts nicht zu Leide. Gedulden Sie sich also, bis er Toilette gemacht und die Staatsuniform anhat, dann soll er sich hübsch präsentiren. Die triviale Bitte, sich nicht zu viel zu erwarten, muss ich doch in Demuth ergehen lassen. Die Stanzen bekommen Sie auch erst im ganzen; Friedrich will es nicht zugeben, dass ich sie Ihnen im Brouillon schicke. Und abschreiben? o dies, nur dies verlanget nicht.«

Raich I, S. 45.

15 Dorothea Veit an Schleiermacher, 22. August 1800:

»So müßen Sie sich eben auch mit dem Florentin gedulden, bis Sie Aushängebogen bekommen, es kann alles nicht helfen. Er muß zur Hälfte noch Corrigirt werden, dazu kann wieder niemand helfen als der Printers Devil. Soll ich aber die Wahrheit sagen, so wünschte ich, es brauchte kein Mensch diesen Florentin zu lesen, denn für mein Gefühl ist es, und bleibt es Unrecht daß dieses Natur Gewächs (mit andern Worten dieses Unkraut) unter den Auspicien eines Künstlers erscheinen soll, auf dessen Unpartheylichkeit man sich verlassen muß können! Es ist, und bleibt eine schamlose Finanzoperation; ich wünschte nur, man könnte dieß auf eine schickliche Weise irgend wo öffentlich sagen. – Ich schreibe jetzt eine Novelle: Friedrich hat den Anfang gesehen und ist zufrieden damit, wenn ich kapabel bin sie dem Anfang entsprechend durchzuführen, so wird sie sich eine brilliante Stelle erwerben; ich sage aber noch nicht wo, auch nicht, was, oder wie, bis sie da ist.«

Schleiermacher, S. 88.

16 Dorothea Veit an August Wilhelm Schlegel, 28. Oktober 1800:

»Der ›Florentin‹ wird wirklich gedruckt zu meiner grossen Angst. Wollte doch Gott, wir könnten dasselbe von der ›Lucinde‹ sagen.«

Raich I, S. 54.

17 Dorothea Veit an Schleiermacher, 31. Oktober 1800:

»Mit klopfendem Herzen und erröthenden Angesichts, als müßte ich sie Ihnen selbst in die Hände geben, schicke ich Ihnen die Aushänge Bogen; die übrigen sollen folgen, so wie ich sie erhalte. Sie behalten sie geheim, lieber Freund, wenigstens fürs erste, an die Herz und, wenn Sie es gut finden, Ihrer Freundin mögen Sie das Geheimniß anvertrauen. Wenn ich meiner eignen Ueberzeugung trauen dürfte, so würde ich Sie ersuchen mir lieber nicht Ihr Urtheil darüber zu schreiben; denn nun hilfts nichts, es muß fertig gemacht werden, und an Muth darf es mir nicht fehlen; aber Friedrich behauptet noch immer es wäre recht amüsant, trotz dem daß es mir, je länger je mehr, kindisch vorkömt. – Die beyden Sonnette sind von Friedrich, sie werden vorgedruckt. Er hat sie mir heute vor acht Tagen an meinem Geburtstage gemacht. Das zweyte ist sogar mit allen Flammen, Farben, und Blumen Wort für Wort aufgeführt worden.«

Schleiermacher, S. 94.

18 Dorothea Veit an Schleiermacher, 17. November 1800:

»Gott mag wißen, welche Buchdruckerpolitik es seyn mag einem auf den letzten Bogen 14 Tage warten zu lassen! Doch hier ist es endlich sammt und sonders. [...]

Den Florentin behalten Sie für sich, und geheim, bis Sie Velin erhalten, dann lassen Sie ihn sauber binden, und geben ihn an Veit in meinen Namen.«

Schleiermacher, S. 96 f., 98.

19 Schleiermacher an Dorothea Veit, 6. Dezember 1800:

»Schelten dürfen Sie nicht, liebe Freundin, dass ich Ihnen noch nicht wieder geschrieben habe. Da war erst der ›Florentin‹ zu lesen, und das konnte, da Jette und ich ihn zusammen lesen wollten, nur an einem ruhigen Abend geschehen, wo Herz abwesend war. Ihnen etwas darüber zu sagen, dazu bin ich noch gar nicht competent, das verspare ich, bis ich ihn einmal wieder allein und mit Bedacht gelesen haben werde, wozu ich noch nicht wieder habe kommen können. Jetzt kann ich Ihnen nur sagen, dass er ein sehr niedliches Buch ist, dass vieles drin mir sehr vorzüglich angelegt und ausgeführt geschienen hat, dass die Sprache etwas eigenthümliches hat, was ich noch nicht zu charakterisiren weiss, aber was einen sehr angenehmen Eindruck macht, und dass ich mich besonders darüber gefreut habe, dass die psychologischen Leser bei der Erzählung des Florentin, wo sie vollkommene Aufschlüsse über das Entstehen seines Charakters suchen werden, so hübsch geprellt werden. Nur die Stanzen! diese sind meiner Meinung nach ein grosser Fehler. Bedenken Sie nur, wie unwahrscheinlich, dass ein Maler solche Stanzen improvisirt! beinahe eben so unwahrscheinlich, als dass eine Frau, die nur eben zuerst einen Roman schreibt, nebenbei solche Stanzen macht. Bewundert haben wir Sie überhaupt was ehrliches, Jette und ich; auch gezankt wurde dabei, denn wir waren über manche Dinge sehr verschiedener Meinung. Doch das sind nur einzelne Dinge, die ich sparen muss, bis ich ihn noch einmal gelesen habe. Machen Sie nur, dass das Velin bald kommt. Jette ist ohnedies höchst ungeduldig, den ›Florentin‹ bald in jedermanns Händen zu wissen, theils aus bekannter Menschenliebe, theils damit er durch seine persönliche Gegenwart die nachtheiligen Gerüchte widerlegen möge, die ihm vorangegangen sind.«

Raich I, S. 64 f.

20 Tiecks Beurteilung (nach dem Bericht Rudolf Köpkes):

»An dem Romane ›Florentin‹, mit dem sie sich beschäftigte, fand er ebenso wenig Gutes, als er die ›Lucinde‹ seines Freundes, welche soeben erschienen war, anzuerkennen vermochte. Er konnte sich weder mit diesen Ansichten, noch mit der Art ihrer Ausführung befreunden.«

Rudolf Köpke: Ludwig Tieck. Erinnerungen
aus dem Leben des Dichters [. . .]. 2 Tle. Leipzig 1855. Reprogr. Nachdr. Darmstadt 1970.
Tl. 1. S. 255.

21 Novalis an Tieck. 1. Januar 1801:

»Beym Florentin bin ich ziemlich Deiner Meynung.
Die Sonette haben mir herrlich gefallen.«

Briefe an Ludwig Tieck. Ausgew. und hrsg. von
Karl von Holtei. Bd. 1. Breslau 1864. S. 311.

22 Novalis im Gespräch (nach einer Notiz Dorothea Schlegels):

»Novalis hat zu Friedrich über den ›Florentin‹ gesagt, es wäre viel Bildung, aber kein Plan darin. – Sehr treffend.«

Raich I, S. 255.

23 Dorothea Veit an Schleiermacher, 17. Januar 1801:

»Sie sind wohl so gütig, liebster Freund, und vertheilen die Exemplare. Zu dem Paket an Veit legen Sie noch das Exemplar hinzu was ich Ihnen zuerst geschickt. [. . .] Die beyden Velin gehören Ihnen und Jetten. Fromman hat sehr darum gebeten es nicht herum zu leihen, bis Bohn die Exemplare verschickt hat. – Ich habe recht gelacht wie ich das närrische Buch auf Velin sah, und sein zweyter Theil muß sich unterdessen jämmerlich plagen eh er ans Tagslicht kömt. Über die schönen Sonette habt ihr bösen Menschen auch nicht ein sterbens Wörtchen geschrieben. [. . .]

Ich schlage so eben den Florentin auf, und finde unter andern nicht hübschen Druckfehlern auf Seite 309 statt versteinerndem Krystall versteinertem, das ärgert mich.«

Schleiermacher, S. 98 f., 100.

24 Dorothea Veit an Schleiermacher, 16. Februar 1801:

»Der Florentin gefällt dem Volke hier so sehr gut, welches mich zwar in Rücksicht auf den Buchhändler Credit freut, übrigens schäme ich mich aber ordentlich darüber, und es ärgert mich, ordentlich populär zu werden. Fi!«

Schleiermacher, S. 101.

25 Friedrich Schlegel an A. W. Schlegel, 20. Februar 1801:

»Mit dem 2ten Theil des Florentin ist Dorothea noch sehr zurück. Bist Du mit dem Schluß des 1ten zufrieden?«

Friedrich Schlegels Briefe an seinen Bruder
August Wilhelm. Hrsg. von Oskar Walzel. Berlin 1890. S. 464.

26 Friedrich Schlegel an A. W. Schlegel, ohne Datum:

»Sehr lieb ist mir, daß D i r die Sonette zum Florentin gefallen haben, denn ich hatte mich schon im Stillen darüber geärgert, daß kein Mensch Notiz davon genommen. – Was Du über Florentin selbst sagst, ist Dorothea noch das liebste, was sie darüber gehört hat, weil es grade das ist, was sie wünscht.«

Ebd., S. 465 f.

27 Karl W. F. Solger, Aufzeichnung, ohne Datum [Anfang 1801]:

»Der von Friedrich Schlegel herausgegebene Roman Florentin ist höchst wahrscheinlich nicht von ihm. Der ganze Ton spricht dagegen, und mehrere äußere Zeichen bestärken dies. Der erste Theil ist im Ganzen eine sehr angenehme und vernünftige Lectüre, wiewohl er sehr viel schwache Partien enthält. Oft ist er sehr langweilig und leer. Florentins Charakter erfährt man nur aus dem, was andere von ihm halten; was man von ihm sieht, stimmt oft gar nicht recht dazu, wenigstens rechtfertigt es keine große Idee von ihm. Einzelne Stellen sind jedoch sehr schön. Z. B. alles, was beim Müller vorfällt, das Hochzeitfest, und die letzten Scenen bei Clementinen. Diese letzte, wahrscheinlich Florentins Mutter, ist offenbar eine Copie von Göthe's Natalie, wie denn überhaupt Wilhelm Meister so manches hat hergeben müssen. Sehr hat mir die Beschreibung der Musik bei Clementinen gefallen.«

Karl Wilhelm Ferdinand Solger: Nachgelassene Schriften und Briefwechsel. Hrsg. von Ludwig Tieck und Friedrich von Raumer. Bd. 1. Leipzig 1826. Reprogr. Nachdr. Mit einem Nachw. hrsg. von Herbert Anton. Heidelberg 1973. S. 15.

28 Dorothea Veit an Clemens Brentano, 27. Februar 1801:

»[...] was wir aber so erfahren, das belustigt uns ganz unerhört. So wird jetzt, wie uns gesagt wird, in ganz Jena behauptet, den ›Florentin‹ hätte ich, ich gemacht! Und weil man nun so davon überzeugt ist, so schimpft man eben darum ganz unbarmherzig darauf. Einige Leute, die nach der Anzeige glaubten, er müsse von Friedrich selbst sein, lobten ihn schon vorher, die jetzt ihr Lob zurücknehmen; andre hatten schon vorher darauf geschimpft, die nun nicht wisssen, was sie dazu für ein Gesicht machen sollen. Kurz, es ist ein Spass. Am aller-überzeugtesten, dass er von mir sei, ist unser Freund Winkelmann. Es geht so weit mit ihm, dass er ein ordentliches Mitleiden mit mir hat; nichts desto weniger aber soll er doch ein wichtiges Mitglied einer Partei sein, die sich laut gegen diesen ›Florentin‹ erklärt. Er soll nämlich aus dem ›Meister‹, dem ›Sternbald‹ und dem ›Woldemar‹ zusammen gestohlen sein, sagt jene Partei. Den letzten in jedem gebildeten Buche zu finden, ist nun einmal Winkelmann seine Schwäche; hat er ihn doch auch in der ›Lucinde‹ gefunden. Alle Romane, die ihm nach etwas aussehen, kommen ihm wie ›Woldemar‹ und alle Menschen, die er leiden mag, wie sein Onkel Leisewitz vor. Es ist doch ein ehrliches, treues Gemüth. – Ich kann nun von diesen Aehnlichkeiten, die der ›Florentin‹ haben soll, keine finden, ausser das Bestreben nach einem gebildeten Styl. Eben so gut könnte man viel vom Abc darin finden. Friedrich giebt ihn unter seinem Namen heraus, wem wir ihn aber eigentlich zu verdanken haben, weiss ich wahrhaftig auch nicht. Dem sei, wie ihm wolle, es ist ein recht freundliches, erfreuliches, ergötzliches Buch, das mit aller Macht dem Weinerlichen entgegen strebt, in dem die Farben manchmal etwas kindlich zu grell aufgetragen sind, aber sich eben darum perspectivisch wie eine Dekoration recht lustig ausnimmt, und das allerliebste Geschichtchen recht gebildet vorträgt. Was will man mehr? Mich hat es sehr amüsirt, ich habe es zweimal gelesen und erwarte mit Ungeduld die Fortsetzung. Schreiben Sie mir auch etwas darüber.«

Raich I, S. 19 f.

29 Friedrich Schiller an Goethe, 16. März 1801:

»Von Mad. Veit ist ein Roman herausgekommen, den ich Ihnen mittheilen will, der Curiosität wegen sehen Sie ihn an. Sie werden darinn auch die Gespenster alter Bekannten spucken sehen. Indeßen hat mir dieser Roman, der eine seltsame Fratze ist, doch eine beßere Vorstellung von der Verfaßern gegeben, und ist ein neuer Beweis, wie weit die Dilettanterey wenigstens in dem Mechanischen und in der Hohlen Form kommen kann. Das Buch erbitte ich mir zurück, sobald Sie es gelesen.«

> Schillers Werke. Nationalausgabe. Hrsg. [...] von Norbert Oellers und Siegfried Seidel. Bd. 31: Schillers Briefe 1801–1802. Hrsg. von Stefan Ormanns. Weimar 1985. S. 19.

30 Goethe an Schiller, 18. März 1801:

»Obgleich Florentin als ein Erdgeborner auftritt, so ließe sich doch recht gut seine Stammtafel machen, es können durch diese Filiationen noch wunderliche Geschöpfe entstehen.

Ich habe ohngefähr hundert Seiten gelesen und conformire mich mit Ihrem Urtheil. Einige Situationen sind gut angelegt, ich bin neugierig ob sie die Verfasserin in der Folge zu nutzen weiß. Was sich aber ein Student freuen muß, wenn er einen solchen Helden gewahr wird! Denn so ohngefähr möchten sie doch gern alle aussehen.«

> Goethes Werke. Hrsg. im Auftrage der Großherzogin Sophie von Sachsen. [Weimarer Ausgabe.] Abt. 4: Briefe. Bd. 15: Briefe 1800–1801. Weimar 1894. Reprogr. Nachdr. München 1987. S. 199 f.

31 Charlotte Schiller an Schiller, 25. März 1801:

»Ich habe gestern und vorgestern dem Florentin gelesen, und ich muß gestehen er hat mich erfreut, troz dem Ragout vom Meister, meres rivales, Lucinde, Ardinghello, Agnes, Sternbald, ist doch ein eignes zartes wesen darin das einen Intereße erweckt. es ist artig zusammen gestellt, man sieht auch den Diebstahl nicht so sichtlich, d. i. absichtlich, sondern nur daß diese Ideen ihr sehr lebhaft waren, und sie keine andre Form des darstellens aufsuchen mochte. – Der Held ist mir fatal, und die Geschichte von ihm selbst, zumahl die Geschichte seiner Liebschaft in Rom, ist mir so wiedrig. Man sieht das ungebundne Gemüth der Verfaßerin darin, die sich aus Freygeisterei über das Sittliche hinweg sezt wie ihre Freunde, die frühern und die spätern, denn Bill und Li, haben auch auf gewiße Art das schickliche oft mit Füßen getreten, und zum wenigsten in ihren raisonnements es gewolt. es gehören noch mehrere Freundinnen zu diesen Cirkel von ihr denn die jezigen Freunde der Veith haben ganz plump mit den Knittel und Fäusten drein geschlagen, so ist das ganze IdeenGebäude entstanden dünkt mir. Und mich wundert es eigentlich daß manche Dinge nicht stärcker ausgesprochen sind, und sie hat die zarte weiblichkeit doch nicht zerstört in sich, oder dem Ausdruck dafür, sich erhalten. – Einen gebildeten Verstand sieht man in allen; nach ihren Briefen von ehedem hätte ich mir mehr tiefe als fläche erwartet, aber das ganze hat etwas sehr gefälliges was einem besticht, und einen angenehmen Effect macht.«

Schillers Werke. Nationalausgabe. [. . .] Bd. 39,1: Briefe an Schiller 1801–1802. (Text.) Hrsg. von Stefan Ormanns. Weimar 1988. S. 42 f.

32 Dorothea Veit an Schleiermacher, 16. April 1801:

»Sie haben mir ja recht viel Ergötzliches geschrieben über meinen guten Sancho Florentin. Der arme Mann muß sich doch auch wieder viel gefallen lassen, von dem ihm nichts träumte, so lange er noch als Idee mir im Leibe herum spukte, habe ich ihn wirklich und wahrhaftig gebähren, und in die wirkliche Wirklichkeit bringen müßen, damit er von Merkel gelobt, von Brentano condemnirt wird, und die Reichsstadt Hamburg ihn als Bürger anerkennt? Viel Schlimm! [. . .] Der zweyte Theil sollte zur Meße fertig seyn, und ist es leider nicht – für meine Poesie war dieser Winter nicht eben glücklich [. . .]

Ich muß noch immer daran denken, daß man überall den Dalton im Florentin erkennen will! und das so grob, so massiv, eben so gut könnte man in der Clementine den alten Fasch, im närrischen Oberst-wachtmeister den alten Wilknitz, und im Grafen den Fürst Reuß, oder Dohna erkennen wollen; denn ungefähr eben so vielen Antheil haben diese Personen an den Charakteren, als Dalton an den des Flo-rentin; und wenn Sie wollen, so will ich Ihnen zu jeden meiner Geister einen Körper anzeigen, den ich irgend einmal passend fand, über die Sie sich wundern, oder auch Todtlachen werden, denn manchmahl war es wahrhaftig nicht viel mehr als eine Figur um die Sperlinge weg zu scheuchen, die ich mir ausbildete und einen von meinen noch ungebornen Geistern gab.«

Schleiermacher, S. 103, 104, 106.

33 Dorothea Veit, Aufzeichnung, ohne Datum:

»Im ›Florentin‹ fehlt Sebastian Bach und überhaupt ganz die alte deutsche Musik; nämlich die reiche Harmonie bei dem Aussparen der Melodie. Die alte italienische, nämlich einfache Ausführung des schönen Gedankens fehlt nicht so ganz. Am allermeisten hat er doch von der Oper ›Tarare‹ von Salieri. Unter den Gemälden hat er am meisten von Paul Veronese's Hochzeit zu Cana.«

Raich I, S. 91.

34 Caroline Schlegel an A. W. Schlegel, ohne Datum [etwa Juni 1801], fälschlich unter [27. Februar 1801]:

»Der Florentin ist in den Leipziger Jahrbüchern und der gothaischen Zeitung schon tüchtig gelobt oder wie mans nennen will. Erstere sagen, es habe alle Fehler und Vorzüge vom Wilhelm Meister – leztes ist eine von Freundeshand, etwa Monsieur Ast abgefaßte die Inten-tion der Verfasserin darstellende Anzeige. Möglich sogar, daß auf Vorsprache des Paulus und Seidler Jacobs sie gemacht. In der Leipzi-ger wird auch Friedrich für den Vf. gehalten.«

Waitz, S. 51.

35 Bericht des Herausgebers Waitz über die in Dokument 34 er-wähnten Rezensionen:

»›Leipziger Jahrbuch der neuesten Litteratur vom Jahre 1800. Dritter Band. April bis Junius 1801‹, 29. April 1801 Stück 199; nach einem alten Redaktionsexemplar auf der Leipziger Universitätsbibliothek von Rudolf Hommel verfaßt [. . .]; die Rezension stellt den Florentin nach Mängeln und Vorzügen, besonders einem ›richtigen und philo-sophischen Blick für das Leben‹ zum W. Meister, bemängelt die jetzt beliebte Nachlässigkeit der eingestreuten rhapsodischen Gedichte und sagt, Schlegel sei vermutlich nur Herausgeber, sonst würde dieses Werk nach der Lucinde eine ebenso heilsame als unerwartete Sinnesänderung zeigen. ›Gothaische gelehrte Zeitungen auf das neunzehnte Jahrhundert‹ 6. Juni 1801 Stück 45: ungemein, doch nicht zu phrasenhaft und ohne jede Anspielung auf die Verfasserin lobend, auch im Hinblick auf Goethe, mit dessen Therese die Eleonore verglichen wird; der Rezensent zeichnet vor allem die Figur des Florentin neben den Frauen aus und findet nur den Obristwachtmeister (Kap. 13) nicht am Platze.

Waitz, S. 606.

35a Zwei weitere öffentliche Beurteilungen:

Garlieb Merkel (vgl. Dokument 32): Briefe an ein Frauenzimmer über die wichtigsten Produkte der schönen Litteratur, Berlin 1801 bis 1803, Brief 26: Der Verfasser, ein Gegner der Romantiker, lobt den »Florentin« bis zu einem gewissen Grad, um zugleich Schlegels »Lucinde« herabzusetzen. – Neue allgemeine deutsche Bibliothek, 69. Band, 1. Stück, Berlin 1802, S. 104–107: »Das Organ der Berliner Aufklärer fand zwar den Totaleindruck des Werks nicht günstig, hielt sich aber auffallend massvoll.«

Vgl. Deibel, S. 68.

36 Caroline Schlegel an A. W. Schlegel, 6. Juli 1801:

»Lieber Wilhelm, welch ein Spaß! In diesem Augenblick wird mir ein Brief gebracht, ob er hier ins Haus gehöre, k. Mr. Eduard d'Alton ches Mr. le Professeur S., und nun weiß ich freylich, was daran ist. Eduard ist der Liebhaber, den Mad. Veit vor einigen Jahren hatte, das Urbild vom Florentin, dessen Portrait sie besaß und dessen Geschichte sie Augusten so überflüssig erzählte. Sie wurde nachher etwas dafür bestraft – jene Zeilen, die Florentin Julianen zurückläßt hatte ihr dieser Eduard geschrieben, und da sie mir das Manuscript vorlas, erkannte Auguste sie sogleich und berief sie mit dem herzlichsten Unwillen darüber, daß sie so Preis geben könnte, was ihr jemand geschrieben, den sie lieb gehabt hätte, sie sagte ihr gradezu, Pfui, Mad. Veit, nun kann ich Sie gar nicht mehr leiden! Die Veit wollte einlenken, leugnen, daß die Zeilen wirklich von dem Eduard kämen, aber das machte es natürlich für Auguste nicht besser, und die Lektüre wurde ganz aufgehoben. Dieser Eduard Alton war schon einmal zu Friedrichs Zeit in Berlin und ging damals nach Amerika – jetzt ist er mit ihnen von Leipzig hergekommen.«

Waitz, S. 185 f.

37 Clemens Brentano an Friedrich Karl von Savigny, [Mitte Juli 1801]:

»Apropos – von der Veit habe ich seit jener Kritick keine Zeile, – beleidigter Autorstolz. Nach Winkelmann, und andern Kompetenten Richtern ist – o wehe mir voreiligen! wenn sie nicht dabei wären ich riß mir den Bart aus – ist Flo – ren – tin – ein – vortrefliches Buch – und das vortreflichste ist, waß wir für das schlechteste hielten, die Klosterbegebenheiten, die ganze Kindergeschichte – Sollten wir wirklich verblendet gewesen sein, sehn sie doch nach, sie unschuldiger – ich habs auf Treu und Glauben geglaubt es sei schlecht.«

Clemens Brentano: Sämtliche Werke und Briefe. Hist.-krit. Ausg. Hrsg. von Jürgen Behrens [u. a.]. Bd. 29: Briefe I: 1792–1802. Nach Vorarb. von Jürgen Behrens und Walter Schmitz hrsg. von Liselotte Kinskofer. Stuttgart 1988. S. 355.

38 Dorothea Schlegel an Karoline Paulus, [Mitte Mai 1804]:

»Der Florentin wird meine nächste Arbeit [. . .].«

Paulus, S. 10.

39 Jean Paul, Vorschule der Ästhetik, 1804:

»Ja es gibt schöne innere Wunder, deren Leben der Dichter nicht mit dem psychologischen Anatomiermesser zerlegen darf, wenn er auch könnte. In Schlegels – zu wenig erkanntem – Florentin sieht eine Schwangere immer ein schönes Wunderkind, das mit ihr nachts die Augen aufschlägt, ihr stumm entgegenläuft u.s.w. und welches unter der Entbindung auf immer verschwindet.

Die Auflösung lag nahe; aber sie wurde mit poetischem Rechte unterlassen.«

Jean Paul: Werke. Hrsg. von Norbert Miller. Bd. 5. München 1963. S. 45.

40 Dorothea Schlegel an Karoline Paulus, 13. Juli 1805:

»Uebrigens habe ich auch den Florentin wieder vorgenommen, aber mein Herz ist ihm bei meiner jezigen Denkungsart ziemlich stiefmütterlich gesinnt, ich bin fast mit nichts mehr darin zufrieden (die Schreibart ausgenommen) ich wollte, ich hätte ihn gleich damals fertig gemacht, so könnte ich jetzt weit leichter einen Anti Florentin dichten; nun muß ich aber wohl oder übel beim Costume bleiben, und das wird mir nicht leicht.«

Paulus, S. 63 f.

41 Dorothea Schlegel an Karoline Paulus, 1. Dezember 1805:

»Auch Florentin soll ich dichten? was verlangst Du noch alles von mir in dieser miserabeln Zeit? soll ich nicht etwa auch eine Armee kommandiren?«

Paulus, S. 74.

42 Dorothea Schlegel an Karoline Paulus, Weihnachten 1805:

»Wenn ich auch jetzt keinen Trieb zum Florentin habe, so ist doch alles was ich mache, Studium und Vorbereitung dazu [. . .].«

Paulus, S. 79.

43 Dorothea Schlegel an Friedrich Schlegel, Pfingsttag 1808:

»Solche Bücher, wie ich sie schreiben kann, sollten in einer so geheimnissreichen, ahndungsvollen und vorbereitenden Zeit, als die unsrige, gar nicht geschrieben werden dürfen; die Menschen müssten eigentlich jetzt gar keine Zeit haben, dergleichen zu lesen. Dieses Urtheil trifft grade den ›Florentin‹ am allerhärtesten, und darum kann ich mich in diesem Augenblick für keinen Preis entschliessen, eine Hand daran zu legen, auch könnte ich es durchaus nicht, hätte ich auch den besten Willen; ich habe keine Erfindung und kein Genie jetzt dazu, jene ganze Wärme ist wie zerstiebt.«

Raich I, S. 241.

44 Julian Schmidt, *Geschichte der Deutschen Literatur,* 1853:

»Weit anmuthiger, weit mehr an den Ton des W. Meister erinnernd, ist ein unvollendeter Roman: Florentin, den Fr. Schlegel 1801 herausgab. Die Fortsetzung ist unterblieben. Warum das Buch in jener Zeit nicht einen größern Erfolg gehabt, können wir nicht vollständig übersehen; vielleicht weil man von jeder neuen Schrift der Romantiker etwas stark Tendenziöses erwartete und sich in diesem Fall getäuscht fand. Florentin ist das Beste, was die Romantiker im Fach der Novelle geleistet haben, das Einzige, was man, ohne sich lächerlich zu machen, neben Goethe's Romanen erwähnen darf. Zwar ist die Composition schwach, durch unnöthiges Retardiren wird die Geschichte in Verwirrung gesetzt und man erkennt nicht einmal eine zweckmäßige äußere Gruppirung. Auch giebt die Neigung zur ironischen Auffassung des Lebens dem Charakter des Helden einen gezierten Anstrich; allein die sinnliche Anschauung ist von einer hellen Farbe, und über einzelne Scenen breitet sich ein bezauberndes Licht. Die hineindämmernde Romantik ist sehr zart gehalten, etwa wie in den Unterhaltungen der Ausgewanderten, und durchaus nicht tendenziös. Das deutsche Leben ist in einzelnen Punkten, namentlich in der Vorstellung von einem deutschen Edelhof, kräftig angeschaut und würdig aufgefaßt. Die Reflexionen sind nicht, wie gewöhnlich bei den Romantikern, äußerlich hineinverwebt, sie stellen nur Erlebtes und Selbstempfundenes dar und tragen das Gepräge der Natur. Die Anlage der Charaktere ist nicht gewöhnlich, wenn man auch in Clementine, der schönen Seele, das Goethe'sche Vorbild herauserkennt. Bei einzelnen überraschenden Zügen ist die Darstellung zu hastig und zu skizzenhaft, um vollständig zu überzeugen. Die eingestreuten Gedichte sind nicht correct, aber sehr plastisch und von individueller Färbung, und bilden einen wohlthuenden Gegensatz gegen das schwülstige Widmungsgedicht, mit welchem Fr. Schlegel seine Freundin einführt.«

> Julian Schmidt: Geschichte der Deutschen Literatur im neunzehnten Jahrhundert. Bd. 1. 3., verm. Aufl. Leipzig 1856. S. 393.

45 Theodor Storm an Friedrich Eggers, 11. Januar 1858:

»Ich habe dieser Tage ein kleines Buch gelesen, daß ich mir auf Julian Schmidts Empfelung zu Weihnacht geschenkt habe, Florentin von Dorothee Veith, nacheriger Schlegel, der auch das Buch heraus gegeben hat, wovon übrigens nur der erste Theil erschienen ist. Schmidt hat Recht, es ist das Einzige aus dem Kreise der Romanticker, was man ohne sich lächerlich zu machen, neben Wilhelm Meister erwähnen darf. Es ist ein außerordentlich klarer Sinn für alle menschlichen Verhältniße darin, die natürlichen wie die gesellschaftlichen, ein feiner psychologischer Instinkt und eine frische gegenständliche Darstellung. Nur auf den letzten Seiten mit dem Kunsttreiben der Clementine beginnen die romantischen Nebel. Die darin enthaltenen Lieder, die Schmidt rühmt, sind ganz unbedeutend; darin ist er wie immer dumm. Ich empfele Ihnen dringend an Ihren Stuttgarter Gasthof-Abenden dies Büchlein, falls Sie es nicht kennen zur Vervollständigung Ihrer Literaturkenntniß zu lesen.«

> Theodor Storms Briefe an Friedrich Eggers. Hrsg. von H. Wolfgang Seidel. Berlin 1911. S. 62 f.

Literaturhinweise

Ausgaben

Florentin. Ein Roman. Hrsg. von Friedrich Schlegel. Erster Band. Lübeck und Leipzig: Bohn, 1801.

Dorothea Schlegel: Florentin. In: Frühromantische Erzählungen. 2. Bd. Hrsg. von Paul Kluckhohn (Deutsche Literatur in Entwicklungsreihen. Hrsg. von Heinz Kindermann. Reihe Romantik. Bd. 7). Leipzig: Reclam, 1933. S. 89–244.

Dorothea Schlegel: Florentin. Roman, Fragmente, Varianten. Hrsg. von Liliane Weissberg. Frankfurt: Ullstein, 1986.

Camilla. Eine unbekannte Fortsetzung von Dorothea Schlegels »Florentin«. Hrsg. von Hans Eichner. In: Jahrbuch des Freien Deutschen Hochstifts 1965. S. 314–368. [Zit. als: Eichner.]

Zeitgenössische Quellen

Dorothea von Schlegel, geb. Mendelssohn, und deren Söhne Johannes und Philipp Veit: Briefwechsel. Hrsg. von J. M. Raich. 2 Bde. Mainz 1881. [Zit. als: Raich.]

Briefe von Dorothea Schlegel an Friedrich Schleiermacher. (Mitteilungen aus dem Litteraturarchive in Berlin. Neue Folge. Bd. 7.) Berlin 1913. [Zit. als: Schleiermacher.]

Briefe von Dorothea und Friedrich Schlegel an die Familie Paulus. Hrsg. von Rudolf Unger. Berlin 1913. [Zit. als: Paulus.]

Der Briefwechsel Friedrich und Dorothea Schlegels 1818–1820. Hrsg. von Heinrich Finke. München 1923.

Briefe von und an Friedrich und Dorothea Schlegel. Hrsg. von Josef Körner. Berlin 1926.

Briefe von und an Friedrich und Dorothea Schlegel. Kritische Friedrich-Schlegel-Ausgabe. Hrsg. von Ernst Behler. Dritte Abteilung. Bd. 23 (1788–97) Paderborn 1987; Bd. 24 (1797–99) 1985; Bd. 29 (1814–18) 1980; Bd. 30 (1818–23) 1980. [Zit. als: KFSA.]

Krisenjahre der Frühromantik. Briefe aus dem Schlegel-Kreis. Hrsg. von Josef Körner. Bd. 1 und 2: Bern ²1969; Bd. 3: Bern 1958.

Friedrich Schlegels Briefe an seinen Bruder August Wilhelm Schlegel. Hrsg. von Oskar Walzel. Berlin 1890.

Briefe von und an August Wilhelm Schlegel. Hrsg. von Josef Körner. 2 Bde. Wien 1930.

Caroline. Briefe aus der Frühromantik. Hrsg. von Georg Waitz und Erich Schmidt. 2 Bde. Leipzig 1913. [Zit. als: Waitz.]

Carolinens Leben in ihren Briefen. Hrsg. von Ricarda Huch. Leipzig 1914.

Caroline und Dorothea Schlegel in Briefen. Hrsg. von Ernst Wieneke. Weimar 1914.

Aus Schleiermachers Leben in Briefen. 4 Bde. Hrsg. von Ludwig Jonas und Wilhelm Dilthey. Berlin 1860–63. [Zit. als: Dilthey.]

Henriette Herz. Ihr Leben und ihre Erinnerungen. Hrsg. von Julius Fürst. Berlin ²1858.

Henriette Herz in Erinnerungen, Briefen und Zeugnissen. Hrsg. von Rainer Schmitz. Frankfurt 1984.

Forschungsliteratur

(Vgl. auch die Einleitungen und Kommentare der Brief-Editionen.)

Borcherdt, Hans Heinrich: Der Roman der Goethezeit. Urach 1949. S. 414–421.

Brahm, Otto: Dorothea Mendelssohn. In: O. B.: Kritische Schriften. 2. Bd. Berlin 1915. S. 1–18.

Deibel, Franz: Dorothea Schlegel als Schriftstellerin im Zusammenhang mit der romantischen Schule (Palaestra 40). Berlin 1905. [Zit. als: Deibel.]

Dischner, Gisela: Caroline und der Jenaer Kreis. Berlin 1979.

Finke, Heinrich: Über Friedrich und Dorothea Schlegel (Schriften der Görres-Gesellschaft). Köln 1918. [Zit. als: Finke.]

Frank, Heike: . . . die Disharmonie, die mit mir geboren ward, und mich nie verlassen wird. Das Leben der Brendel/Dorothea Mendelssohn-Veit-Schlegel (1764–1839). Frankfurt a. M. / Bern [u. a.] 1988.

Geiger, Ludwig: Dorothea Veit-Schlegel. In: Deutsche Rundschau 40. Heft 10 (Juli 1914) S. 119–134.

Haym, Rudolf: Die romantische Schule. Berlin ⁵1928.

Hensel, Sebastian: Die Familie Mendelssohn 1729–1847. Nach Briefen und Tagebüchern. 2 Bde. Berlin ¹⁴1911.

Hibberd, J.: Dorothea Schlegel's »Florentin« and the Precarious Idyll. In: German Life and Letters 30 (1976/77) S. 198–207.

Hiemenz, Margareta: Dorothea von Schlegel. Freiburg i. Br. 1911.

Hirsch, Friedrich E.: Dorothea Schlegels »Florentin«. Wien (Programm des Maximilian-Gymnasiums) 1902.

Joachimi, Marie: Deibel, Franz. Dorothea Schlegel als Schriftstellerin im Zusammenhang mit der romantischen Schule (Rezension). In: Euphorion 14 (1907) S. 652–667.

Kleßmann, Eckart: Caroline. Das Leben der Caroline Michaelis-Böhmer-Schlegel-Schelling 1763–1809. München 1975.

Kluckhohn, Paul: Die Auffassung der Liebe in der Literatur des 18. Jahrhunderts und in der deutschen Romantik. Tübingen ³1966.

Körner, Josef: Mendelssohns Töchter. In: Preußische Jahrbücher 214 (Okt.–Dez. 1928) S. 167–182.

Lawler, Edwina / Richardson, Ruth: Florentin. A Novel by Dorothea Mendelssohn Veit Schlegel. (Section 1. Introduction: Florentin, the History of the Interpretation, and New Analysis.) Lewiston (N.Y.) 1988.

Meyer, Bertha: Salon Sketches. Biographical Studies of Berlin Salons of the Emancipation. New York 1938.

Richardson, Ruth: Dorothea Mendelssohn Veit Schlegel. The Berlin and Jena Years (1764–1802). Lewiston (N.Y.) 1989.

Stern, Carola: »Ich möchte mir Flügel wünschen.« Das Leben der Dorothea Schlegel. Reinbek 1990. [Diese Biographie ist erst nach Abschluß unseres Manuskripts erschienen. Sie enthält manche Einsichten, die sich den im Nachwort entwickelten nähern.]

Stuebben Thornton, Karin: Enlightenment and Romanticism in the Works of Dorothea Schlegel. In: The German Quarterly 39 (1966) S. 162–172.

Touaillon, Christine: Der deutsche Frauenroman des 18. Jahrhunderts. Wien 1919.

Weissberg, Liliane: The Master's Theme and Some Variations: Dorothea Schlegel's »Florentin« as ›Bildungsroman‹. In: Michigan Germanic Studies 13.2 (1987) S. 169–181.

Nachwort

I

Die literarischen Frauen der Romantik erfreuten sich in ihrer Zeit keines besonderen Rufes. Liebesaffären, Scheidungen und inoffizielle Lebensgemeinschaften brachten sie ins Gerede bei der bürgerlichen Gesellschaft; ihre geistigen und schöngeistigen Aktivitäten, die Neigung, »den Männern ins Handwerk zu pfuschen« (Eichendorff), führten zu Konflikten mit der etablierten gelehrten und poetischen Welt; Zwistigkeiten und private Fehden verdarben die wechselseitigen Beziehungen. Dennoch haben diese Frauen mehr als diejenigen irgendeiner anderen Periode das Denken nachfolgender Generationen fasziniert, weil ihr Leben und ihre Tätigkeit einen ersten Höhepunkt weiblicher Emanzipation bezeichnen. Haben sie doch oft die gleichen persönlichen Freiheiten in Anspruch genommen wie viele Männer und nicht selten versucht, sich neben diesen auch literarisch selbständig zu behaupten. Kein Wunder, daß die feministische Literaturwissenschaft der Gegenwart die Romantikerinnen wieder mit lebhaftem Engagement diskutiert. Besonders Caroline Schlegel(-Schelling) und Bettine von Arnim sind zu Identifikations- und bisweilen beinahe zu Kultfiguren geworden.

Dorothea Schlegel hat von diesem erneuten Interesse an den romantischen Frauen lange nur wenig profitiert, obwohl sie eine der produktivsten Literatinnen ihrer Zeit war. Erst kürzlich ist ihr *Florentin* auf deutsch und in englischer Übersetzung neu aufgelegt worden, und zwei Biographien haben es unternommen, das Schattendasein ihrer Persönlichkeit und ihres Werks aus der Perspektive unserer Zeit zu erhellen. Aber zum Vorbild einer nach selbständiger Weiblichkeit strebenden Gegenwart taugt sie offenbar nicht. Da scheint ihr nicht nur die spontane Ausstrahlungskraft Caroline Schlegels und Bettine von Arnims zu fehlen, sondern vor

allem auch die Freiheit der Gesinnung. Die gleiche Frau, die
sich bravourös aus der Ehe mit einem ungeliebten Mann
befreit und aus den Bindungen ihrer jüdischen Religion
gelöst hat, die jahrelang unter den Augen einer böswillig-kri-
tischen Umwelt unverheiratet mit Friedrich Schlegel zusam-
mengelebt hat, notiert in privaten Anmerkungen:

> »*Und er soll dein Herr sein!*« – Diese Worte des Schöpfers
> sind nicht Moralgesetz, sondern *Naturgesetz* und als sol-
> ches liebevolle Warnung und Erklärung. Es können
> Frauen durch die unvernünftige Herrschaft der Männer
> unglücklich sein, ohne diese Herrschaft sind sie aber auf
> immer verloren und das ohne alle Ausnahme.[1]

Was soll eine moderne Leserin mit einem derartigen
Bekenntnis anfangen? Oder mit dem folgenden: »In einer
schönen Ehe ist es nothwendig, dass die Frau gerade so viel
Verstand besitze, um den des Mannes zu verstehen; was darüber ist, ist vom Uebel.«[2] Es erscheint nur zu verständlich,
daß Dorothea Schlegel sich bei der modernen Frauenbewe-
gung keiner großen Beliebtheit erfreut.

Sehr progressiv klingen solche Notizen freilich nicht. Aber
es fragt sich, wie verbindlich die zitierten Aussagen für Dorothea Schlegel sind und wie genau sie die Verfasserin charakte-
risieren. Das Naturgesetz des Schöpfers wird zu einer Zeit
beschworen, als sie ihrem unsteten Leben durch die Wendung zum Katholizismus einen festen Halt zu geben sucht
und nach dem Scheitern der ersten Ehe die zweite, wahrhaft
nicht leichte, dauerhaft fundieren möchte. Das Zitat über die
»schöne Ehe« ist vielleicht weniger ein Bekenntnis als ein
ironischer Kommentar zur Realität ehelicher Verhältnisse.
Zumindest nutzt die Schreiberin den gleichen Gedanken bei
anderer Gelegenheit zu einer satirischen Glosse, wenn sie
über die Gattin Wilhelm von Humboldts bemerkt, daß sie

1 Raich I, S. 263.
2 Ebd., S. 90.

gerade Geist genug zu haben scheint, den seinigen zu faßen, aber nicht so viel, um sich selbst zu behaupten, und dies muß gerade dem Hum[boldt] recht sein, sonst würde seine Eitelkeit zu sehr gekränkt werden.[3]

Das Bild Dorothea Schlegels ist komplexer, als es scheint. Es soll hier durchaus nicht auf den Kopf gestellt, aber es soll genauer angesehen werden als üblich. Das Ziel ist zu zeigen, daß Dorothea Schlegel in ihrem Denken und Handeln trotz einer konservativen Grundeinstellung, die sich zunehmend mit den gesellschaftlichen und religiösen Traditionen identifiziert, eine starke, selbstbewußte Frau ist, die viele Eigenschaften besitzt, welche auch moderne Feministinnen zu schätzen wissen. Sie stellt keineswegs, wie es oft scheint und wie ihr bald rühmend, bald verächtlich nachgesagt wird, nur die nachgebende, hinter dem Mann zurücktretende Geliebte und Gattin dar, die sich neben diesem selbst auslöscht (Körner). Sie versteht es vielmehr, ohne die bestehenden Verhältnisse mehr als nötig herauszufordern, zu bestimmen und ihre eigene Persönlichkeit durchzusetzen. Die Briefe, in denen sie ihre Wünsche verfolgt, bezeugen eine wahre Meisterschaft epistolarischer Diplomatie, und ihre Notizen enthüllen die Grenzen ihrer Demut:

> Es ist sehr klug von den Frauen, wenn sie den Einfluss, den sie auf ihre Männer haben, nicht allein diesen, sondern auch allen übrigen Menschen verbergen; noch klüger ist es, wenn sie selber ihn nicht zu kennen scheinen; aber wahrhaft edel und gottgefällig ist es, wenn sie ihn wirklich selber nicht kennen.[4]

Sie selbst gehört bei dieser Kategorisierung sicher eher zu den »Klugen« als zu den »noch Klügeren« und »Gottgefälligen«. Wie deutlich hinter scheinbarer Zurückhaltung der

3 KFSA XXIII, S. 36.
4 Raich I, S. 254 f.

Anspruch auf weibliche Selbstverwirklichung in der Ehe verfolgt wird, bezeugt die folgende Reflexion:

> Zu einer rechten, ächten Ehe gehört nothwendig, dass die Frau sich auch für die Geschäfte des Mannes interessirt und soviel möglich daran Theil nimmt. [...] Es ist die einzige Art, sich auf eine dauerhafte und gründliche Weise die Anhänglichkeit des Mannes und die Herrschaft des Hauses zu versichern. Der letzten muss die Frau gewiss sein, aber nie sich darauf stützen oder Gebrauch davon zum Nachtheil oder zur Vernachlässigung und Erniedrigung des Mannes machen.[5]

II

Dorothea Schlegel wurde am 24. Oktober 1764[6] in Berlin als Brendel Mendelssohn geboren. Ihr Vater war der bekannte Berliner Aufklärer Moses Mendelssohn, der Freund Lessings, der für Toleranz, Gleichberechtigung der Religionen und die Emanzipation des Judentums eintrat. Nach den Jugenderinnerungen von Henriette Herz hat Moses Mendelssohn sich selbst um die geistige Ausbildung Brendels gekümmert. Eine strenge religiöse Erziehung scheint sie nicht erfahren zu haben. Der humanitär aufgeklärte Geist des Elternhauses ist noch in vielen Passagen des *Florentin* zu spüren.

Im Alter von neunzehn Jahren verheiratete Moses Men-

---

5 Ebd., S. 125.
6 Das Jahr ist nicht ganz sicher. In den meisten Zeugnissen wird 1763 angegeben. Aber schon Deibel weist aufgrund eines Briefes von Moses Mendelssohn über den Verlust eines elf Monate alten Kindes im Jahre 1764 nach, daß dieses Datum falsch sein muß (Deibel, S. 185). Auch 1765, das oft genannt wird – wahrscheinlich weil Friedrich Schlegel, der 1772 geboren wurde, erklärt, seine Geliebte sei sieben Jahre älter als er (KFSA XXIV, S. 202) –, kommt aus dem gleichen Grund nicht in Frage. 1764 ist bei Varnhagen überliefert und in jeder Hinsicht unproblematisch; das Jahr harmoniert mit Friedrich Schlegels Altersangabe: er war 7 ½ Jahre jünger als Dorothea.

delssohn seine Tochter mit dem Bankier Simon Veit. Aus dieser Verbindung gingen vier Kinder hervor, von denen zwei in frühester Jugend starben. Die Söhne Johannes (ursprünglich Jonas) und Philipp (ursprünglich Feibisch) Veit wurden Maler und schlossen sich in Rom den Nazarenern an. Im übrigen ist über die Ehe wenig bekannt außer eben der Tatsache, daß die geistig gebildete Brendel Veit ihren eher ungeistigen und unansehnlichen Gatten weder geliebt noch geachtet hat und sich in der aufgenötigten Gemeinschaft unglücklich fühlte. Der Ehemann scheint an ihr gehangen und die Trennung von ihr schwergenommen zu haben; sie aber fühlt sich, als sie die Scheidung erlangt hat, wie aus einem Gefängnis entlassen: »So lange ich lebe, ist dies das erste Mal, dass ich von der Furcht frei bin, eine unangenehme Unterhaltung eine lästige Gegenwart, oder gar eine demütigende Grobheit ertragen zu müssen.«[7] Offensichtlich hat sich Veit nichts Eklatantes zuschulden kommen lassen – die Geschiedene bezieht ja ihr ganzes bisheriges Leben, also auch die Jugend im Elternhaus, in die Zeit der Unfreiheit und Frustration ein –, aber er ist ihr im Innersten zuwider. Ihm selbst, von dessen Großzügigkeit sie noch lange nach der Scheidung finanziell und in Hinsicht auf die Erziehungsrechte ihrer Söhne abhängig bleibt, wird sie stets verbindlichkluge Briefe schreiben, aber gegenüber Schleiermacher beklagt sie den »weichmüthigen Brey der mein hartes Herz bewegen soll« in den Briefen des ehemaligen Gatten,[8] seufzt über seine »erbärmlichen Hoffnungen« und befindet rigoros, man müsse »ihn ganz annihiliren«.[9]

Kompensation für die unbefriedigende Ehe fand Brendel Veit zunächst in der Freundschaft mit Henriette Herz, Wilhelm von Humboldt und anderen, die sich in einem moralisch-empfindsamen »Tugendbund« vereinigten, bis das Bündnis durch die Verlobung Humboldts auseinanderbrach.

7 Deibel, S. 161.
8 Schleiermacher, S. 53.
9 Ebd., S. 82.

Der schwedische Diplomat Karl Gustav Brinkmann war, nach den Briefen zu schließen, über ein Jahrzehnt ein enger Vertrauter. Ein französischer Naturwissenschaftler, Künstler und Abenteurer, Edouard d'Alton, soll Brendels Zuneigung gewonnen haben; noch Jahre später will man ihn »im Florentin [wieder]erkennen«.[10] Mittelpunkt der geistigen Welt der unzufriedenen Bankiersfrau waren aber die Salons von Henriette Herz und Rahel Levin, in denen sich alles traf, was in Berlin Rang und Namen hatte: gescheite Frauen, hohe Aristokraten – der preußische Prinz Louis Ferdinand ließ sich gern sehen –, Dichter, Gelehrte, Diplomaten. Hier zählten Bildungsinteresse und die Vertrautheit mit Literatur und Philosophie mehr als ein großes Vermögen. Die Unterschiede von Klassen und Religionen traten gegenüber den Vorzügen von Geist und Esprit in den Hintergrund.

Im Salon der Henriette Herz trifft Brendel Veit 1797 auch den siebeneinhalb Jahre jüngeren Literaten Friedrich Schlegel, dessen kühner Geist ihr aufs äußerste imponiert und mit dem sie bald eine innige Beziehung verbindet. Seit dieser Zeit nennt sie sich Dorothea.[11] Schlegel, Henriette Herz und Friedrich Schleiermacher geben der Freundin die notwendige moralische Unterstützung in ihren Bemühungen, sich von ihrem Mann zu trennen. Im Dezember 1798 verläßt sie das Haus Veits, Anfang 1799 wird die Scheidung rechtskräftig. Der Gatte überläßt ihr den jüngeren Sohn Philipp und erklärt sich zu einer angemessenen Unterstützung bereit, solange sie sich nicht taufen läßt, sich nicht wiederverheiratet und den Sohn nicht in der christlichen Religion erzieht. Lange Zeit hat sich Dorothea Veit, zumindest der Form nach, an diese Bedingungen gehalten, obwohl Freund und Feind von ihr die Konversion und die Legitimierung der

10 Ebd., S. 106.
11 Deibel behauptet, sie nenne sich bereits 1794 Dorothea. Aber der Brief, auf den er sich beruft, ist mit »B.« unterzeichnet. Offensichtlich ist ein Brief vom November 1797 (KFSA XXIV, S. 38) das erste schriftliche Zeugnis für den veränderten Namen.

Beziehung zu Friedrich Schlegel erwarteten. Die Sorge, den Sohn und die Unterhaltszahlung zu verlieren, sind größer als ihre Begeisterung für die Trauung und der gesellschaftliche Druck, unter dem sie steht.

1799 erscheint Friedrich Schlegels Roman *Lucinde*, in dem nicht nur der Klatsch der Zeit, sondern Dorothea Schlegel selbst die eigene Liebesgeschichte abgespiegelt sieht:

> Oft wird mir es heiß, und wieder kalt ums Herz, daß das Innerste so herausgewendet werden soll – was mir so heilig war, so heimlich; jezt nun allen Neugierigen allen Hassern Preiß gegeben.[12]

Aber sie tröstet sich damit, daß ihre Schmerzen vergehen werden, während das Werk ewig bestehen wird. Das unbedingte Zutrauen zu Friedrichs Genie und der Wunsch, dieses Genie zu fördern und seinen Glanz vor aller Welt leuchten zu lassen, wird fortan ihr Leben bestimmen. Das heißt nicht, daß sie alle Schwächen des Geliebten übersieht – man spricht in Jena gern von seiner Trägheit oder auch Faulheit (der er in seinem Roman ja selbst ein Denkmal gesetzt hat) und von seiner Genußsucht –, aber sie läßt sich durch die gelegentliche Arbeitsunfähigkeit oder -unlust ebensowenig irritieren wie durch den äußeren Mißerfolg des (nicht zuletzt auf ihr Betreiben) nach einer Professur strebenden Poeten und Gelehrten; gegen jeden Zweifler hält sie tapfer an seinem »göttlichen« Wesen und Verstand fest.

Im Herbst 1799 geht »Madame Veit« mit Friedrich Schlegel nach Jena, wo die beiden im Haus August Wilhelm und Caroline Schlegels Aufnahme finden und dadurch Zugang zur Jenaer Gesellschaft erlangen. Für einige Monate entfaltet sich jetzt das fruchtbarste geistige Leben der Jenaer Romantik. Die Brüder Schlegel und ihre Frauen, Tieck, Schelling, bisweilen auch Novalis leben, dichten, philosophieren und polemisieren zusammen. Dorothea vergleicht den Kreis mit einer »Republik von lauter Despoten«, die »immer zanken

12 Schleiermacher, S. 8 f.

wie die Buben«.[13] Sie selbst, die sich noch nicht ganz in den
leichten, witzigen Ton und die raschen Urteile hineinfinden
kann, scheint ein bißchen in der Beobachtungsposition zu
bleiben. Sie fühlt eine Scheu – besonders gegenüber der schö-
neren und im Reden und Schreiben gewandteren und glän-
zenderen Caroline Schlegel. Zugleich liegt in ihrem scheinba-
ren Unverstehen und in der größeren Schwerfälligkeit aber
auch eine bewußte Distanz zu der Unverbindlichkeit der
Worte und der Gespräche:

> Oft lachen sie mich aus und fühlen sich recht über mich erha-
> ben, wenn ich die schicklichen Worte, die modigen Aus-
> drücke, mit denen sie so leicht sich alles bezeichnen, zu ent-
> behren scheine: so wie gross, erhaben, modern, antik,
> gothisch, liebenswürdig, wunderbar, himmlisch, göttlich...
> und mehr. Ach, ich kenne diese Worte ja wohl, es sind Worte!
> aber ich scheue mich sie zu brauchen. Sie könnten von heute
> an etwas ganz anders bezeichnen, grade das Gegentheil, und
> man würde sich gar nicht darüber wundern.[14]

Diese Aufzeichnung ist sicher keine Kritik an Friedrich,
der mehr als jeder andere das Wesen und den Gehalt einer
Sache in ein Spiel mit Begriffen auflöst, aber sie zeigt die
besondere Position, die Dorothea durch ihre konkretere,
wirklichkeitsnähere Art einnimmt.

Als Schutzherr des Kreises wird Goethe angesehen, der
trotz seiner Freundschaft mit Schiller den mit dem Freund
verfeindeten Romantikern sein Wohlwollen bewahrt und sie
in Weimar oder bei Besuchen in Jena freundlich empfängt.
Dorothea ist ganz stolz, daß sie bei der Begegnung auf einem
Spaziergang gewürdigt wird, »zwischen Goethe und S[chle-
gel] zu gehen«,[15] zwischen »Gott dem Vater« und »Friedrich,
dem Göttlichen«.[16] – Überlegen gibt man sich gegenüber

13 Ebd., S. 30.
14 Raich I, S. 81.
15 Schleiermacher, S. 22.
16 Raich I, S. 36.

Brentano, der einerseits zum »geistlichen Sohn« Friedrichs und Dorotheas erklärt wird,[17] andererseits als Nachahmer Tiecks[18] und als eine »Art von Hasenfuß« (Narr)[19] abgetan wird. Seine Beziehung zu Sophie Mereau wird mit schadenfroher Aufmerksamkeit beobachtet.

Hier offenbart sich nun eine tiefe Problematik des Jenaer Romantikerkreises. Das produktive Gespräch, wie es sich in Friedrich Schlegels »Gespräch über die Poesie« spiegelt, der dichterische Wetteifer, wie er sich in der von Dorotheas *Florentin* ausgelösten »Stanzenwut« austobt,[20] anspruchsvolle gemeinsame Unternehmungen wie das *Athenäum*, selbst die gemeinsame Polemik des Kreises gegen Kotzebue oder auch gegen Schiller demonstrieren höchstes geistiges Niveau. Daneben existiert aber ein kleinlicher Konkurrenzgeist, ein wechselseitiges Sich-beobachten und Aneinander-messen, die Polemik nach außen setzt sich als Verlästerung im innern Zirkel fort, und hier scheint es, daß Dorothea Schlegels Beitrag an Subversion einer der größten ist – nicht weil sie mehr tut als die anderen, sondern weil sie rigoroser und böser urteilt.

Da ist zunächst ihr Bedürfnis, Friedrich als den Bedeutendsten der Gruppe herauszustellen, wohl nicht unbeeinflußt davon, daß er äußerlich karrieremäßig am wenigsten erfolgreich ist.

Was Friedrichs Geist so sehr auszeichnet, das ist seine Tiefe bei seiner Universalität – Eigenschaften, die einander entgegengesetzt scheinen. Tieck ist origineller, hat aber gar keine Tiefe. Novalis ist wohl ebenso tief wie Friedrich, aber nicht so universell. Wilhelm hat gar keine Originalität und keine Tiefe, der ist blos universell.[21]

17 Ebd., S. [16].
18 Ebd., S. 41.
19 Schleiermacher, S. 57.
20 Ebd., S. 25.
21 Raich I, S. 256.

Hier mag man noch die epigrammatische Schärfe der Beobachtung und des Urteils bewundern – bis zu einem gewissen Grad sind wir geneigt, der Schreiberin zuzustimmen. Aber wenn Friedrich gegenüber dem Bruder August Wilhelm auch charakterlich zum Ideal stilisiert wird, so wird die Beurteilung als blinder Eifer durchsichtig:

> Bei Friedrich wird die Wirklichkeit zur Poesie, bei Wilhelm aber die Poesie zur Wirklichkeit; daher das Edle im Leben und den Ansichten des ersten und das Verkehrte und Unschickliche in denen des letzten.[22]

Noch bedenklicher ist der kontinuierlich wachsende Gegensatz zu Caroline Schlegel. Dorothea weiß, wieviel sie dieser Frau verdankt. Aber in ihre Dankbarkeit mischen sich früh Eifersucht und persönliche Kritik. Sie leidet darunter, daß sie im Grunde nur Untermieterin oder Gast im Hause Carolines ist, und sie genießt es, wenn jene und August Wilhelm abwesend sind und die Zurückgebliebenen die »unumschränkten Herrn« im Haus.[23] Aber mehr noch als die häusliche Situation stimuliert der Gegensatz der Persönlichkeiten das Konkurrenzdenken. Immer wieder werden ihr die liebenswürdige Person und der sprühende Geist Carolines als vorbildlich angepriesen. Aus der *Lucinde* weiß sie, wieviel die Schwägerin auch Friedrich bedeutet hat. Es ist nur Selbstbehauptung, wenn sie nach Schwächen der so deutlich Bevorzugten sucht. Als am Anfang des Jahres 1800 Carolines Neigung zu dem jungen Schelling immer deutlicher hervortritt, entrüsten sich Friedrich und Dorothea über die neue Entwicklung mehr als der Ehemann. Friedrich empfindet Schelling als geistigen und persönlichen Konkurrenten und polemisiert gegen ihn wie gegen die Frau des Bruders. Dorothea, die ja eine ähnliche Trennung der Ehe durchgemacht hat, wie sie jetzt Caroline bevorsteht, ist scheinbar milder:

---

22 Ebd., S. 91.
23 Schleiermacher, S. 62.

Auch gebe ich ihr bey weitem nicht so viel Absicht schuld, als Friedrich ihr zur Last legt, vielmehr erkenne ich erst jezt, daß sie ganz unbesonnen und höchst egoistisch, aber wie ein unverständiges Kind blos für die Gegenwart bedacht ist.[24]

Das einzige, was sie ihr nicht verzeihen könne, sei, daß sie Friedrich höchst »unwürdig« begegne und »ganz übermütig gegen ihn« sei. Aber diese Selbsteinschätzung ist falsch. Sie läßt von nun an kein gutes Haar an der anderen:

> Von Caroline habe ich mein Herz vollends abgewandt, sie zeigt sich jezt in einem gehäßigen Licht, und obgleich mir von allen Seiten vom Zauber, von der Genialischen Anlage ihres Geistes die Ohren vollgetrommelt werden; so habe ich dennoch auch an ihrem Geiste den Glauben verloren.[25]

Sie behauptet, »weder zanken noch sich rächen« zu können,[26] aber sie verfolgt ihre »große Feindin«,[27] wie die Briefe an Schleiermacher und Karoline Paulus zeigen, mit den wildesten Unterstellungen: sie habe mit August Wilhelm, Schelling und der eigenen Tochter Auguste eine »Ehe en quatre« führen wollen; der Tod Augustes sei ein »Sühnopfer«[28] für ihre »ruchlose Verderbtheit«[29]; selbst die Verzweiflung Carolines über den Tod des geliebten Kindes wird als »Ostentation der Trauer«[30] verunglimpft. Caroline wußte, daß Friedrichs Frau und Geliebte die eigentlich bewegende Kraft der Feindschaft war. Mit Friedrich glaubt sie sich versöhnen zu können, »wenn die Veit nicht mehr wär [. . .]. Mir ist selbst oft, als könnt ich nicht ruhig sterben ohne mich mit

24 Ebd., S. 49.
25 Ebd., S. 54.
26 Paulus, S. 19.
27 Ebd.
28 Schleiermacher, S. 83.
29 Ebd., S. 86.
30 Ebd., S. 87.

ihm zu verstehn.«[31] Aber Friedrich und Dorothea, Dorothea und Friedrich sind nicht mehr zu trennen. So entringt sich Caroline der brutale Stoßseufzer: »Wenn sie nur jemand todschlagen wollte, ehe ich stürbe.«[32]

Die Beziehung zur »Schwägerin« ist sicher das dunkelste Kapitel in Dorothea Schlegels Biographie. Sie stellt sich selbst als Opfer von Carolines Bosheit dar und sucht sie konsequent zu verteufeln. Noch als Caroline Schelling im Jahre 1809 gestorben ist, wird hinter der Geste der Versöhnung gerade das Gegenteil spürbar: selbstgerechte Unversöhnlichkeit des Gefühls:

> Mir ist sehr wohl, dass ich ihr längst schon verziehen habe, sonst müsste mir bange sein, dass sie ohne Versöhnung hat aus der Welt gehen müssen, und ich hoffe nun, sie wird Vergebung finden, wie ich ihr von ganzem Herzen vergeben habe.[33]

Nach Auflösung des Jenaer Kreises gehen Dorothea und Friedrich Schlegel im Sommer 1802 nach Paris, wo Friedrich orientalische Studien treibt, die Zeitschrift *Europa* herausgibt und Privatvorlesungen hält; Dorothea trägt zur Zeitschrift bei und macht Übersetzungen. Die beiden gehen fast nur mit »lauter Deutschen« um; denn die Franzosen gelten ihnen, wie Briefe und Aufzeichnungen Dorotheas belegen, mit ihren Moden und Prätensionen als oberflächlich, ungebildet und »unglaublich« dumm.[34] Das politische Geschehen nehmen sie kaum wahr; nur die Rede Carnots gegen Napoleon, die Dorothea zufällig miterlebt, wird rühmend hervorgehoben.

Am 6. April 1804 läßt sich Dorothea Veit taufen, schließt mit Friedrich Schlegel die Ehe und wird offiziell Dorothea Schlegel. Im Jahre 1800 hatte sie an Auguste Böhmer

31 Waitz II, S. 218.
32 Ebd.
33 Raich I, S. 381.
34 Schleiermacher, S. 121.

geschrieben: »Wenn ich eine Christin werde, so muss es durchaus katholisch sein.«[35] In Paris liest sie »als ein Gegengift« gegen den Geist der Stadt die Luther-Bibel und berichtet dem protestantischen Theologen Schleiermacher, sie finde

> jetzt das protestantische Christenthum doch reiner und dem Katholischen weit vorzuziehen; dieses hat mir zu viel Ähnlichkeit mit dem alten Judenthum, das ich sehr verabscheue. [. . .] im Herzen bin ich ganz, so viel ich aus der Bibel verstehen kann, Protestanntin.[36]

So wird sie in Paris zur protestantischen Christin. Simon Veit, an dessen Großmut sie demütig appelliert – »es bleibe alles Deinen Einsichten und Deinem wohlwollenden Herzen zu beurtheilen und beschliessen übrig«[37] –, läßt im Gegensatz zu den früheren Vereinbarungen den Sohn Philipp noch mehrere Jahre unter ihrer Obhut.

Aber das protestantische Christentum ist für Dorothea Schlegel nur eine Durchgangsphase. Im Jahre 1804 verläßt sie Paris und läßt sich in Köln, dem »deutschen Rom«, nieder, wo Friedrich mit den Brüdern Boisserée befreundet ist und auf eine Professorenstelle an der unter Napoleons Schutzherrschaft wieder zu begründenden Universität oder einer anderen höheren Lehranstalt hofft. Da sich diese Pläne nicht rasch realisieren und schließlich ganz scheitern, ist Friedrich viel abwesend – in Paris oder mit seinem Bruder bei Madame de Staël. In dieser Zeit, in oft monatelanger Einsamkeit, wächst Dorotheas Neigung zum Katholizismus.

> Ob ich glaube [. . .] daß die ewige Jugend im Katholischen Glauben stäke? freilich glaube ich das. [. . .] Ich hasse diese Aufklärung unserer Zeit recht von Herzen; es ist noch

35 Raich I, S. 42.
36 Schleiermacher, S. 124.
37 Raich I, S. 137.

nichts Gutes, Nein Nichts, von ihr hergekommen! Schon weil er so uralt ist zieh ich den Katholizismus vor; alles Neue taugt nicht.[38]

Die Tochter des aufgeklärten Moses Mendelssohn, die ehemalige Tugendbündlerin gibt sich ganz an Tradition und Autorität der alten Kirche hin – anfangs vielleicht weniger wegen der Botschaft des Katholizismus als wegen der lebenumgreifenden Sicherheit, die er ihr gibt: »Ob ich glaube? – Das wage ich noch nicht zu behaupten: aber ich weiss, dass ich wahrhaftig an den Glauben glaube«[39] – später mit voller religiöser Überzeugung.

Die Religiosität Dorothea Schlegels und die Konversion zum Katholizismus sind keineswegs Anpassung an den Geist Friedrichs, wie meist angenommen wird. Friedrich Schlegel besaß wohl von seinem romantischen Denken her, von seiner Freundschaft mit Novalis und Tieck und der späteren Begegnung mit den Brüdern Boisserée eine Sympathie für das katholische Wesen, aber es war Dorothea, die diese Ansätze hegte und pflegte und den geliebten Mann immer wieder mahnte, die Messe zu besuchen und sich eindeutig zur katholischen Kirche zu bekennen. Sie spricht ihm und anderen gegenüber davon, daß er »dem Geiste nach längst katholisch«[40] sei und stellt ihm vor, wie leicht er, ohne viel »Aufhebens davon [zu] machen«, den Übertritt vollziehen könne, an den sie selbst sich dann »anschließen« wolle.[41] Immer wieder zeigt sie den lebhaftesten Bekehrungseifer. Sie beklagt die versäumte Gelegenheit, August Wilhelm »zu den Unsrigen herüber zu holen«,[42] und macht verzweifelte Anstrengungen, ihre weltlich gesinnte Freundin Karoline Paulus von den Vorzügen des Katholizismus zu überzeugen. Umgekehrt werden jetzt Goethe und sein »Sächsisch weima-

38 Paulus, S. 84 f.
39 Raich I, S. 256.
40 Ebd., S. 196.
41 Ebd., S. 197.
42 Ebd., S. 250.

risches Heidenthum«[43] als flach und gemein verworfen. Der
ehemalige »Gott der Vater« gilt jetzt als Anwalt der Mittel-
mäßigkeit; er sei »versteinert« in seinem »Antik seyn«-wol-
len,[44] »veraltet« und eigentlich »nie recht jung gewesen«.[45]
Der *Faust* könne sich an Tiefe nicht mit dem Werk des katholischen Calderon messen. – Nicht die Persönlichkeit Dorotheas, ihr zielbewußtes Denken und Wollen, aber die ganze
Tendenz ihres Lebens ändert sich in diesen Jahren. Sie gibt
einem moralischen Rigorismus Raum, der es Goethe ebenso
übelnimmt, daß er Schiller nicht nachgestorben ist, wie er die
Frau des Schriftstellers Vermehren als Schande des weiblichen Geschlechts verdammt, weil sie nach dem Tod des Gatten erneut heiratet.[46]

Die Konversion hat Friedrich Schlegel geholfen, in Wien
Fuß zu fassen, wo er 1808 zum Sekretär der Hof- und Staats-
kanzlei ernannt wird. Erstmalig hat er für längere Zeit ein
wenn auch bescheidenes, so doch gesichertes Auskommen.
Dorothea folgt ihm allein, fast mittellos, bisweilen krank, auf
abenteuerlichen Wegen quer durch den sächsischen-bayri-
schen Raum, der durch französische Truppenbewegungen
und Flüchtlinge, durch Angst, Mißtrauen und Gewalt verun-
sichert ist. Nirgends bewähren sich ihr Mut und ihre Besonnenheit bewundernswürdiger. – In Wien zeigt sie zum ersten
Mal lebhaftes Interesse an den politischen und militärischen
Ereignissen, vielleicht weil Friedrich 1809 im Hauptquartier
des Erzherzogs Karl tätig ist und Armeeberichte verfaßt. Sie
ist ganz österreichisch und antinapoleonisch gesinnt: »Ich
hoffe auf Gott und auf die Tyroler!«[47]

Aber das Hauptbestreben Dorothea Schlegels in den frühen Wiener Jahren geht darauf, ihre Söhne katholisch taufen
zu lassen. »Es wäre mir sehr hart, wenn ich sterben müsste,

43 Paulus, S. 63.
44 Ebd.
45 Ebd., S. 35.
46 Vgl. Paulus, S. 11.
47 Raich I, S. 351.

ohne dass Ihr die Gnade der heiligen Taufe erlangt hättet.«[48]
Philipp war bereits in Köln christlich erzogen worden. Als er
zu seinem Vater und Bruder zurückkehrt, wird er ermahnt,
religiöse Gespräche zu vermeiden, sich aber nicht vom Glauben abbringen zu lassen. Im Jahre 1808 bekennt sich Jonas
(seit einiger Zeit für die Mutter nur Johann) überraschend
seinem Vater gegenüber zum Christentum. Dorothea Schlegel, die dieses Geständnis »voreilig« nennt, weil sie den
Widerstand Veits fürchtet – denn »wer den Glauben nicht
liebt, der hasst ihn«[49] –, drängt nun darauf, daß beide Söhne
nach Wien kommen, um katholisch zu werden. »Du wirst
nur durch das Christenthum zur Übereinstimmung mit Dir
selber und zur liebenden Vereinigung mit den Menschen
geführt werden«,[50] beschwört sie den Älteren. Wie gewöhnlich kommt ihre Beharrlichkeit zum Ziel. Im Juli 1810 werden die Söhne getauft. Der Vater, ohne dessen Wissen und
gegen dessen ausdrücklichen Wunsch die Zeremonie vollzo-
gen wird, bewahrt den Söhnen seine Gunst. Als *echter* Erbe
Mendelssohns warnt er sie jedoch vor religiöser Bigotterie
und erinnert sie daran, daß es nur eine Moral, aber zahlreiche
Religionen gebe. »Glaube nur nicht, wenn Du zu einer
andern Religion übergegangen, dass die Millionen Menschen, die andere religiöse Grundsätze haben, arme Sünder
und Gott verhasste Menschen sind, die an der ewigen Seligkeit nicht Theil haben können.«[51]

Dorothea Schlegel wird in den folgenden Jahren und Jahr-
zehnten mit Klugheit und Energie die Karriere ihres Mannes
und ihrer Söhne nicht nur begleiten, sondern auch lenken.
Sie stellt den Söhnen Aufgaben und Ziele in ihrer Kunst, die
sie auf ihrem Weg zu der »wiedereroberten wahren und einzigen Malerei, nämlich der christlichen«,[52] bestärken sollen.

48 Ebd., S. 393.
49 Ebd., S. 304.
50 Ebd., S. 327.
51 Ebd., S. 437 f.
52 Raich II, S. 106.

Als sie erfährt, daß Katholiken in verschiedenen protestantischen Ländern Kirchen bauen dürfen, fordert sie Philipp und Johann auf, »unentgeldlich« Altarbilder für die »neu zu errichtenden Tempel« zu schaffen.[53] Sie regt auch Friedrich an, über Malerei zu schreiben und für die nazarenische Schule einzutreten. In den Jahren 1816/17 folgt sie Friedrich nach Frankfurt, wo er Österreich beim Bundestag vertritt; von 1818 bis 1820 lebt sie bei den Söhnen in Rom. Nach dem Tod Friedrich Schlegels (1829) findet sie bis zu ihrem Lebensende im Jahre 1839 abermals eine Heimstatt in Frankfurt am Main. Im Hause Philipps, der die Position des Leiters des Städelschen Museums angenommen hat, begründet sie eine »römische Kolonie«. Ihr Aktivismus, besonders in kirchlichen Belangen, bleibt lebenslang ungebrochen.

III

Dorothea Schlegels schriftstellerische Produktion gehört fast ganz in die Jahre 1799–1808, also die Zeit von der Trennung der ersten Ehe bis zur Konversion zum Katholizismus. – Die literarische Tätigkeit von Frauen ist um die Jahrhundertwende durchaus nichts Ausgefallenes. In Dorothea Schlegels unmittelbarer Nähe schreiben Henriette Herz, Sophie Mereau, Caroline Schlegel, Karoline Wolzogen und manche andere, ganz zu schweigen von den verlästerten Trivialautorinnen wie Friederike Unger und Dorothea Tieck. Nicht selten erscheinen diese Veröffentlichungen anonym – teils weil die Verfasserinnen nicht ins Gerede kommen wollen, teils auch einfach einer Mode der Zeit folgend. Gelegentlich beteiligen sich Frauen (wie z. B. Caroline Schlegel-Schelling) an den literarischen Projekten und Veröffentlichungen ihrer Ehemänner, wobei dann meist der individuelle Beitrag nicht mehr eindeutig zu bestimmen ist.

53 Ebd., S. 337.

Dorothea Schlegel hatte vornehmlich zwei Gründe für ihre Schriftstellerei: sie wollte Geld verdienen, und sie wollte dem geliebten Mann helfen. Letztlich fallen die beiden Gründe zusammen: sie wollte Geld verdienen, um Friedrich Schlegel in ihrer Gemeinschaft ein möglichst sorgenfreies Leben und Arbeiten zu ermöglichen. Bereits 1799 in Berlin hilft sie ihm bei Abschriften für das *Athenäum* oder leiht ihm während einer vierzehntägigen Krankheit als Privatsekretärin »Hand und Augen«.[54] Zugleich fragt sie ihren Freund Brinkmann, der in Paris weilt, ob er ihr

eine Übersetzung zu machen, verschaffen könne. Ich habe viel Zeit, wenig Geld und gute Freunde, die mich in der Arbeit unterstützen und durch deren Hülfe meine Übersetzung sicher nicht schlecht werden kann. [. . .] Außer im mathematischen und physikalischen Fach mag es übrigens seyn, was es will, nur freilich nicht, *wie* es will; denn vor der Uebersetzung eines schlechten Buchs bekomme ich einen kleinen Schauer.[55]

Nach dem Erscheinen der *Lucinde* und dem Ende des *Athenäums* durchläuft Friedrich Schlegel eine Phase geringer Produktivität, und das Paar leidet unter einer akuten Finanzmisere. Aber während Friedrich durch die »Sorgen am Arbeiten verhindert«[56] wird, fühlt sich Dorothea dadurch angespornt:

Ich fühle mich so reich an vielen Gaben, und Geschenken, daß ich wohl unrecht hätte, und sündlich thäte, wenn ich meine Geldarmuth mich zu sehr drücken ließe. Wolle mich nur das Glück so weit begünstigen, das ich noch einige Jahre lang meinen Freund unterstützen könnte [. . .] wie kann man von einem Künstler verlangen daß er mit jeder Messe ein Kunstwerk liefere, damit er zu leben habe? [. . .]

54 Deibel, S. 165.
55 Ebd., S. 170 f.
56 Schleiermacher, S. 17.

treiben aber und den Künstler zum Handwerker herunter drängen, das kann ich nicht. [. . .] Was ich thun kann, liegt in diesen Gränzen: ihm Ruhe schaffen und selbst in Demuth als Handwerkerin Brod schaffen, bis e r es kann.[57]

Die eigene literarische Tätigkeit wird also gegenüber dem künstlerischen Tun und der geistigen Schöpfung Friedrichs als reiner Broterwerb verstanden.

Doch ganz ohne literarischen Ehrgeiz ist Dorothea nicht. Ihre Berliner Übersetzungspläne, besonders der Anfang einer Übertragung des französischen Romans *Les amours du chevalier de Faublas* von Louvet de Couvray, bleiben unvollendet liegen; einige Rezensionen im *Athenäum* sind ihre ersten Veröffentlichungen. Aber im Jenaer Kreis, wo der Roman als romantisches Gesamtkunstwerk propagiert wird, wo Goethes *Wilhelm Meisters Lehrjahre*, Schlegels *Lucinde* und Tiecks *Franz Sternbalds Wanderungen* zum täglichen Brot gehören, beginnt sie bald selbst einen Roman zu schreiben, eine Dichtung, die zunächst »Arthur« und »Lorenzo« heißt[58] und schließlich zum *Florentin* wird. Die eigene künstlerische Tätigkeit gibt ihr Mut, Friedrich und August Wilhelm Schlegel sowie dem Freund Schleiermacher ins Gewissen zu reden, daß sie nicht kritische »Annalen«[59] herausgeben und »Recensions Anstalten«[60] etablieren, sondern ernsthafte poetische und wissenschaftliche Arbeiten hervorbringen. Wenn sie, die es mit Friedrichs Hilfe »bis zum Reim« gebracht hat, »aber noch nicht bis zum Rhythmus«,[61] dichten kann, dann sollten Leute wie Friedrich ihr Talent und ihre Zeit nicht mit Rezensionen verschwenden.

Der erste Teil des Romans entsteht in zügiger Arbeit. Am 15. November 1799, kaum mehr als einen Monat nach ihrer Ankunft in Jena, bezeugt ein Brief Dorothea Schlegels an

57 Ebd., S. 38.
58 Dilthey III, S. 135 f.
59 Raich I, S. 58.
60 Schleiermacher, S. 100.
61 Ebd., S. 72.

Schleiermacher erstmalig ihr dichterisches Tun: »Denken Sie
sich meine rasende Freude, ich habe ein hübsches Lied zu
meinem Roman gedichtet, es gefällt allen recht wohl.«[62] Am
14. Februar berichtet sie bereits, daß der erste Teil »beinah
fertig« sei, demnächst zum Abschreiber gehe und schon bald
zu günstigen Bedingungen bei Unger gedruckt werde.[63] Am
4. April muß sie freilich melden, daß Unger den *Florentin*
zurückgeschickt hat: »er soll nicht ins Romanjournal, weil sie
nichts gemeines und unsittliches darin aufnehmen!«[64] Dorothea sieht in der Ablehnung eine Bosheit Friederike Ungers.
Abermals einen Monat später, am 15. Mai, zeigt die Verfasserin die Vollendung an: der erste Teil ist beendigt, und Friedrich hat das Buch bei dem Lübecker und Leipziger Verleger
Bohn untergebracht. Mühselig und zeitraubend ist noch die
Herstellung der Reinschrift, vor allem weil sich Friedrich,
der das Manuskript grammatisch durchkorrigiert, mit der
Arbeit Zeit läßt: »Der faule Mensch, der Friedrich, korrigirt
mir immer die Fehler nicht aus den lezten Bogen«,[65] klagt die
Autorin. Doch noch vor dem Ende des Jahres 1800 liegt das
Buch gedruckt vor: »Florentin. Ein Roman herausgegeben
von Friedrich Schlegel. Erster Band.« Der Name der Autorin
ist nicht genannt, obwohl sich bald herumspricht, wer die
Verfasserin ist, und sie selbst nur mit wenig Überzeugung
versucht, die Anonymität zu wahren. »So wird jetzt, wie uns
gesagt wird, in ganz Jena behauptet, den ›Florentin‹ hätte *ich,
ich* gemacht«, schreibt sie an Brentano, »es ist ein Spass. [. . .]
Friedrich giebt ihn unter seinem Namen heraus, wem wir ihn
aber eigentlich zu verdanken haben, weiss ich wahrhaftig
auch nicht.«[66]

In der Beurteilung des eigenen Werks ist Dorothea Schlegel unsicher. Sie sorgt sich um die Wirkung auf ihre Freunde

62 Ebd., S. 22.
63 Ebd., S. 34.
64 Ebd., S. 48.
65 Ebd., S. 69.
66 Raich I, [S. 19 f.].

und hört gern, wenn das Werk als »amüsant« und »gebildet« gelobt wird. Ihre etwas scheinheilige Kritik des ›fremden‹ Romans gegenüber Brentano nennt das Werk »ein recht freundliches, erfreuliches, ergötzliches Buch« und spricht von dem gebildeten Amüsement, das es vermittle. Andererseits bedauert sie in einem Brief an Schleiermacher, daß Friedrich Schlegel seinen Namen für dieses (unkünstlerische) Werk hergeben müsse; es sei

> ein Unrecht, daß dieses Natur Gewächs (mit andern Worten dieses Unkraut) unter den Auspicien eines Künstlers erscheinen soll, auf dessen Unpartheylichkeit man sich verlassen muß können! Es ist, und bleibt eine schamlose Finanzoperation; ich wünschte nur, man könnte dieß auf eine schickliche Weise irgend wo öffentlich sagen.[67]

Und als das Buch in Jena gefällt, versichert sie, daß sie das nur wegen des besseren Absatzes freue. »Übrigens schäme ich mich aber ordentlich darüber, und es ärgert mich, ordentlich populär zu werden.«[68]

Dem ersten Teil des Romans sollte unmittelbar ein zweiter folgen, ja, zeitweise glaubte die Verfasserin, das ganze Werk könne in drei Bänden im Frühjahr 1801 erscheinen.[69] Noch während der Arbeit am ersten Band beginnt Dorothea Veit mit der Fortsetzung. Im August 1800 schreibt sie an einer Novelle, die von Friedrich gelobt wird. »Wenn ich kapabel bin sie dem Anfang entsprechend durchzuführen, so wird sie sich eine brilliante Stelle erwerben; ich sage aber noch nicht wo [...].«[70] Wir dürfen annehmen, daß es sich um die Novelle »Camilla« handelt, die in den zweiten Teil integriert werden sollte. Anfang 1801 belegen verschiedene Zeugnisse, daß sie sich »jämmerlich plagt«,[71] um diesen Teil zustande zu

67 Schleiermacher, S. 88.
68 Ebd., S. 101.
69 Ebd., S. 61.
70 Ebd., S. 88.
71 Ebd., S. 98.

bringen. Aber der peinliche Zwist im Jenaer Kreis, ihre
schlechte Gesundheit und widersprechende Pläne und Entwürfe verschleppen die Vollendung. In Paris verdrängen
andere Tätigkeiten den Plan. Zwar heißt es noch im Mai
1804: »Der Florentin wird meine nächste Arbeit«,[72] aber ein
Jahr später muß sich Dorothea eingestehen, daß sie dem
Buch entfremdet ist:

> Uebrigens habe ich auch den Florentin wieder vorgenom-
> men, aber mein Herz ist ihm bei meiner jetzigen Den-
> kungsart ziemlich stiefmütterlich gesinnt, ich bin fast mit
> nichts mehr darin zufrieden (die Schreibart ausgenom-
> men); ich wollte, ich hätte ihn gleich damals fertig gemacht,
> so könnte ich jetzt weit leichter einen Anti Florentin dich-
> ten.[73]

In der »Zueignung an den Herausgeber« (vgl. S. 193) spot-
tet Dorothea in echt romantischer Manier über die Forderung nach einem »befriedigenden Schluß«. Später stellt sie
sich ihren Söhnen gegenüber durchaus auf den entgegenge-
setzten Standpunkt:

> Das Unvollendetlassen ist ein Geist der Unordnung, der
> meines Erachtens jedem Geschäft in der Welt und also
> auch der Kunst Schaden tut, insofern die Kunst doch auch
> ein Geschäft ist und bleibt.[74]

Aber die Vollendung des *Florentin* ist offensichtlich mit
ihren veränderten moralischen und religiösen Anschauungen
seit der Kölner Zeit nicht zu vereinigen. Der Gegensatz des
Helden zum Klosterleben und zur katholischen Geistlich-
keit muß der Verfasserin jetzt frivol erscheinen.

Außer dem *Florentin* hat Dorothea Schlegel nur kleinere
poetische Werke verfaßt: Gedichte, Sonette, die teils unter
Friedrichs Namen gedruckt werden, teils unveröffentlicht

---

72 Paulus, S. 10.
73 Ebd., S. 63 f.
74 Raich II, S. 84.

bleiben: »wenn sie dir nur gefallen«, schreibt die Verfasserin, »ich mach mir nichts aus dem Gedrucktwerden.«[75] Der Gedanke, eine Tragödie über Ulrich von Hutten zu schreiben, wird wieder aufgegeben, vielleicht in der Hoffnung, daß Friedrich das Thema in ein geplantes Drama über Karl V. aufnehmen werde.

Umfangmäßig machen Dorothea Schlegels Übersetzungen bei weitem den größten Teil ihrer literarischen Produktion aus. Die von Friedrich Schlegel 1802 herausgegebene *Geschichte der Jungfrau von Orleans. Aus altfranzösischen Quellen* ist im wesentlichen eine Arbeit Dorotheas. Dasselbe gilt für die 1803 erschienene *Geschichte der Margaretha von Valois, Gemahlin Heinrichs des Vierten, von ihr selbst beschrieben*, obwohl das Titelblatt ausdrücklich vermerkt: »Übersetzt und herausgegeben von Friedrich Schlegel«. In Paris widmet sich Friedrich Schlegel der Sammlung romantischer Dichtungen des Mittelalters und hält Dorothea sowie ihre Freundin Helmine von Chézy zur Übersetzung und Bearbeitung alter Quellen an. Dorothea bewährt sich als gewissenhaft und kompetent sowohl in der Übertragung als auch in den vorgenommenen Kürzungen des altfranzösischen Romans über den Zauberer Merlin aus der Artus-Sage, der 1804 als *Geschichte des Zauberers Merlin* erscheint. Etwas willkürlicher geht sie bei der Bearbeitung des 1805 veröffentlichten Werks *Lother und Maller. Eine Rittergeschichte* vor, aber auch hier wird ihr Einfühlungsvermögen in den Geist des Originals gerühmt.[76] – Den größten Erfolg unter Dorothea Schlegels Arbeiten hatte aber die Übersetzung der *Corinne* Madame de Staëls, jenes Werks, das, unter dem Einfluß August Wilhelm Schlegels entstanden, die romantischste Dichtung der berühmten Französin darstellt. Die Übersetzung beruht auf dem Manuskript des Buches und erschien 1807 unmittelbar nach dem französischen Original. Letzte Verbesserungen blieben deshalb teilweise unbe-

75 Raich I, S. 181.
76 Vgl. Deibel, S. 131.

rücksichtigt, und Friedrich Schlegel mußte die Abweichungen ›seiner‹ Übertragung von dem französischen Text mit seinem Wunsch entschuldigen, das Werk den deutschen Lesern so frühzeitig wie möglich vorzustellen.

Schließlich verdienen die Briefe Dorothea Schlegels Erwähnung. Die moderne Forschung über Frauenliteratur betont, daß in Zeiten, in denen die öffentliche literarische Tätigkeit von Frauen eingeschränkt ist, in denen literarische Hervorbringungen dem Ruf einer Frau abträglich sein können, der Brief oft eine besondere Möglichkeit bietet, das eigene Wesen zum Ausdruck zu bringen. Nicht, daß Frauen mehr Briefe schrieben als Männer, aber häufig scheint das Briefschreiben ihnen mehr zu bedeuten und eher den Charakter eigentlicher literarischer Tätigkeit anzunehmen. Auch die Romantikerinnen, die sich im Vergleich mit vorausgehenden Generationen weitgehend emanzipiert haben, sind Briefschreiberinnen in diesem Sinn.

Dorothea Schlegels Briefe drücken ihr kontinuierliches Bestreben aus, das Leben in den Griff zu bekommen und es bewußt zu gestalten. Sie enthalten nicht geistsprühende Plaudereien ohne konkreten Gehalt, sondern zielbestimmte Kommunikation; sie sind geprägt von einem starken Gefühl, von Willenskraft und Klugheit. Der Ton variiert zwischen emotionaler Rede, scharfsinniger Argumentation und humoristisch-satirischer Beobachtung, die bisweilen auch zum Klatsch tendieren kann. Nicht immer ist Dorothea Schlegel ehrlich. Man braucht nur die Briefe an Simon Veit mit denen an Schleiermacher zu vergleichen, die an Friedrich Schlegel mit denen an seinen Bruder August Wilhelm: die Schreiberin möchte jeweils ein bestimmtes Bild von sich vermitteln und die Adressaten von einer Sache überzeugen. Ihre Selbstcharakterisierungen sind mit Vorsicht zu genießen. Aber immer ist sie konsequent. Immer wahrt sie ihre Persönlichkeit. Sie benutzt die Briefschreibekunst, um ihre Ziele und Zwecke zu erreichen, und versteht es zugleich meisterhaft, diese Ziele zu verharmlosen. Ein typisch zweckhafter

Brief beginnt damit, daß sie spontan einen Gedanken, eine Meinung oder einen Wunsch äußert. Dann wird das Anliegen relativiert und die Meinung des anderen zum Maßstab der Beurteilung und zur obersten Instanz erhoben. Abschließend kommt sie unweigerlich von dem Blickwinkel des Adressaten auf die eigene Position zurück. Der Empfänger kann sich nicht leicht dem mit so viel Bescheidenheit vorgebrachten Wunsch entziehen, und er darf glauben, daß er letztlich ganz dem eigenen Ermessen folgt. So wird Simon Veit zu seinen Zahlungen und zum Eingehen auf ihre Erziehungspläne für die Söhne bewegt, Schleiermacher dazu angehalten, ihr einen Stuhl abzukaufen (den er ›eigentlich‹ ob seiner vielen Verdienste um sie als Geschenk erhalten sollte); Friedrich Schlegels Konversion und die Taufe der Söhne sind das direkte Resultat dieser Briefschreibekunst. – Ersatz für die Produktion von schöner Literatur im angedeuteten Sinn sind diese Briefe also nicht, aber eine gehaltvolle und anregende Lektüre.

IV

Im Übergang vom 18. zum 19. Jahrhundert entstanden, repräsentiert Dorothea Schlegels *Florentin* die Tendenzen der Frühromantik. Der Roman des von einem Land zum anderen, von einem Abenteuer zum nächsten ziehenden aristokratischen Vagabunden, der die ideale Geliebte sucht – und sich selbst – und ein Ziel im Leben, ist ein typisch romantischer Entwurf, aber wie bei den meisten romantischen Dichtungen reichen seine Wurzeln beträchtlich ins 18. Jahrhundert zurück, über die Literatur der neunziger Jahre hinaus in die Empfindsamkeit und selbst in die Aufklärung.

Unmittelbar einsichtig ist zunächst die Beziehung zu Goethes *Wilhelm Meisters Lehrjahre*. Nicht nur die Form des Entwicklungsromans, sondern auch manche Einzelheiten erinnern an das berühmte Vorbild, das die Verfasserin

»immer wieder und wieder« liest, das aber, wie sie, Novalis folgend, feststellt, ihrer »innersten Natur so grade entgegen ist«.[77] In der Gestalt Clementines hat man mit Recht eine Verwandte von Goethes »schöner Seele« und besonders der Figur Nataliens erkannt. Beinahe noch enger erscheint die Verbindung mit Tiecks *Franz Sternbalds Wanderungen*. Die Vereinigung von Abenteurertum und Künstlertum mit der Suche nach der eigenen Herkunft, die Spiegelung der beiden Hauptschauplätze Deutschland und Italien, die Kombination von romantischem Freiheits- und Liebesmotiv, die versuchte Entführung der für das Kloster bestimmten Schwester und manches andere sind bei Tieck vorgebildet. Man braucht deswegen nicht von Dorothea Schlegels Unselbständigkeit oder ihrem Anlehnungsbedürfnis zu reden, wie es geschehen ist: die meisten Motive gehören zum Allgemeingut der Zeit und kommen in den verschiedensten Variationen in der höheren literarischen Tradition wie im Trivialroman der Zeit vor. Mit Friedrich Schlegels *Lucinde* hat der *Florentin* die Form der nachgeholten Jugendgeschichte gemeinsam und das Umkreisen des Themas von wahrer Liebe und Ehe. Einige Beschreibungen von Florentins Seelenzustand scheinen auf Tiecks *William Lovell* und die Empfindsamkeit zurückzuweisen. In dem Dreiecksverhältnis Florentin-Juliane-Eduard hat man Anklänge an Jacobis *Woldemar* erkennen wollen.

Neben all diesen Beziehungen auf bestimmte literarische Vorläufer ist aber besonders der Einfluß aufklärerischen Denkens hervorzuheben, der Dorothea Schlegels *Florentin* prägt. In ihren ausgedehnten Erörterungen von religiösen und sozialreformerischen Fragen, von Sozialfürsorge und Pädagogik verleugnet die Tochter Moses Mendelssohns keinen Augenblick den Geist ihres Vaterhauses.

Die Struktur des Romans ist durch zwei entgegengesetzte Bewegungen bestimmt: einerseits wird in die Zukunft

77 Raich I, S. 96.

erzählt, andererseits in die Vergangenheit. Die Gegenwarts-
handlung schreitet sehr langsam fort. Florentin rettet den
Grafen Schwarzenberg vor der Wildsau, lebt eine Zeitlang
freundschaftlich verbunden mit der Familie des Grafen auf
dessen Gut, reist schließlich weiter, um sich in der nächsten
Stadt gleich wieder aufzuhalten und nicht nur die mysteriöse
Schwester und Tante seiner Freunde aufzusuchen, sondern
die Freunde selbst wiederzutreffen. Dorothea Schlegel hat
ihrem Helden ein Ziel gesetzt, das ihrem eigenen kämpferi-
schen Sinn entspricht. »Ihr revolutionären Menschen müsst
erst mit Gut und Blut fechten, dann könntet ihr, um auszuru-
hen schreiben«, hatte sie Schleiermacher einst vorgehalten.[78]
Ihr Florentin scheint bereit, dieser Devise zu folgen. Von
Jugend auf will er Soldat werden; er läßt sich durch keine
Lebensform verführen und sagt sich von allen Bindungen
und Projekten los, um als Soldat für die amerikanischen
Kolonien zu kämpfen. Dennoch ist unübersehbar, daß er
dieses Ziel mehr im Mund führt, als daß er wirklich darauf
hinstrebte. Die amerikanischen Pläne erscheinen wie ein
Vorwand, um das gegenwärtige Herumschlendern, das Sich-
verweilen und Wieder-aufbrechen zu entschuldigen.

Etwa ein Drittel des Romans gehört Florentins Rückblick
auf Kindheit und Jugend. Aber mit dieser Vorgeschichte ist
die Vergangenheitsdimension des Buches noch nicht erschöpft. Florentin erfährt auf dem dramatischen Höhepunkt seiner Jugenderlebnisse, als er die Schwester retten
will, daß diese gar nicht seine Schwester ist und daß die vornehmen Personen, die er für seine Eltern hielt, ihn nur angenommen haben. Plötzlich sind seine Person und seine Herkunft von der Atmosphäre des Geheimnisses umgeben. Der
Weg ins Leben, der Weg in die Zukunft führt zugleich in die
Vergangenheit und dient der Erforschung des Rätsels des
eigenen Ursprungs. Der Entwicklungsroman ist wie bei
Tieck und später bei Hoffmann und Eichendorff vom

78 Schleiermacher, S. 18.

Modell des Geheimnisromans durchdrungen. – Alle Erlebnisse Florentins können nun auf die geheimnisvollen Zusammenhänge verweisen, in denen er steht. Wenn er im Hause des Grafen durch das Bild der noch jugendlichen Clementina tief angesprochen wird, so wird der versierte Leser von romantischen und vorromantischen Romanen auf eine verborgene Beziehung zu der dargestellten Person schließen. Wenn Clementina später bei Florentins erstem Anblick in Ohnmacht fällt, so gewinnt dieser Eindruck an Wahrscheinlichkeit. Wenn der Leser schließlich erfährt, daß die hohe Frau in ihrer humanitären Tätigkeit vergangene Liebesschmerzen oder -irrtümer zu vergessen sucht, so wird er nicht ungeneigt sein, in Clementina mit Finke (der den genauesten Einblick in die Fortsetzungsnotizen hatte) die Mutter Florentins oder mit Eichner (der die erhaltenen Notizen ediert hat) eine nächste Verwandte des Helden zu sehen. Dadurch wäre Florentin aber auch eng verwandt mit der Grafenfamilie, bei der er verweilt – ein Netz von Beziehungen scheint sich zu spinnen.

In diesen Zusammenhang gehört zweifellos auch die »Geistergeschichte«, die Juliane von Clementina gehört hat und in der nächtlichen Mühle wiedererzählt. Die Marquise, die nach jahrelanger Kinderlosigkeit von einer wunderbaren Kindeserscheinung besucht und durch eine glückliche Schwangerschaft begleitet wird, die ihr heiß ersehntes Kind dann dem Kloster weiht, hat Züge mit Florentins Pflegemutter gemeinsam. Konkrete Spekulationen verbieten sich aber, weil das Werk wie die meisten romantischen Romane Fragment geblieben ist und weil die Verfasserin, wie wir aus den Nachlaßnotizen entnehmen können, verschiedene, voneinander abweichende und einander widersprechende Konzepte verfolgt hat. Einzelne Widersprüche in Form und Gehalt sind dem Werk ohnehin eigen. Jeder unberufene Auflösungsversuch des Plots würde ihre Zahl und Bedeutung nur vergrößern. Jedenfalls entsteht durch die Kombination der verschiedenen Handlungsbewegungen, durch die eingelegten Geschichten, durch die langen (und manchmal lang-atmigen) Erörterungen, nicht zuletzt auch durch die zahlreichen Lieder eine Dichtung, die dem Friedrich Schlegelschen Romankonzept entspricht: der Versuch eines romantischen Gesamtkunstwerks.

Wenn das Hauptthema des Romans also die Suche nach dem Selbst in Vergangenheit und Zukunft ist, so trägt doch die Gegenwart und selbst die nachgeholte Jugendgeschichte relativ wenig zur Erhellung dieses Komplexes bei. Die Gegenwart ist arm an äußerem Geschehen. An die Stelle von Handlung tritt Schilderung und Betrachtung. Das einzige handlungsmäßige Problem, das sich ergibt, die Dreiecksbeziehung zwischen Florentin, Juliane und Eduard, ihr Schwanken zwischen Liebe und Freundschaft wird nicht voll entfaltet. Aus den Andeutungen einer Spannung erwächst kein Konflikt, ergeben sich keine Konsequenzen. Die Jugendgeschichte enthält zwar ein äußerst reiches Geschehen, aber die Ereignisse werden kursorisch erzählt – nicht so abstrakt und verdünnt wie in Friedrich Schlegels »Lehrjahren der Männlichkeit«, jedoch letztlich ohne die psychologische Vertiefung, aus der Persönlichkeit und Motive des Haupthelden sich zum lebendigen Charakter rundeten oder andere Gestalten mit eigenem Lebensanspruch hervorträten.

Dorothea Schlegels Erzählen lebt also weder von der Erfindung einer starken Handlung noch von der Charakterzeichnung; die Eigentümlichkeit der Verfasserin liegt vielmehr in der Verbindung von ästhetischen, sozialen und moralischen Betrachtungen und Diskussionen mit einer locker geknüpften Geschehenskette und skizzenhaft gezeichneten Gestalten. Novalis soll über den Roman geurteilt haben, »es wäre viel Bildung, aber kein Plan darin«, und die Verfasserin findet diesen Kommentar »sehr treffend«.[79] Schleiermacher scheint Tiefe zu vermissen, wenn er das Werk ein »sehr niedliches Buch« nennt und die »angenehme« Sprache

79 Raich I, S. 255.

rühmt.[80] Das Werk packt den Leser nicht leicht, aber es langweilt auch nicht wie so viele Romane der gleichen Epoche. Um seiner Eigenart gerecht zu werden, gilt es, die verschiedenen Themen und Lebensbereiche in ihren jeweiligen Repräsentanten zu würdigen.

Durch die Gestalten des Grafen Schwarzenberg und seiner Frau Eleonore kommt zunächst die aristokratische Lebensform in den Blick. Die beiden sind in ihren Charakteren und Vorstellungen verschieden, aber sie respektieren jeweils die Wünsche des anderen und ergänzen einander zu einer harmonischen Gemeinschaft unterschiedlicher Prinzipien, wobei Dorothea Schlegel, den Grundsätzen ihrer privaten Aufzeichnungen entsprechend, die höchste Autorität und die eigentliche Herrschaft im Haus der Gräfin verleiht. Der Graf ist General, ein schlichter Kriegsmann, begeisterter Jäger und tüchtiger Landwirt. Er vertritt die alte Tradition; sein Schloß erinnert an die Ritterzeit, »so ganz ohne modernen Zusatz« (30), bei der Hochzeit Julianes müssen die überlieferten Bräuche erfüllt und die vorgeschriebenen Staatskleider getragen werden. Daß das Leben in diesen Formen nicht steifleinen und ungemütlich wird, ist das Verdienst Eleonores. Sie versteht es (die Anschauung, wie das möglich sein soll, bleibt uns die Verfasserin schuldig), ohne die »ursprüngliche Gestalt« (31) des altertümlichen Schlosses zu verändern, doch die »Einrichtung im ganzen nach dem jetzigen Geschmack« (30) zu bestimmen. Die für alle Beteiligten unbequeme patriarchalische Sitte, die es dem Schloßherrn vorschreibt, bei der Vermählung seiner Tochter seinen Bauern ein Gastmahl zu bereiten, gewinnt durch ihr Einfühlungsvermögen und Organisationstalent echtes Leben, das jenseits der bloßen Zeremonie Gastgebern und Gästen Freude macht.

Was Dorothea Schlegel darzustellen sucht, ist die geglückte Verbindung von Alt und Neu, von Tradition und modernem Zeitgeist. Offensichtlich bedarf es keiner franzö-

80 Dilthey III, S. 344.

sischen Revolution, um das Leben zu humanisieren. Mit Offenheit, Verständnis und Verantwortung für die wirklichen Bedürfnisse können menschenwürdige Verhältnisse geschaffen werden. Dieser Optimismus bestätigt sich besonders in der Bauernbefreiung. Während der Oberstwachtmeister, der seine Bauern-»Bestien« »ausbilden« will, damit sie ihm mehr Vorteile erwirtschaften, als komische Figur verlacht wird, erläßt der Graf seinen Leuten, damit den Hardenbergschen Reformen vorgreifend, den Frondienst und macht sie im Sinn der Aufklärung zu selbständigen und verantwortlichen Menschen. Dasselbe Prinzip bewährt sich in der Kindererziehung. Die Kinder werden nicht wie gewöhnlich »als angebornes Eigentum angesehen, das man zu seinem eigenen Vorteil, oder nach Laune, bearbeitet und benutzt« (55), sondern sie dürfen zwanglos sie selbst sein. »Zum erstenmal bemerkt Florentin die wahre innige Liebe der Kinder zu ihren Eltern« und, was noch mehr auffällt, »die Achtung der Eltern für die Rechte ihrer Kinder« (19). Die Verfasserin zeichnet in dem Familien- und Gemeinschaftsleben des Grafenschlosses eine vollendete Idylle. Es ist kein Wunder, daß Florentin, der eine unglückliche Kindheit durchlitten hat und der gewohnt ist, die vornehmen Häuser als »Mittelpunkt aller Albernheit« (25) zu betrachten, sich hier mit der Gesellschaft aussöhnt.

Was der Graf und die Gräfin Eleonora als aristokratische Grundherren üben, das praktiziert Gräfin Clementine in einer geistlich-religiösen Umwelt: Sie wirkt für das physische Wohl und die Menschenwürde ihrer Nächsten, vornehmlich der Armen und Kranken, aber auch aller anderen, die ihr Wohlwollen und ihre Großzügigkeit in Anspruch nehmen. Clementine ist zweifellos die Persönlichkeit mit der höchsten Würde in dem Roman. Sie scheint allgegenwärtig: im Bild, im Gespräch, im Brief, in Erzählungen – nur als Person wird sie wenig sichtbar. Wenn sie nicht zur Hochzeit kommen kann, so wird die Vermählung zunächst einmal und beinahe ein zweites Mal verschoben, gleichsam als sei die

Hauptsache an der Verehelichung der jungen Leute die
Anwesenheit der Tante. Das erste Unternehmen nach der
Eheschließung ist selbstverständlich der Besuch bei Clemen-
tine. Die ganze Familie macht sich zu ihr auf.

Die katholische Religion erscheint im *Florentin* zunächst
als düsterer Zwang. Ein machthungriger Prior, ein schwäch-
licher Pater und Hofmeister, eine bigotte Pflegemutter sper-
ren den jungen Florentin in ein trostloses Gefängnis, in dem
er sich auf das verhaßte Klosterleben vorbereiten soll. Hier
malt die Verfasserin weniger mit den Farben der Frühromantik als mit denen des zeitgenössischen Klosterromans. –
Etwas freundlicher ist dann das Bild des Katholizismus in
Julianes Gespenstergeschichte. Zwar wirkt die Religiosität
der kinderlosen Marquise überspannt bis zur Krankhaftig-
keit, aber die gnadenhafte Erfüllung ihrer Wünsche weist
darauf, daß sie mit ihrem frommen Gebaren eine gütige
himmlische Macht bewegt hat. – In Clementina erreicht das
religiöse Element seine höchste Form. Einerseits wirkt die
Gräfin selbst bereits wie eine Heilige oder eine Märtyrerin.
Ihr Haus enthält einen »Tempel«, einen »hohen Dom« (181).
Das Gemälde der heiligen Cäcilia, die über Tod und Trauer
triumphiert, trägt ihre Züge; und ihre entzückte Frömmigkeit, verbunden mit physischer Schwäche, scheint sie von
allem Irdisch-Alltäglichen abzutrennen. Unglücklich und
erhaben, »haucht« sie nach der Meinung Florentins ihren
»eigenen Schmerz in göttliche Harmonien aus« (170). Andererseits ist ihre Religiosität dadurch ausgezeichnet, daß sie
mehr ist als geistliche Entzückung. Sie widmet ihr Leben
nicht der religiösen Erbauung, sondern der Kunst, insbe-
sondere der Musik (sie ist eine weibliche Komponistin!), sowie
der Erziehung junger Mädchen, vor allem aber der Wohltätigkeit. Der moralisch begeisterte Doktor kann sich gar nicht
genug tun, die Fülle ihrer guten Taten für die Kranken und
Elenden aufzuzählen: Schaffung von Wohnplätzen, medizi-
nische Betreuung, Begründung von Gesundheitsbädern,
Öffnung ihres Parks für die Menge, großzügige Geschenke –

alles geschieht, ohne die Empfänger dabei zu demütigen. Offensichtlich sind auch hier manche Ideen des Hauses Mendelssohn in das Buch eingegangen.

Der Verfasserin eigentümlich und dem Geist Moses Mendelssohns fremd ist jedoch die empfindsam-romantische Idee, daß nur unglücklich liebende Frauen so wirken können. Während die glückliche Eleonora »um sich her alles glücklich« (170) macht, während Männer im Unglück eher zur gewaltsamen Reaktion neigen sollen, sind es unglückliche Frauen wie Clementina, die »milde Stiftungen« (169) errichten, um anderen »Trost und Hülfe zu verleihen« (170). Was es jedoch mit Clementines Liebesunglück auf sich hat, wie ihr Schicksal mit dem der andern Figuren zusammenhängt, darüber schweigt sich der vollendete Teil des Romans noch aus.

Juliane und Eduard begegnen uns zunächst als ein glückliches und völlig unproblematisches Paar von Verliebten und Verlobten. Sie sind äußerlich und innerlich, standes-, bildungs- und gefühlsmäßig gleich gut aufeinander bezogen, sie musizieren und kommunizieren miteinander, und jedermann scheint mit ihrer Verbindung einverstanden. Dennoch offenbaren sich in ihrer Beziehung Spannungen, die nicht nur in der Anwesenheit Florentins begründet sind, sondern in den Personen selbst liegen, wie Clementines Bedenklichkeit gegen die frühe Vermählung nahelegt. Der Leser muß wieder viel raten, weil die Probleme beinahe nur angedeutet und nicht gestaltet sind und weil die Verfasserin beinahe unentschieden scheint, ob sie eine »ewige Liebe« und ein »unvergängliches Glück« (111) darstellen will oder eine gefährdete Beziehung. Erst die Notizen zum zweiten Band problematisieren die Beziehung ins durchaus Kritische.

Juliane, die noch sehr jung ist, hat keine Vorstellung von Liebe und Ehe, die über das augenblickliche Gefühl hinausgeht. Ihre Sinnlichkeit ist noch nicht erregt, und sie erwartet von der Ehe nicht mehr als die Fortsetzung des gegenwärtigen Glücks. Eduard dagegen verbirgt unter der heiteren

Oberfläche die Ungeduld sexueller Wünsche, die durch die
Anwesenheit Florentins noch heimlich geschürt wird und
mit der er auf ihrer gemeinsamen Wanderung die unschuldige Juliane ängstigt. Beide Liebenden scheinen gegenüber
Florentin ein geheimnisvolles Ungenügen zu verspüren. Die
schöne Juliane, die gewohnt ist, sich von aller Welt huldigen
zu lassen, muß lernen, ihm zuliebe ihre Eitelkeit zu zügeln,
und sie erkennt ihn geradezu als Erzieher an (36). Eduard ist
offensichtlich von Florentins Lebensführung fasziniert, der
Sphäre von Abenteuer, Krieg und Tätigkeit, an der er selbst
kaum Anteil hat. Er sucht die Freundschaft Florentins und
ist manchmal beinahe geneigt, seine Liebe und sein gesichertes Leben für die Gemeinschaft mit dem Bewunderten aufzugeben. Wie in vielen Werken des 18. Jahrhunderts stellt
sich die Frage, ob Liebe oder Freundschaft höher stehen.

Eine Zeitlang scheinen sich Liebe und Freundschaft
zwanglos zu vereinigen in dem Bund, der die drei Gestalten
zusammenschließt. Juliane geht gegen alle Konvention in
Männerkleidern mit Eduard und Florentin auf eine ihrer
abenteuerlichen Reisen. Bei dieser Gelegenheit ist sie es vornehmlich, die Florentin dazu bewegt, seine Jugendgeschichte
zu erzählen, und als sich Eduard und Florentin unter
dem Eindruck dieser Erzählung »ewige« Freundschaft oder
»ewige« Treue versprechen, begehrt sie, dem Bund ebenfalls
angehören zu dürfen: »Auch ich bin euer« (72). Aber diese
Gemeinschaft ist keine Garantie des Glücks. Eduards Ver-
wilderung, sein schlecht verhohlenes Begehren, andrerseits
seine Überzeugung, der Freund liebe Juliane auch, und die
nicht ganz klare Bereitschaft, die Geliebte mit ihm zu teilen
(116 f.), verunsichern alle drei.

Darüber hinaus zeigt Julianes Schwäche während des
Unwetters, wie wenig solide das Bündnis ist: Sie muß wie ein
Kind in die rettende Mühle getragen werden, und sie
benimmt sich dort nicht wie eine gleichberechtigte Freundin,
sondern wie eine verwöhnte Prinzessin, der zu Gefallen ihre
Freunde und alle Hausbewohner die Nacht durchwachen

und ihre Wünsche erfüllen müssen. Dorothea Schlegel mag in dem Roman Frauen wie Eleonore und Clementine vor allen Personen auszeichnen, aber sie bricht nicht mit traditionellen Rollen und klischeehafter Darstellung. Wir hören, daß Eleonore, die sich um ihre Tochter sorgt, bei jedem stärkeren Blitzschlag in Ohnmacht fällt. Und Julianes Verhalten in der Mühle demonstriert, wie sehr sie bei aller Keckheit doch das ›schwache Geschlecht‹ vertritt, das besonderer Rücksichten bedarf. Aus heutiger Perspektive fällt besonders auf, daß weder die Figuren des Romans noch die Erzählerin ihr Benehmen befremdlich zu finden scheinen. – Juliane hat auf der Reise »die Erfahrung ihrer Abhängigkeit gemacht und muß es sich gestehen, daß sie es nicht so unbedingt wagen dürfe, außer ihren Grenzen [. . .] fertig zu werden« (131). Eduard ist seit der Wanderung meist mißmutig, einerseits wegen seiner unerfüllten Wünsche, andererseits aus uneingestandener Eifersucht. Florentin schließlich erkennt, daß seine Gegenwart trotz aller Freundschaft und Liebe für die Gemeinschaft der Verlobten gefährlich ist: »Ich segne meinen Eintritt in Euren Kreis, aber ich gehe, damit ihn niemand verwünsche.« (156)

Der Titelheld, der von Anfang bis Ende des Buches fast ununterbrochen vor den Augen des Lesers bleibt, ist natürlich die komplexeste Gestalt. Wir verfolgen seinen Lebensweg von der frühen Kindheit bis zur ersten flüchtigen Begegnung mit Clementina. Wir sehen ihn als unglückliches Kind, als freiheitsliebenden Jugendlichen und der Idee der Freiheit verpflichteten Mann, als unwiderstehlichen Liebhaber und zuverlässigen Freund, als Abenteurer, als Weltmann; er ist Künstler: Maler zunächst, dann Dichter und Sänger; er versteht sich auf die tiefsinnige oder geistreiche Rede ebensowohl wie auf den Gebrauch des Degens; er verachtet die große Welt und schwärmt vom Hirtenleben und weiß doch in der Gesellschaft zu glänzen und zu bezaubern. Goethe bemerkte ironisch: »Was sich aber ein Student freuen muß, wenn er einen solchen Helden gewahr wird! denn so ohnge-

fähr möchten sie doch alle aussehen.« (Vgl. Dok. Nr. 30,
S. 274.)

Ist Florentin ein Ritter ohne Fehl und Tadel, eine ideale
Männergestalt aus einer weiblichen Seele geboren? Nein und
ja! Florentin hat zweifellos nicht wenige Fehler und Schwächen, solche, die ihm bereits die Verfasserin anrechnet, die
aber häufig schon dadurch relativiert werden, daß der Held
sie selbst bloßstellt, und andere, die der kritische Leser wahrnimmt, der das Buch unbekümmert um die Autorintention
liest. Zu letzteren gehört zum Beispiel ein Freundschafts-
dienst wie die Rettung des nichtsnutzigen englischen Lords,
der beim Glücksspiel den Gewinner seines Vermögens
ersticht. Zu den ersteren zählen manche leichtsinnigen Lie-
besabenteuer, die dem Buch zur Zeit der Veröffentlichung
den Ruf der Unsittlichkeit eintrugen und noch 1918 von
einem der eifrigsten Anhänger Dorothea Schlegels als frivol
und abstoßend bedauert wurden, besonders »da die bedenk-
lichsten Dinge von einer Frau erzählt werden«.[81] Im Roman
selbst werden Florentin seine Fehler leicht vergeben; die
tugendhafte Juliane nimmt keinen Anstoß, und die eroti-
schen Erlebnisse geben ihm nur ein interessantes Flair; der
Glanz, der Charme und die allseitige Überlegenheit seiner
Gestalt machen mögliche Einwände stumm. Letztlich ist er
unabhängig von seinen Schwächen ein Idealbild.

In allen wesentlichen Eigenschaften stellt Florentin einen
typisch romantischen Helden dar. Selbst seine empfindsa-
men Züge, die gelegentlichen Tränen, die Rührung, widersprechen diesem Bild nicht; denn solche Details gehören zu
den meisten Figuren der frühen Romantik. – Zunächst fällt
Florentins Unabhängigkeitsbedürfnis ins Auge, das sich
gegen eine phantasiefeindliche Erziehung, gegen Kloster-
zwang und jede Art, über ihn zu verfügen, auflehnt. Nachdem er mit Hilfe seines Freundes Manfredi und dessen
Vaters der Mönchslaufbahn entkommen ist und zwei Jahre

81 Finke, S. 79.

in der Militärakademie verbracht hat, beginnt sein unstetes Wanderleben als Abenteurer, Liebhaber, Künstler, fahrender Held, einsam unter den Etablierten und Seßhaften und doch zugleich anziehend und gesellig. Wie ein mittelalterlicher Ritter, der auf Aventiure auszieht, kommt er gerade zurecht, als es gilt, den Grafen vor dem Wildschwein zu retten. Ähnlich nimmt er sich am Ende der von ihrem Verlobten erniedrigten Betty an, und wir können beinahe sicher sein, daß er erreicht, was Clementine nicht wagt: Betty und Walter voneinander zu trennen.

Die Liebeserlebnisse Florentins in Venedig sind in sich selbst wenig romantisch, vielmehr sinnliches Spiel – von Wieland und Heinse inspiriert. Das hübscheste unter ihnen, die verschlafene Liebesnacht, geht auf ein altes Schwankmotiv zurück. Wie in Tiecks *Sternbald* bereitet aber auch im *Florentin* das sinnliche Liebestreiben die tiefere Liebe vor, nach der sich der Held sehnt. In Rom scheint er diese beinahe gefunden zu haben in seiner Künstlerliebschaft oder – wie Dorothea Schlegel in der Nachfolge des *Lucinde*-Dichters, freilich mehr launig als ernsthaft, sagt – in der »Ehe« mit dem schönen und kapriziösen Mädchen, die sein Modell war, aber ihre heimliche Abtreibung des erwarteten Kindes zeigt, wie weit die beiden voneinander getrennt sind: Florentin wird an ihr beinahe zum Mörder. Die wahre romantische Geliebte, »die ohne alle Absicht, bloß um der Liebe willen, die meinige sei« (47), das Ideal der Geliebten, das er in allen Frauen sucht, möglicherweise selbst in Juliane (46), obwohl er sich aus Freundschaft für Eduard Rücksichten auferlegt (26), lebt nur in ihm.

Kein wahrer Romantiker, der nicht zugleich Künstler wäre! Florentin ist es im doppelten oder dreifachen Sinn. Schon als Kind zeigt er Begabung zum Malen. Im Umgang mit den deutschen Künstlern in Venedig und Rom lernt er die Malkunst so rasch und so gründlich, daß er bald mit seinen »Gefährten wetteifern« kann (89) und sich durch die Kunst erhält. Befremdlich ist es allerdings, wenn er trotz dieser Erfolge später befindet, daß er »eigentlich gar kein Talent zur Malerei hatte« (91). Ob der Widerspruch mehr der Verfasserin oder dem Helden anzukreiden ist, sei dahingestellt. Möglicherweise läßt er sich damit erklären, daß Florentin die Kunst so hoch stellt, daß ihm die eigenen Werke nicht genügen. Auf seinen späteren Wanderungen empfindet er es als Erniedrigung seiner früheren »Göttin«, wenn er sich durch Porträtmalerei Geld verdienen muß. Darüber hinaus gilt für Florentin das romantische Prinzip, daß er primär durch seine künstlerische Lebensweise, durch seine Empfindung für die Kunst und durch das unbürgerlich freie, bohèmehafte Leben Anspruch auf den Namen eines Künstlers erheben darf und erst in zweiter Linie durch die Ausübung seiner Kunst.

Wie Tiecks Sternbald verbindet Florentin mit seinem Malertum zugleich die Begabung zum Dichten und Musizieren. Schleiermacher hat daran Anstoß genommen, daß ein Maler in Stanzen improvisiert. Vielleicht hat ihn weniger die Tatsache selbst irritiert als der Charakter dieser Verse und Strophen; denn obwohl Dorothea Schlegels Stanzenfolge (127–129) in dem Roman von den Zuhörern mit Enthusiasmus aufgenommen wird und bei den Jenaer Freunden ein starkes Echo gefunden hat, enthalten die Gedichte ein ziemlich vages Konglomerat von Gedanken und Motiven. Auch die beiden vorausgehenden Stanzen (45) befriedigen eher in der Versgestalt als durch ihre gehaltlichen Qualitäten, und die Einführung der zweiten Strophe als »beruhigendes Echo« der ersten verfehlt den Charakter nicht wenig. Persönlicher und unmittelbarer wirken Florentins freiere Gedichtformen, seine besinnlichen Verse am Ende des ersten Tages auf dem Schloß (27–29) und das Lied, mit dem er sich der Erzählung seiner Jugendgeschichte zu entziehen sucht (49). Aber wie bei der Malerei kommt es schließlich nicht auf die Vollkommenheit der poetischen Produkte an als vielmehr auf die Lust am Singen und die Begabung und das Bedürfnis, das eigene Innere in Poesie umzusetzen.

Daß Florentin auf der Gegenwartsebene eine große Entwicklung durchmachte und seinen romantischen Zielen wesentlich näher käme, läßt sich nicht behaupten. Seine Neigung zu Melancholie und Menschenverachtung wird unter den sympathischen Personen, mit denen er zu tun hat, zu einem gewissen Grad korrigiert. An der Beurteilung, ob eine durchgreifende Veränderung seines Wesens und seiner Verhältnisse bevorsteht, hindert der frühe Abbruch des Romans.

V

Die Notizen aus dem Nachlaß tragen zum Verständnis des veröffentlichten Bandes nur wenig bei. Es ist schwer vorstellbar, daß die komplizierten Verhältnisse, die sich darin abspiegeln, mit dem ersten Teil ohne weiteres harmoniert hätten. Im übrigen steht es auch gar nicht fest, wie die Forschung meist annimmt, daß ein zweiter Teil bereits alle Geheimnisse der Vergangenheit und die Entwicklung der Zukunft hätte auflösen sollen. Zumindest vorübergehend rechnete Dorothea Schlegel mit drei Bänden des Gesamtwerks.[82] Mit Recht hat man betont, daß der zweite Teil des Romans deutlicher als der erste »an die Tradition des ›romantischen Romans‹ der Epoche von Dante bis Cervantes anknüpft, deren Erneuerung ja nach Friedrich Schlegels Überzeugung eine Hauptaufgabe der Dichtung seiner Zeit war«,[83] obwohl die Entstehungszeit der Fragmente mit der des ersten Bandes mehr oder weniger zusammenfällt. Inhaltlich wird der Entwurf immer komplexer. Stilistisch sind die Nachlaßtexte noch vager und weniger durchgeformt als der Hauptteil.

Die »Zueignung an den Herausgeber« sollte ursprünglich sicher dem ganzen Roman vorausgehen, dem abgeschlossenen Buch, das noch immer keinen »befriedigenden Schluß«

82 Schleiermacher, S. 61.
83 Eichner, S. 321.

böte. Bei einer Veröffentlichung des Werks in zwei oder drei Teilen verlor sie ihre Stimmigkeit und ihren Sinn. Im übrigen verbot sich die Publikation dieser Zueignung wohl auch deshalb, weil sie die Identität der Verfasserin endgültig preisgegeben hätte. Man darf wohl die beiden von Friedrich Schlegel dem Roman vorausgeschickten Sonette als Ersatz für diesen Text ansehen. Der geplante zweite Teil sollte dann eine eigene Einleitung erhalten (vgl. 197).

Das einzige Fragment, das sich dem ersten Band des Romans leicht anschließt, ist das Gespräch zwischen Eleonore und Clementine. Hier werden Probleme zwischen Juliane und Eduard, die am Ende des veröffentlichten Teils angedeutet sind, auf abstrakt-begriffliche Formeln gebracht. Es darf als sicher gelten, daß es sich bei diesem Bruchstück noch um eine Skizze handelt und nicht um eine abgeschlossene Szene. – Die Novelle *Camilla* ist offensichtlich als Beitrag zur Vorgeschichte der älteren Generation des Romans konzipiert. Sie scheint so manches Geheimnis aufzuschließen. Wenn aber Rosalie, wie Eichner meint, mit der Marquise in Julianes Geschichte identisch ist und zugleich mit Florentins Pflegemutter, wenn Camilla entweder Clementine oder deren Zwillingsschwester ist, Florentins Mutter oder seine Tante, so stellen sich diesen Auflösungen doch beträchtliche Widersprüche entgegen. Hätte Dorothea Schlegel den Roman wirklich vollenden wollen, so wären durchgreifende Änderungen in der Anlage nötig gewesen. Angesichts dieser Situation empfiehlt es sich vielleicht, auf Harmonisierung zu verzichten und die Novelle als selbständige Erzählung Dorothea Schlegels zu lesen – nicht als integralen Teil des Romans.

Inhalt

Erzählungen und Romane
der deutschen Romantik

IN RECLAMS UNIVERSAL-BIBLIOTHEK

Philipp Reclam jun. Stuttgart

Juliane } Verlobter ; friends - F tells life
Eduard } story to

Manfredi - friend ~~sen set~~ while
                    being educated 64
Marchese - father, helps young F.